Sammlung Luchterhand 1044

*Über dieses Buch:* Die Entdeckung Amerikas liegt mindestens 12 000 Jahre zurück. Damals zogen die ersten Siedler aus Nordostasien über die Beringstraße nach Alaska. Einige von ihnen kamen bis nach Südamerika. Kolumbus war einer der letzten, die Amerika erreichten.

Seine »Entdeckung« ist kein Grund zum Feiern. Ihr folgten grausame Unterwerfung und Vernichtung der Ureinwohner. Nach vorsichtigen Schätzungen lebten um 1492 zwischen 90 und 112 Millionen Indianer auf dem Doppelkontinent. Schon 1650 sollen es nur noch etwa 4,5 Millionen gewesen sein. Mindestens 85,5 Millionen Menschen sind »Kolumbus« demnach zum Opfer gefallen. Auch heute noch werden die indianischen Völker verfolgt und diskriminiert – von der Arktis über Mexiko bis Feuerland. Doch ihr Widerstand ist ungebrochen, sie schließen sich zusammen und klagen vor internationalen Gremien ihre Rechte ein.

Die angesehene Menschenrechtsorganisation »Gesellschaft für bedrohte Völker« gibt in ihrer Dokumentation einen umfassenden und aktuellen Überblick über Geschichte und gegenwärtige Situation der Indianer Nord-, Mittel- und Südamerikas. »Unsere Zukunft ist eure Zukunft« ist ein engagiertes wie unentbehrliches Nachschlagewerk für alle, die sich mit der Situation der indianischen Völker beschäftigen wollen.

»Unsere Zukunft ist eure Zukunft«
Indianer heute
*Eine Bestandsaufnahme
der Gesellschaft für bedrohte Völker*

Luchterhand
Literaturverlag

Gewidmet den ersten aktiven Mitgliedern der Gesellschaft für bedrohte Völker, die sich in den schwierigen Anfangszeiten besonders engagiert haben:
Dr. Rita Böttcher, Heike Franke, Nils Franke, Elfriede Hansen, Horst Hansen, Walter Hansen, Dr. Ines Köhler-Zülch, Marlies Kovàts, Heide Krause, Dr. Paul Fritz Ponath, Gerle Stammberger, Astrid Stegelmann, Dr. Niels Thomson, Jens Wulff und Pastor Joachim Ziegenrücker.

Redaktion: Inse Geismar und Gundula Zeitz für die
Gesellschaft für bedrohte Völker, Göttingen

Originalausgabe
Sammlung Luchterhand, März 1992
Lektorat: Klaus Humann
Luchterhand Literaturverlag GmbH, Hamburg · Zürich. Copyright © 1992 by Luchterhand Literaturverlag GmbH, Hamburg · Zürich. Alle Rechte vorbehalten. Die Rechte an den einzelnen Beiträgen liegen, wenn nicht anders vermerkt, bei den Autoren bzw. der Gesellschaft für bedrohte Völker, Göttingen. Umschlagentwurf: Max Bartholl. Umschlagfoto: Oswald Iten. Das Bild zeigt Lakota-Indianer im Dezember 1990 auf dem Weg nach Wounded Knee. Satz: Utesch, Hamburg. Druck: Ebner/Ulm. Printed in Germany.
ISBN 3-630-71044-1

1   2   3   4   5   6      96   95   94   93   92

# Inhalt

## 1. Indianer heute

## 2. Kanada und Alaska

# 3. USA

# 4. Mittelamerika

# 5. Südamerika

# 6. Anhang

Tilman Zülch und Claus Biegert
# Indianer – weltweit Symbol für Unterdrük-
# kung und Widerstand

Ein Sommertag in Bonn anno 1989. Der Himmel ist blau, die
Stadt hat festlich geflaggt: Staatsbesuch aus Übersee. Der nicaraguanische Präsident Daniel Ortega eilt von Empfang zu Emp-
fang, bittet um Finanzhilfen für sein krisengeschütteltes Land.
Die Gesellschaft für bedrohte Völker begleitet an diesem Tag,
unabhängig von dem hohen Besuch, die exilierten Indianerführer
Margarita Courbelo und Brooklyn Rivera zu Gesprächen mit den
Bundestagsausschüssen für Menschenrechte und Auswärtiges.
  Die Begegnung ist zufällig, aber lehrreich: Die Staatskarosse
mit dem Präsidenten und seiner Begleitung rollt am Hotel Tul-
penfeld, dem Pressezentrum im Regierungsviertel, vorbei. Ein
Blick der beiden Indianer in das Auto, ein Sprung und sie verber-
gen sich hinter den Büschen.
  Den Demonstranten, die gekommen sind, um »Lateinamerikas
fortschrittlichsten Präsidenten« zu begrüßen, entgeht die Panik
der beiden Exilindianer. Ohnehin gilt ihre Solidarität dem bedrohten Nicaragua, nicht der kleinen Minderheit der knapp
250 000 nicht erst von den Sandinisten diskriminierten Indianer
an der Atlantikküste. »Die Politik des sandinistischen Nicaragua
gegenüber seinen indianischen Minderheiten unterscheidet sich
nicht grundsätzlich von der Indianerpolitik anderer Staaten in
Nord- und Südamerika«, hatte die Gesellschaft für bedrohte Völker bereits am 9. 7. 1982 in einer Presseverlautbarung erklärt,
gegen sandinistische Massaker an den Miskito-Indianern protestiert und sich damit den unversöhnlichen Zorn von Teilen der
Solidaritätsbewegung für Nicaragua zugezogen.
  Dabei kann die Menschenrechtsorganisation die Gesamtlage
nicht nur der Miskitos, sondern aller 30 bis 40 Millionen Indianer
des Doppelkontinents sicher zutreffender beurteilen als viele ihrer Kritiker. Schließlich hat sie sich seit 1970 für die indianischen
Völker beider Amerika eingesetzt, verfügt in ihren Reihen über
zahlreiche intime Kenner der indianischen Situation und ist durch
unzählige Kontakte mit indianischen Bürger- und Landrechtsbewegungen verbunden.

Die Massaker an den Miskitos machen nur einen winzigen Ausschnitt der 500jährigen indianischen Leidensgeschichte von Vernichtung und Verfolgung, von Genozid und Ethnozid aus, die mit der Landung des Christoph Kolumbus auf der Insel »Hispaniola« begann und bis heute fortdauert. Es ist letztlich nicht entscheidend, ob sich Historiker und Ethnologen über die Opferzahl dieses barbarischen Völkermordes einigen können oder nicht. Wenn statt 100 »nur« 50 Millionen Angehörige indianischer Völker in Nord-, Mittel- und Südamerika die europäische »Landnahme« mit ihrem Leben bezahlt hätten, wäre das Ganze nicht weniger verbrecherisch. Zu ihrer Schuld an diesem Völkermord, der in den Tagen der Eroberer Cortés und Pizarro begann, in den Prärien Nordamerikas bis zu dem Massaker von Wounded Knee seinen Fortgang nahm und im 19. und 20. Jahrhundert am Amazonas weiterging, haben sich die Staaten, in denen er verübt wurde, ohnehin nie offiziell bekannt. Auch deshalb hat der Genozid an den Indianern bis heute nicht aufgehört. Noch immer wird das kleine Volk der Yanomami am brasilianischen Amazonas Opfer eines schleichenden Völkermordverbrechens, werden die Maya-Bauern in Guatemala weiter dezimiert. Die Vernichtung der indianischen Völker in 500 Jahren – wer weiß überhaupt, wie viele von ihnen bis zum letzten Mann, zur letzten Frau, zum letzten Kind umgebracht worden sind – war nicht weniger furchtbar als die Verbrechen Stalins und Hitlers in unserem Jahrhundert. Jeder Völkermord ist singulär. Gerd von Paczensky hat das auf den Punkt gebracht: »Die Weißen waren fast immer die Stärkeren. Sie haben sich in der farbigen Welt so benommen wie Hitler in der weißen. Als die Nazi-Greuel beendet waren, gab es noch immer Kolonial-Greuel. Die Weißen sprechen gern von der »Gelben Gefahr« oder in den letzten Jahrzehnten von der »Roten«. Für die gewaltige Mehrheit der Menschen hat es in den letzten Jahrhunderten nur eine wirkliche Gefahr gegeben: die Weißen.«[1]

So haben sich die Europäer, ob »Lateiner« (Spanier, Portugiesen), Angelsachsen oder Franzosen, das ganze Amerika unterworfen, wie sich Europa auch die anderen Kontinente der Dritten oder »Farbigen« Welt einverleibt hat: Afrika, Asien, Australien, Sibirien. Völkermordverbrechen als Mittel der Durchsetzung europäischer Herrschaft wurden nicht nur an den Indianern verübt, sondern auch an Algeriern und Madegassen, an Hereros und Kongolesen, an Philippinos und Molukkern. Doch in Afrika wie in Asien blieben die einheimischen Mehrheiten in ihren Heimatländern, erzwangen oder erlangten spätestens in den 50er, 60er und 70er Jahren ihre Unabhängigkeit. Den überlebenden »Ureinwohnern« zwischen Alaska und Patagonien blieb diese Selbstbestimmung verwehrt. Es gibt heute 42 Staaten der Schwarzafrikaner auf dem afrikanischen Kontinent und sogar 10 unabhängige Republiken ihrer Rasse in der Karibik, deren Vorfahren als Sklaven nach Amerika verschleppt worden waren. Nur die Indianer gingen leer aus – bis heute.

\* \* \*

Dennoch haben indianische Nationen in 24 Staaten des Doppelkontinents überlebt und bilden Bevölkerungsmehrheiten in den Ländern der alten Hochkulturen der Inka und Maya, in Bolivien und Guatemala, oder erreichen fast die Hälfte der Einwohner wie in Peru oder Ekuador. In Paraguay sprechen sogar 90 Prozent der Bevölkerung das indianische Guaraní als Muttersprache. Doch dort fühlen sich die Nachkommen von Ureinwohnern und Weißen heute nicht mehr als Indianer. In anderen Staaten des Doppelkontinents ist es umgekehrt, das indianische Selbstverständnis blieb stärker. So etwa bei den Miskito an der Atlantikküste Mittelamerikas, die Tausende ehemalige afrikanische Sklaven in ihre Nation aufgenommen haben. Indianische Identität kann sich auf Sprache gründen, aber auch auf Kultur, traditionelle Sozialstruktur oder Religion. Nicht nur in Ländern wie Chile, El Salvador, Mexiko oder Nicaragua, wo die Indianer mehr als ein Zehntel der Bevölkerung ausmachen, wird der indianische Einfluß an Bedeutung gewinnen.

Nur in Uruguay und in den meisten Staaten der Karibik mit Ausnahme der Inseln Dominica und Sanit Vincent wurden die Ureinwohner völlig ausgerottet. In den meisten Staaten, in denen noch Indianer ansässig sind, hat man sie auf Enklaven und Reservate oder in unwirtliche Gebirgsregionen, Regenwälder oder subarktische Tundren verbannt. Fast überall nahm ihnen die eingewanderte Mehrheitsbevölkerung die fruchtbarsten Ländereien. Aufgespalten in zahlreiche ethnische Gruppen mit eigenen Sprachen und Kulturen betrachten sich die Indianer meist trotzdem als eigene Nation, auch wenn sie nur noch wenige hundert Angehörige zählen.

Was dem fernen Beobachter als unerhebliche Minderheit im Lande erscheint, sieht aus der jeweiligen nationalen Perspektive in den Staaten Amerikas oft anders aus. Indianische Völker wie etwa die 800 000 Mapuche Chiles, die 300 000 Bauern der Paéz und Guambiano aus der kolumbianischen Cauca-Region, die Viertelmillion Miskito und Sumu der Atlantikküste Nicaraguas, das größte nordamerikanische Indianervolk im Südwesten der USA, die Navajo (Dineh), oder die Dene und Inuit der kanadischen Nordwest-Territorien bilden jeweils Mehrheiten in ganzen Regionen, für die sie Autonomie oder Selbstbestimmung fordern.

Welcher Europäer, der Letten und Litauer, Uruguayer und Brasilianer mühelos voneinander zu unterscheiden vermag, hält es für wichtig genug, sich mit der Vielfalt indianischer Völker vertraut zu machen? Aymara, Quechua, Guaraní, Guaymi, Kariben, Apachen oder Irokesen gelten seit der »Indienreise« des Kolumbus kollektiv als Indianer. Und in gewissem Sinne gebrauchen wir diesen Namen heute auch zu Recht. Vielhundertjährige europäische Barbarei hat aus oft grundverschiedenen Völkern durch Vernichtung und Verdrängung eine panindianische Leidensgemeinschaft geschaffen, die sich immer häufiger vor der internationalen Öffentlichkeit, vor den Vereinten Nationen, auf Konferenzen und durch Aktionen gemeinsam artikuliert.

\* \* \*

Indianischer Widerstand ist so alt wie die europäische Kolonisation. Es gibt wohl kaum eine indianische Nation, die in voller Kenntnis der Folgen ihr Land freiwillig den weißen Aggressoren überlassen hätte. Immer wieder erhoben sich die Unterworfenen. Nur wenige dieser Aufstände haben – wie die versuchte Revolution der Quechua und Aymara unter dem legendären Tupac Amaru, die Revolte der Puebloindianer gegen Spanien, die Widerstandsbewegung der Apachen unter Geronimo oder der Kampf der Sioux und Cheyenne gegen das siebente Kavallerieregiment unter Custer – Eingang in die Geschichtsbücher gefunden. Viele dieser Kämpfe der kleinen und großen indianischen Völker, die sich meist ohne Verbündete gegen erdrückende

Übermacht und überlegene Waffentechnik wehrten, sind heute bei uns vergessen.

Erst in den 60er Jahren entstand zunächst in Nordamerika eine neue panindianische Bewegung, geführt meistens von jenen, die in den Schulen, Universitäten und Missionsstationen der Kolonisatoren in den 40er und 50er Jahren ausgebildet worden waren. Oft waren sie als Kinder den Eltern weggenommen und in Internate, Hunderte Kilometer von zuhause entfernt, zwangseingeschult worden. Sie kannten die modernen Unterdrückungsmethoden: Die USA hatten mit immer neuen Gesetzen und Sanktionen ihre überlebenden Indianer an den Rand gedrängt. Das kollektive Stammesland hatte man zum Teil privatisiert, die verarmten Besitzer hatten es oft unter dem Druck der Umstände an Weiße verkauft, und somit war die Basis eines zusammenhängenden Territoriums zerstört. In anderen Reservaten hatte man große Teile des Agrarlandes in »ungleichen Verträgen« an weiße Farmer verpachtet. Zudem verheizte die US-Army auch die jungen Indianer in den Kriegen in Korea und Vietnam. Alkoholismus, Selbstmord, hohe Kindersterblichkeit, Arbeitslosigkeit, Abwanderung in die Städte waren die Folgen für die Ureinwohner. Kein Wunder, daß die neue Indianerbewegung hier ihren Anfang nahm.

1971 besetzen Angehörige fast aller nordamerikanischen Stämme das ehemalige Staatsgefängnis von Alcatraz in der Bucht von San Francisco. Die geplante Umwandlung in eine indianische Universität wurde mit Militärgewalt beendet. Dies ist der Beginn eines Jahrzehnts der Rückbesinnung und des Widerstands gegen Assimilierung. Die Ende der 60er Jahre in Minneapolis geborene Bewegung »American Indian Movement« (AIM) sollte in den kommenden Jahren die Isolation des Hinterlands durchbrechen. Die nächste panindianische Aktion ist 1972 der »Trail of Broken Treaties«, eine Wagenkarawane quer durch die Staaten mit anschließender Besetzung des Bureau of Indian Affairs (BIA) in Washington, jener Indianerbehörde, die im letzten Jahrhundert aus dem Kriegsministerium hervorgegangen ist.

Die Militanz von AIM stößt bei traditionellen Indianerführern zunächst auf Skepsis, doch schon bald fließen traditionelle Elemente in die Widerstandsideologie ein. »We are a spiritual movement first, and a political movement second«, lautet von nun an die Selbstdarstellung. 1973 kommt es zur Besetzung des historischen Handelspostens von Wounded Knee im Sioux-Reservat Pine Ridge, dem Ort des Massakers von 1890. Die Aktion zielt ab auf weltweite Aufmerksamkeit der Medien für die indianische Sache – und erhält sie auch: Dank der USA, die den Aufstand mit militärischer Gewalt beantwortet. Die internationale Empörung führt zu proindianischen Solidaritätsbekundungen in Ost und West. Auf Initiative der offiziellen Indianerorganisation Kanadas tagen nord- und südamerikanische Ureinwohner 1975 erstmals gemeinsam mit australischen Aborigines und Inuit aus Grönland auf Vancouver Island: Es formiert sich der Welt-Eingeborenen-rat. Die Kommunikation zwischen Nord und Süd nimmt zu: Die Zeitung »Unidad Indígena« und das »North and South American Communication Centre« wenden sich von Kalifornien aus in spa-nischer und englischer Sprache an indigene Gruppen, Organisa-tionen und Initiativen in beiden Amerika. Auch die von den traditionellen Mohawk herausgegebene Zeitung »Akwesasne Notes« dehnt in dieser Zeit ihren bis dahin lokalen Radius aus und wird weltweit gelesen.

Die unnachgiebige Lobby-Arbeit des »International Treaty Council« – in New York in UNO-Nähe von 1974 bis 1982 zuhause – trägt 1977 Früchte: Nicht-Regierungsorganisationen (NGOs = Non Governmental Organisations) veranstalten die erste Genfer Konferenz für die Ureinwohner beider Amerika. Eine große De-legation aus Nord-, Mittel- und Südamerika besucht anschließend auf Einladung der Gesellschaft für bedrohte Völker die Bundes-republik. Die zweite Konferenz findet im Genfer Palais des Na-tions 1980 statt. Drei Jahre später etabliert sich, als Untergruppe der UN-Menschenrechtskommission, die »Working Group on In-digenous Populations«. Ihre Aufgabe ist es, eine »Genfer Dekla-ration für indigene Völker« zu formulieren. Noch im Kolumbus-jahr soll die Endfassung der Generalversammlung vorgelegt wer-den.

1978 durchqueren Indianer nahezu aller Nationen den nord-amerikanischen Kontinent von der Pazifik- zur Atlantikküste. Sie erinnern mit dem »Longest Walk« an die über 370 mit ihren Vorfahren geschlossenen, aber von Washington gebrochenen Verträge und protestieren gegen Gesetzesvorschläge, die unter Berufung auf gleiches Recht für alle die Aufhebung der Reser-vate fordern. Menschen aller Hautfarbverfahren begleiten den Marsch.

Auch in Mittel- und Südamerika entstand in den 60er Jahren

eine moderne Indianerbewegung, nachdem noch in den 20er und 30er Jahren indianische Organisationen in Ländern wie Peru, Bolivien und Mexiko ihre Politik im Bündnis mit Gewerkschaften durchzusetzen versucht hatten. Nicht zuletzt ehemalige Schüler von Missionsschulen gründeten neue indianische Bürger- und Landrechtsbewegungen, die neue Organisationsformen und politische Lobbyarbeit einführten. Vielfach wurde die Entstehung indianischer Bewegungen auch von sympathisierenden Kirchenvertretern wie etwa die Shuar Föderation von katholischen Missionaren oder die brasilianische Indianerbewegung vom Missionsrat CIMI unterstützt. Manche der neuen Organisationen wie die der Hochlandindianer Boliviens und Perus MITKA und MINKA waren zunächst basisfern von Intellektuellen gegründet und von an das Inkareich angelehnten Utopien bewegt. Die Bewegungen der Tieflandindianer waren meist basisnäher. Aus ihnen ging die COICA als Föderation der Amazonasindianer hervor, die heute mit dem Klimabündnis mit europäischen Städten unter ihrem Vorsitzenden, dem Aguaruna-Sprecher Evaristo Nugkuag, über Südamerika hinaus bekannt geworden ist. Längst lernten sie von den nordamerikanischen Indianern, die Massenmedien für ihre Sache zu nutzen, so daß heute indianische Aktionen wie der 38 Tage dauernde »Marsch für Land und Würde« der Tieflandindianer Boliviens 1990 oder die Kampagne der Bewegung »500 Jahre indianischer und schwarzer Volkswiderstand« zum Kolumbusjahr die Aufmerksamkeit der Weltpresse finden.

\* \* \*

Die Entstehung der panindianischen Bewegung fällt zusammen mit der letzten großen Aggression der europäischen und euroamerikanischen Zivilisation gegen jene Territorien, die man den Ureinwohnern überlassen hatte, weil sie wertlos erschienen. Carl Amery hat in seinem Buch »Natur als Politik« diesen letzten Vorstoß der Konzerne Amerikas, Europas und Japans seit den 60er Jahren beschrieben. Nun sei die Welt an die »Grenzen des Wirtschaftsreiches« gestoßen. Nun schwitzten »seine Stoßtrupps im eigentlich Unbewohnbaren, um den letzten immer teurer werdenden Nachschub an dienstbarer Materie zu sichern«, bohrten sie sich immer tiefer »in die Eingeweide der Mutter Erde«, um ihr »die durch Jahrmilliarden gehorteten Me-

15

talle und Brennstoffe zu entreißen«, trieben die »Sonden der Ausbeutung in die tiefste, in die gefährlichste Mitte der Schöpfung, in die Kohäsion der Atome, um ihre Herrschaft in der bisherigen Form aufrechterhalten zu können.«[2]

Jetzt störten die Aborigines im Inneren Australiens und die Hopi und Navajo im Südwesten der USA bei der Ausbeutung von Uran und Kohle, benötigte man die Tundren der sibirischen Ureinwohner und der kanadischen Dene für den Abbau von Erdöl und Gas, begann man im dünn besiedelten Nevada der Shoshone und im abgelegenen Polynesien mit Atomversuchen, ertränkte man die Jagdgründe der Cree im nördlichen Quebec in gigantischen Stauseen, überließ Kanadas subarktischen Waldbestand der japanischen Papierindustrie, führte für Holzfäller, Rancher, Goldsucher und Dammbauer einen Krieg gegen den tropischen Regenwald des Amazonas und seine indianischen Bewohner.

\* \* \*

Spektakuläre Aktionen, Techniken moderner PR-Arbeit, die authentische Argumentation indianischer Bauern aus Süd- und Mittelamerika, die Weisheit traditioneller Chiefs und Medizinmänner aus dem Norden, die Militanz der AIM Warriors trafen auf weltweite Resonanz. Menschenrechtsgruppen und -organisationen waren Anfang der 70er Jahre entstanden, die Gesellschaft für bedrohte Völker in Westdeutschland, die International Work Group for Indigenous Affairs in Skandinavien, Survival International in Großbritannien, Cultural Survival in den USA.

Junge Menschen nicht nur in Deutschland, inspiriert durch ihre Jugendlektüre, beeindruckt von den Besetzern von Wounded Knee, alarmiert durch die furchtbaren Massaker an brasilianischen Indianern, wurden zu Sympathisanten, bildeten spontane Support Groups (proindianische Aktionskomitees). Ihre Begeisterung war oft romantisch. Manche Enthusiasten überstrapazierten das indianische Prinzip der Mutter Erde, wurden zu Indianerfreaks. Doch bei aller Idealisierung blieb man solidarisch, unterstützte indianische Bewegungen finanziell und politisch, ohne sie ideologisch instrumentalisieren zu wollen.

Ganz anders, aber immer auf der Suche nach der »Roten Blume«, kamen die Studentenbewegung und ihre »Nachfahren« auf die Indianer. Wie die Dritte-Welt-Bewegung suchten sie eher nach dem revolutionären Stellenwert der Indianerbewegung, statt deren Ziele zu akzeptieren. In der Zeit der Marx-, Mao- und Enver-Hoxha-Exegese der 70er Jahre lagen Skurrilitäten wie jene einer Arbeitsgruppe eines Psychologen in der deutschen Schweiz nicht fern, der den nordamerikanischen Indianern des letzten Jahrhunderts als Sündenfall »Klassenverrat« zur Last legte: Sie hätten versäumt, sich mit den vorrückenden weißen Kleinbauern und Arbeitern unter den Invasoren zu verbünden.

»Was halten Sie von Karl May?« fragte 1977 ein WDR-Redakteur den ehemals verfolgten und gefolterten Indianerführer aus den Anden, Constantino Lima. Lima kannte nur einen anderen Karl und antwortete: »Das Volk der Quechua braucht keine europäischen Ideologien, die Marxisten sind nicht besser als die Missionare. Sie wollen uns weismachen, ihre Lehren seien die richtigen für uns. Doch wir haben bereits eine Kultur, wir haben unser eigenes System des Zusammenlebens, wir brauchen keine fremden Denkmodelle. Wir sehen die Welt anders, aber selbst die Marxisten wollen das nicht begreifen.« Die sozialistischen Enthusiasten der 70er und 80er Jahre haben die Situation der doppelten Unterdrückung der Indianer – als Ureinwohner einerseits und als Teil der verelendeten Dritten Welt andererseits – nicht oder erst sehr spät begriffen. Auch kolumbianische Indianerbewegungen wie der CRIC hatten Schwierigkeiten, ihren Solidaritätspartnern ihre Situation deutlich zu machen: Indianergruppen, die sich dem marxistischen Widerstand angeschlossen hatten, wurden später schnell zum kollektiven Opfer der Militärs, nachdem die Guerilla längst ihren Rückzug angetreten hatte. Das Schema »Bauern, Arbeiter und Indianer« wurde den Interessen letzterer einfach nicht gerecht, das machte zuletzt das Schicksal der Miskitos deutlich, deren Führung noch zwei Monate vor der letzten Parlamentswahl an der Rückkehr in die Heimat gehindert wurde. Wie zum Hohn erreichte die unterlegenen Sandinisten nach der Wahl der Spott aus Moskau, sie hätten die Wahl verloren, weil sie die Indianer mißhandelt hätten. Mag sein, daß ein letzter Rest des Unverständnisses der Linken in jener Formel »500 Jahre Ausbeutung Lateinamerikas« zutage tritt, mit der die deutsche Dritte-Welt-Bewegung ihre Aktionen anläßlich des 500. Jahrestages der Eroberung des indianischen Amerika durch die lateinischen Spanier begeht.

Spezifische Organisationen, für Minderheiten gegründet und

deren physischem und kulturellem Überleben verpflichtet, besaßen diese Scheuklappen nicht. Hier wurde man ihrem Anliegen ohne ideologische Voreingenommenheit gerecht, hatte Verständnis für gemeinschaftliche Landrechte und indianische Religiosität, akzeptierte indianische Subsistenzwirtschaft und den traditionellen Umgang mit der Natur. Die panindianischen Delegationen, die 1977 und 1978 auf Einladung der GfbV in 65 Veranstaltungen um Unterstützung für ihre Sache warben, lösten vor allem bei den ökologisch interessierten Jugendlichen, die zu Tausenden an den Foren teilnahmen, Verständnis und Sympathie aus. Seitdem entwickelte sich kontinuierliche Zusammenarbeit zwischen deutschen Bürgerinitiativen und den Indianerbewegungen in Nord- und Südamerika, die inzwischen, wie das Klimabündnis zwischen deutschen Städten und indianischen Völkern zeigt, zu einer echten Partnerschaft geworden ist. Der Kampf der Shoshone gegen Atomtests, der Innu gegen Tiefflüge der Bundeswehr, der Hopi und Navajo gegen Uranabbau auch deutscher Firmen, der Cree gegen die Aufstauung des nördlichen Quebec, vieler Indianervölker gegen hochgiftige Mülldeponien, in Deutschland oft von Gruppen und Mitarbeitern der GfbV bekannt gemacht, hat vielerorts Unterstützung von Umweltschutzgruppen gefunden. Nicht wenige haben verstanden, daß diese Indianer, wie Carl Amery es einer Ausgabe der Zeitschrift »pogrom« voranstellte, nicht nur »die Anwälte ihrer eigenen Selbstbestimmung und ihres way of life, sondern auch Anwälte einer bewohnbaren Erde von morgen und damit die Anwälte unserer Kinder und Enkel« seien.[3]

Für indianische Organisationen ist die GfbV seit über zwei Jahrzehnten ihr zuverlässiger Partner in Deutschland. Nur einige ihrer Aktivitäten seien hier hervorgehoben: die finanzielle Unterstützung indianischer Zeitschriften und Konferenzen, Bauernbewegungen und politischer Gefangener; die Vermittlung von indianischen Projekten an Kirchen und Hilfswerke; die internationalen Kampagnen gemeinsam mit dem Ethnologen Mark Münzel gegen den Völkermord an den Aché-Indianern und die mitverantwortliche Firma Hoechst/Paraguay 1972; mit Rüdiger Nehberg gegen die drohende Vernichtung der Yanomami-Indianer seit über zehn Jahren; die Durchführung des Russell-Tribunals für die Indianer 1981 in Rotterdam gemeinsam mit der niederländischen »Working Group Indigenous Peoples« (WIP); die Kampagne gegen die deutsche Polizeihilfe für Guatemala oder gegen das fundamentalistische nordamerikanische Summer Institute of Linguistics (Wicliff), das im Interesse lateinamerikanischer Diktatoren vor allem indianische Amazonasvölker zwangsmissionierte; Protestinitiativen für vom FBI kriminalisierte Gefangene; Auseinandersetzungen mit den deutschen Uranabbaugesellschaften und nicht zuletzt die Veränderung des Indianerbildes in Schulbüchern durch die Informationsarbeit der Menschenrechtsorganisation und ihr nahestehender Schriftsteller wie C. Biegert und M. Münzel als Mittler indianischer Kulturen.

Dieser Einsatz der GfbV für das Überleben der Indianer galt immer auch den Ureinwohnern, den Völkern in ähnlicher Lage auf anderen Kontinenten. So hat sich die indianische Bewegung auch mit den Organisationen der schwarzen Australier und der Einwohner Tahitis, der Grönländer und der Sami, der Ainu, der Maori und der sibirischen Ureinwohner verbunden. Sprecher und Aktivisten indianischer Organisationen Nord- und Südamerikas besuchten Kuba und Libyen, die damalige Sowjetunion und ihre ehemaligen Satellitenstaaten. Selten verleugneten sie ihre Prinzipien und fielen den anderen im Osten unterdrückten Völkern nicht in den Rücken.

\* \* \*

»Nur Stämme werden überleben« (We talk, you listen) hieß das Buch des bekannten indianischen Intellektuellen Vine Deloria Jr. in den 70er Jahren. Der Zusammenbruch der Weltmacht im Ostblock, der aufkommende Regionalismus in Europa, die zu Unrecht diskreditierte neue »Kleinstaaterei« bestätigt eher indianische Vorstellungen.

In Europa wird heute die Gewährung von Nationalitäten- und Sprachenrechten für die Anerkennung neuer Staaten zur Vorbedingung gemacht. Auch die Regierungen in Nord- und Südamerika müssen die Sprachen der Einheimischen denen der Eroberer endlich gleichstellen. Das bedeutet Gleichberechtigung der Sprachen in den Schulen, im gesamten öffentlichen Bereich, in Behörden und Medien. Das heißt auch, daß staatliche Gelder, bezogen auf die Stärke der Sprachgemeinschaft, genauso zur Verfügung gestellt werden müssen wie für das Spanische, Portugiesische, Englische und Französische. Ureinwohner haben ein Recht auf

ihre traditionelle Religion, wenn sie daran festhalten. Glaubens-
freiheit heißt auch Schutz dieser Religion gegenüber jenen, die
sie diskriminieren wollen.

Indianische Bewegungen verlangen, wie europäische Nationalitäten, politische Autonomie für Regionen, in denen Indianer
siedeln. Warum sollten nicht nordamerikanische Indianernatio-
nen, wenn sie darauf bestehen, die Souveränität erhalten, warum
nicht Kuna, Guaymi und Miskito Teilstaaten einer zukünftigen
mittelamerikanischen Föderation bilden? Schon seit Jahren reisen Vertreter der über 400 Jahre zurückreichenden Irokesenfö-
deration mit ihren Pässen durch Europa, von immer mehr Ländern akzeptiert; die Souveränität dieser Föderation wird so ein
Stück weit anerkannt. Für nahezu alle indianischen Völker wird
die Landrechtsfrage zentrales Problem bleiben. Dabei handelt es
sich fast immer um die notwendige Anerkennung kollektiver
Rechte, damit der Gemeinschaft als Ganze Lebensgrundlage und
Identität erhalten bleiben. Gesetzliche Grundlagen müssen verhindern, daß kollektiver Landbesitz nicht von einzelnen veräu-
ßert werden darf. Indianische Wirtschafts- und Sozialsysteme
müssen ihren Platz in der jeweiligen nationalen Gesellschaft finden.

Die indianische Bevölkerung wächst an Zahl und damit auch an
Einfluß. Selbst in den USA ist sie innerhalb von zehn Jahren von
1980 bis 1990 um 40 % von 1,4 auf 2 Millionen angewachsen. Auch
in Südamerika nimmt die Zahl der Ureinwohner stark zu. Zugenommen vor allem aber hat die weitere Verelendung der Völker
Süd- und Mittelamerikas. Als Teil der Dritten Welt sind sie Opfer
der die Menschen des Südens verachtenden Weltwirtschaftsord-
nung.

Auch indianische Kulturen und Gesellschaften ändern sich.
Indianerromantiker, die den »edlen Wilden« für sich erhalten
wollen, wie er einst gewesen sein soll, seien daran erinnert, daß
schon die Reiterkulturen des amerikanischen Mittelwestens Feuerwaffen und Pferde der Europäer übernommen hatten. Die indianischen Bauern Südamerikas werden nicht auf jene Zivilisa-
tionsgüter verzichten, die ihre wirtschaftlichen Bedingungen
verbessern.

Wie wird es weitergehen? Vergiftete Flüsse fließen durch weißes und anschließend durch indianisches Land. Radioaktive
Strahlung macht nicht halt an der Grenze des Reservats. Wälder

sterben, egal auf wessen Boden sie wachsen. Die Krise der Erde kümmert sich nicht um kulturelle Unterschiede. Im letzten Jahrzehnt dieses Jahrhunderts verbünden sich Indianer und Weiße gegen die Zerstörung ihrer gemeinsamen Lebensgrundlagen. Die indianische Friedensreise im Herbst 1983 durch Deutschland war eine Antwort auf die Stationierung der US-Raketen und soll hier ebenso als Beispiel stehen wie die 1990 ins Leben gerufene »Protect Mother Earth Conference« in den USA.

Der Irokesen-Philosoph John Sotsisowa Mohawk hatte diese Entwicklung schon in den 70er Jahren prophezeit, als er von einem »transkulturellen Widerstand im Namen der Natur« sprach: »Defenders of nature versus destroyers of nature.« Aus Indianer-Unterstützern sind Verbündete geworden.

In Rio de Janeiro werden im Juni 1992 die Ureinwohner aller Erdteile beim UN-Umweltgipfel als »Earth Parliament« auftreten. Dieser Auftritt, in Szene gesetzt durch ein mitten in die Millionenstadt gebautes Hüttendorf der Kayapo, ist mehr als ein Medienstück. Es ist eine Ankündigung, vielleicht auch eine Warnung. Nach Rio de Janeiro wollen die kleinen Völker dieser Erde nicht mehr in den Hintergrund treten. Sie fordern nicht nur Selbstbestimmung, sondern Mitbestimmung für die Zukunft dieses Planeten.

[1] vgl. Gerd von Paczensky: Weiße Herrschaft – Eine Geschichte des Kolonialismus, Frankfurt/M. 1979

[2] vgl. Carl Amery: Natur als Politik, Reinbek 1978

[3] Carl Amery in: Der Anschlag auf Kanadas Norden, Dene-Indianer und Umweltschützer gegen Raubbau und Zerstörung in den Nordwestterritorien, Sonderausgabe der Zeitschrift pogrom, Hamburg 1977

Kolumbus landet auf der Insel Guanahani (San Salvador).
(Holzschnitt aus dem Kolumbus-Bericht an Rafael Sanchez,
Basel 1493)

# 1. Indianer heute

Mark Münzel
# Kolumbus ist vielleicht doch gescheitert

Die Entdeckung Amerikas war eine großartige Leistung, auf die
die Nachkommen der Entdecker bis heute stolz sein können. Der
genaue Zeitpunkt dieser historischen Tat ist unbekannt, liegt
aber jedenfalls über 10 000 Jahre zurück – denn obwohl alles dafür
spricht, daß die Besiedlung des Kontinents von Norden her,
zunächst aus Nordasien über die Beringstraße nach Alaska erfolgte, hatten die Siedler bereits vor 10 000 Jahren den Süden von
Südamerika erreicht.

Es ist unwahrscheinlich, daß Amerika nach seiner Entdeckung
dann auf einmal wieder völlig von der übrigen Welt isoliert wurde.
So gibt es zahlreiche mehr oder weniger sichere Hinweise auf
später folgende Wiederentdeckungen. Gewiß ist, daß die Inuit vor
über 4000 Jahren Amerika noch einmal entdeckt haben. Nicht
gewiß, aber wahrscheinlich sind spätere Seereisen aus dem pazifischen Raum, vielleicht auch aus China. Umstritten, aber nicht als
reine Phantasie von der Hand zu weisen sind Vermutungen, daß
auch Afrikaner Amerika für sich entdeckt haben könnten.

Kolumbus war einer der letzten, die Amerika entdeckten.

»Columbus überbrachte die Botschaft des Christentums, das
Hohe Lied von Menschenliebe, Barmherzigkeit«, heißt es in einem Jugendbuch des bekannten Erfolgsautors Otto Zierer. Das
mag subjektiv sogar richtig sein. Doch es geht ja gar nicht mehr
um die angebliche »Entdeckung«, sondern um »Kolumbus« als
Wegmarke, als Kurzformel, mit der nicht so sehr der Mensch
Cristoforo Colombo gemeint ist, sondern die umstandslose An-
eignung Amerikas durch Europa. Das ist so ähnlich wie mit der
Kurzformel »Auschwitz«, die ja auch längst nicht mehr das char-
mante polnische Städtchen mit seinen Erinnerungen an die Habs-
burger Monarchie meint.

Die Persönlichkeit des Kolumbus ist umstritten, und es gibt
durchaus ernstzunehmende Stimmen, die unter Berufung auf
historische Quellen darzulegen versuchen, daß er das alles nicht
gewollt hat. Sicher hat er weder die Ausrottung eines Großteils
der Ureinwohner Amerikas geplant, noch diesen die Menschlichkeit abgesprochen. Vielleicht trieb ihn tatsächlich die Vision einer Neuen, besseren Welt.

Es kann auch kein ernsthaftes Anliegen sein, einer historischen Figur, die vor einem halben Jahrtausend lebte, die Nichtbeachtung heutiger ethischer Standards vorzuwerfen. Das wäre, als wollte man Dschingis-Khan ankreiden, daß er das Grundgesetz der Bundesrepublik Deutschland nicht kannte.

Es sollte also nicht um moralische Entrüstung über Kolumbus gehen. Vielmehr können wir uns aber Gedanken darüber machen, welche historischen Linien seit Kolumbus – und in der Tradition des Symbols »Kolumbus« – gezogen wurden und wie sie bis heute nachwirken. Wie können wir »Kolumbus« (nicht den Menschen, sondern den mit der Feier »seiner Entdeckung« verbundenen Gedanken) bekämpfen? Den Gedanken, daß es gut war, eine heldenhafte Leistung, daß Europa von Amerika Besitz ergriff. Millionen Menschen sind diesem Gedanken zum Opfer gefallen: ermordet, verhungert, zum Selbstmord getrieben.

Es waren vor allem zwei große Gruppen von Menschen, die an »Kolumbus« zugrunde gingen oder doch unmenschlich litten: Die Indianer und die Afrikaner, indem sie an den Platz der verdrängten Indianer als neue Unterdrückte gezwungen wurden.

Sowohl »Indianer« als auch »Afrikaner« sind hier auch wieder Kurzformeln, ähnlich wie »Kolumbus«. Die Misere unseres Nachdenkens über die Zerstörung des alten Amerika seit Kolumbus wird schon an der Unsicherheit deutlich, mit der wir diese Kurzbegriffe verwenden: Statt Zerstörung und Vernichtung sagen wir »Kolumbus« (und machen damit doch noch eine kleine Konzession an den Heldenkult, der einst um diese historische Figur betrieben wurde, die ja sogar einmal heiliggesprochen werden sollte); statt rechtmäßige Eigentümer Amerikas sagen wir »Indianer« (und verlängern damit den Irrtum des Kolumbus, der sich in Indien wähnte) oder »Indios« (um den Irrtum wenigstens fremdsprachlich zu verbrämen) oder »Indigene Gruppen« o. ä. (um uns um die Peinlichkeit des Irrtums zu drücken, indem wir recht wissenschaftlich umschreiben – und so den alten kolonialen Begriff der »Eingeborenen« wiederbeleben, denn nichts anderes bedeutet »indigen«). Statt Nachkommen der aus Afrika deportierten Zwangsarbeiter sagen wir »Afrikaner« (was heute längst nicht mehr auf die in Amerika Lebenden zutrifft, die sich durchaus als Amerikaner fühlen) oder »Schwarze« (was den Reichtum der Hautfarben in ihren vielfältigen Schattierungen mißachtet).

Beide Gruppen, »Indianer« und »Afrikaner«, sind Produkte

des Kolonialismus. Zwar lebten ihre Vorfahren schon lange vor Kolumbus, doch waren sie damals keine abgesonderten, geschlossenen Gruppen – zur gemeinsamen Einheit »Indianer« oder »Afrikaner« wurden sie erst durch den vereinfachenden, schematisierenden Blick der Europäer.

In Wirklichkeit gibt es heute in Amerika zahlreiche sehr verschiedene Völker und Kulturen, die nur summarisch vereinfachend als »indianisch« zusammengefaßt werden können. Zur Zeit des »Kolumbus« wurden in Amerika über 1000 verschiedene Sprachen gesprochen, die sich oft nicht weniger voneinander unterschieden als das Japanische vom Deutschen. Es gab und gibt gewaltige kulturelle Unterschiede zwischen den Völkern, die nur eines gemeinsam haben: den europäischen Kolonialismus, eben »Kolumbus«. Auch die kulturellen Elemente afrikanischer Herkunft in Amerika bilden keine geschlossene Einheit. Zum einen ist ihre Herkunft unterschiedlich – nur europäischem Hochmut ist es unterschiedslos, ob ein Brasilianer sich auf angolanische oder guineische Wurzeln beruft. Zum anderen haben die afrikanischen wie die indianischen Kulturen und Gesellschaften sich in Amerika kreativ weiterentwickelt, einerseits hartnäckig dem europäischen Vereinheitlichungsdruck Widerstand leistend, andererseits aber auch die unterschiedlichen europäischen Quellen verarbeitend – nur einem Rassisten ist es unterschiedslos, ob ein Schwarzer in der brasilianischen oder in der US-amerikanischen Gesellschaft verwurzelt ist.

Die Massendeportation von Afrikanern nach Amerika begann fast zeitgleich mit der Massenvernichtung von Indianern. 1516 regte der Missionar und spätere Bischof Bartolomé de las Casas die Einfuhr afrikanischer Sklaven in Amerika an. Ein Grund hierfür scheint las Casas' Theorie vom gerechtfertigten Eroberungskrieg gewesen zu sein, die überraschend an mittelalterliche islamische Thesen von der Berechtigung des »Heiligen Krieges« und an spätere Aussagen arabischer Sklavenhändler zu ihren Jagden in Afrika erinnert. Ziel müsse es sein, jedes Fleckchen Land auf der Erde von der Herrschaft der »Ungläubigen« zu befreien – der Krieg gegen die noch nicht unterworfenen Afrikaner sei deshalb gerechtfertigt, der Krieg gegen die (ja bereits unterworfenen) Einwohner Mexikos hingegen nicht. Wolle man deshalb Kriegsgefangene als Sklaven gewinnen, müsse dies in Afrika geschehen.

Vor dem Hintergrund dieses Grundsatzes wird verständlicher, daß Christoph Kolumbus, der zum Christentum bekehrte Indianer versklavt hatte, dafür von denselben spanischen Behörden eingekerkert wurde, die andererseits den Handel mit afrikanischen Sklaven förderten.

Genaue Zahlen sind hier – wie überhaupt bei vielen europäischen Verbrechen in Amerika – nicht mehr zu ermitteln. Die folgenden Zahlen sollen deshalb keine akribische Genauigkeit vortäuschen, sondern nur Eindrücke vermitteln vom Grauen eines Forschungszweiges, der sich mit Bevölkerungszahlen im Amerika des »Kolumbus« befaßt. Ähnlich wie bei Auschwitz sind die Diskussionen über die richtigen Zahlen unvermeidlich und sinnvoll, sie werden aber nie am Kern der historischen Wahrheit rütteln können: dem Holocaust.

Anfang des 16. Jahrhunderts erreichten die von der spanischen Krone erteilten Genehmigungen pro Verkaufsaktion selten höhere Zahlen als je 4000. Das war beispielsweise die Anzahl der Sklaven, die das deutsche Kaufhaus Welser 1528 verkaufen durfte. Immerhin sind nach Mexiko während des 16. Jahrhunderts mehr Sklaven aus Afrika deportiert worden als Europäer einwanderten.

Von 1551 bis 1640 genehmigte die spanische Krone die Einfuhr von 170 000 »Stück« aus Afrika nach Hispanoamerika. Diese Zahl der Opfer erhöht sich natürlich noch um diejenigen der illegal Eingeführten und der auf dem Transport Umgekommenen. Auf dem Höhepunkt der Sklaventransporte um 1780 gelangten jährlich etwa 85 000 Deportierte aus Afrika nach Amerika, etwa 20 Prozent der Gefangenen starben zuvor schon auf dem Transport, bei französischen Transporten waren es im Durchschnitt nur etwa 13 Prozent (auch dies ist aber noch eine Rate, die höher gelegen haben dürfte als beispielsweise auf den Viehwagentransporten nach Auschwitz).

Am Rande sei das »kleinere« Verbrechen der Verschleppung von Menschen von den damals spanischen Philippinen als Sklaven nach Amerika erwähnt, »nur« einige Tausend.

Der Menschenverlust für Afrika läßt sich insgesamt überhaupt nicht mehr sicher schätzen, betrug aber nach den vorsichtigsten Rechnungen 40 Millionen Verschleppte, während eine größere Anzahl von Forschern eine Zahl etwa um 100 Millionen annimmt.

Diese hohen Zahlen stehen in einem nur auf den ersten Blick

erstaunlichen Kontrast zu dem vergleichsweise doch geringeren Anteil von »Schwarzen« an der heutigen nord- und südamerikanischen Gesamtbevölkerung. Erstens kamen ja nicht alle aus Afrika Verschickten noch lebend in Amerika an. Zweitens erreichten die medizinischen, hygienischen und wirtschaftlichen Hilfsmaßnahmen, die zu einer Bevölkerungszunahme in Lateinamerika beitrugen, die Sklaven und deren Nachkommen später als die Weißen. Es waren Maßnahmen für die Täter, nicht für die Opfer.

Die schrittweise Aufhebung der Sklaverei seit dem Ende des 18. bis zum Ende des 19. Jahrhunderts dürfte zur Verringerung des schwarzen Bevölkerungsanteils beigetragen haben, da sie ja wesentlich auch eine Entlassung der Arbeitskräfte aus einem zwar unfreien, aber doch schützenden Netz bedeutete: Für den Sklaven fühlte sich der Herr, der am Erhalt des »Eigentums« interessiert war, in gewisser Hinsicht verantwortlich, für den Freigelassenen nicht mehr.

Geschah das Massensterben im Fall der afrikanischen Sklaven also eher in Afrika und auf dem Transport vor der Ablieferung in Amerika und vielleicht auch nach dem Ende der Sklaverei, aber nicht so sehr während derselben, so wurde der Massenmord an Indianern vor Ort und vor allem während der Kolonialzeit durchgeführt.

Auch hier sind Zahlen nur unsicher und umstritten. Unbestreitbar ist, daß es sich – zumindest nach dem freilich problematischen Kriterium der Zahl – um das größte uns bekannte Verbrechen der Menschheitsgeschichte handelt. Dabei liegen uns nicht einmal Schätzungen über die Zahl der eigentlichen Morde im engeren Sinn des Wortes vor, wohl aber Untersuchungen über die Gesamtentwicklung der indianischen Bevölkerung.

Nach der (sehr vorsichtigen) Schätzung von Angel Rosenblat sank die Gesamtbevölkerung der Ureinwohner Amerikas von den 13,3 Millionen des Jahres 1492 auf 10,8 Millionen im Jahre 1570. Dies würde eine Verringerung um 2,5 Millionen Menschen bedeuten – wobei man natürlich bedenken muß, daß diese Zahlen nur das Resultat von Zuwachs und Tod sozusagen unter dem Strich anzeigen; in der gleichen Zeit wurden auch Millionen Menschen geboren; d. h. die tatsächliche Anzahl von Umgekommenen dürfte entsprechend millionenfach höher liegen.

Andere, wahrscheinlichere und auf genauen historischen Untersuchungen beruhende Teilschätzungen deuten auf wesentlich höhere Verlustzahlen. H. F. Dobyns faßt diese Zahlen in einer besonders hohen, aber keineswegs abwegigen Gesamtrechnung zusammen. Hiernach hätte die Gesamtbevölkerung des Doppelkontinents im Kolumbusjahr 1492 zwischen 90 und 112 Millionen gelegen. Um 1650 wäre davon nur noch ca. 4,5 Millionen übriggeblieben – mindestens 85,5 Millionen Menschen also wären anderthalb Jahrhunderten »Kolumbus« zum Opfer gefallen.

Einige Detailbeispiele: So gelangt eine Forschung der Universität Berkeley (Woodrow Borah und andere) allein für Zentralmexiko, das Kerngebiet des Aztekenreiches, zu einer Schätzung von über 25 Millionen Einwohnern im Jahr der spanischen Eroberung 1519. Im Jahre 1605 zählten die Indianer des gleichen Raumes nach den spanischen Steuerlisten nur noch etwa 1 Million. Das bedeutet eine Verringerung um 24 Millionen (also bei Berücksichtigung der doch erfolgten Geburten eine noch viel höhere Todesrate) in einem knappen Jahrhundert.

Auf der mexikanischen Halbinsel Yucatán dürften (nach einer Schätzung von Helmuth Wagner) im Jahre 1519 etwa 1,6 Millionen Maya gelebt haben, nach einer anderen Schätzung (Sylvanus Morley) gar rund drei Millionen. Im Jahre 1784 waren es nur noch 264 621. In ganz Mexiko waren es (nach einer allerdings spekulativen, auf der Möglichkeit der Landnutzung aufbauenden Schätzung von H. Wagner) im Jahre 1519 80–120 Millionen Indianer – übriggeblieben sind heute etwa 200 000.

Die Gründe für den Bevölkerungsrückgang sind vielfältig und ebenso umstritten wie die Zahlen selbst. Sicher ist, daß ein Hauptgrund, der zahlenmäßig wohl am meisten ins Gewicht fällt, die durch Europäer eingeschleppten Krankheiten waren: Zunächst insbesondere die (mit Sklaven aus Afrika importierten) Pocken, die Pest und eine nicht genau definierte Krankheit, die vermutlich Typhus war, später vor allem Grippe und Masern.

Einmal abgesehen davon, daß die »Grippe«, die hier gemeint ist, nicht unsere harmlose Frühjahrsgrippe war, sondern epidemisch von Art der »Asiatischen Grippe«, muß die vor 1492 lange Isolierung der amerikanischen Ureinwohner von der Alten Welt bedacht werden, die auch eine Isolierung von Krankheitskeimen bedeutet hatte, gegen welche die Indianer nun keine Resistenz besaßen.

Andererseits rafften Krankheiten wie die Pocken und die Pest während der Kolonialzeit durchaus auch Europäer dahin – daß sie aber zu einem Rückgang der Zahl der Indianer, nicht der Europäer in Amerika führten, läßt sich wohl nicht mit einer grundsätzlichen Immunschwäche der Indianer, sondern mit deren anderen Gesamtverhältnissen erklären: Sie erhielten weniger medizinische Hilfe und lebten durchschnittlich in elenderen Verhältnissen, waren etwas weniger gut ernährt und deshalb auch beispielsweise gegen Grippe weniger resistent. Auch das Massensterben an Krankheiten läßt sich also nicht allein als schicksalhafte Fatalität erklären, sondern hat mit der kolonialen Situation zu tun.

Ein zahlenmäßig weniger ins Gewicht fallender, darum aber noch keineswegs unbedeutender Faktor waren die offenen Morde und die Todesfälle während der Kämpfe der Conquista. Schon allein bei der Eroberung der Stadt México-Tenochtitlán durch Cortés sollen rund 200 000 Azteken bei den Kämpfen und durch die Hungersnot während der Belagerung umgekommen sein.

Der erste Völkermord, den wir ohne Bedenken als systematisch und gewollt ansprechen können, dürfte jener an den Tupinambá gewesen sein, den die Portugiesen 1560 begannen. Die Tupinambá hatten sich in innereuropäischen Kolonialzwistigkeiten mit den Franzosen gegen die Portugiesen verbündet und wurden nun teils umgebracht, teils vertrieben, teils versklavt. Sicher ist, daß dabei in mehreren Fällen jeweils Tausende, darunter vor allem die nicht rechtzeitig geflohenen Frauen, Kinder und Alten ermordet wurden, unsicher ist auch hier, wie meistens, die Gesamtzahl der Opfer.

Auch bei der Betrachtung dieser Schrecken kann es nicht allein um eine moralische Entrüstung gehen, die sich leicht durch Hinweise auf gleichzeitige Greueltaten in Europa unter Europäern oder durch die Tatsache relativieren ließe, daß die Europäer in Amerika auch indianische Verbündete hatten (die z. B. bei der Ausrottung der Tupinambá die militärische Hauptlast trugen). Wichtiger ist wohl die Besinnung darauf, daß es da wenig zu feiern gibt, und daß die immer noch vorkommende Befreiung von »Kolumbus« als zivilisatorischem Ereignis doch merkwürdige Rückschlüsse auf die »Zivilisations-«Auffassung der Befreier zuläßt, bis heute.

An diesem Punkt ist es angebracht, daran zu erinnern, daß es durchaus Kontinuitäten gibt. Die Foltermethoden brasilianischer Geheimpolizisten während der 60er und 70er Jahre standen in

körperlicher Tradition der Foltermethoden, die früher gegenüber aufsässigen Sklaven angewandt wurden – es waren teils
noch die gleichen Foltern. Die Deportationen politisch Mißliebi-
ger durch die chilenische Armee während der 70er Jahre folgten
den Linien der Deportationspolitik, die Jahrzehnte zuvor von der
gleichen Armee gegenüber den mißliebigen und »aufsässigen«
Feuerlandindianern entwickelt worden waren – teils zum gleichen Sammelplatz.

An diesem Beispiel läßt sich übrigens besonders klar aufzeigen,
wie wichtig die Beachtung des Schicksals der Indianer auch in
nicht unmittelbar indianischen Zusammenhängen auch zum Verständnis moderner amerikanischer Staaten ist: Vor dem Militär-
putsch von 1973 hatten viele Beobachter auf die »demokratischen« Traditionen des chilenischen Militärs hingewiesen, die
einen Putsch unwahrscheinlich machen würden: Nach dem
Putsch bezeichneten viele den grausamen Terror als überra-
schenden Bruch mit der chilenischen Tradition zivilisierter Tole-
ranz – sie hätten anders geurteilt, hätten sie bei ihrer Geschichts-
betrachtung auch die Auseinandersetzung des Militärs mit den
nicht als zivilisiert Anerkannten, den fremdkulturellen Oppositionellen berücksichtigt, die Vernichtung der Feuerländer und
die Unterwerfung der Mapuche.

Zurück zu den Gründen für das indianische Massensterben.
Neben den unmittelbaren, klaren Morden, die insgesamt zahlenmäßig eher geringere Bedeutung gehabt haben dürften, steht die
mittelbare Vernichtung, etwa durch Zwangsarbeit. Allgemeiner
gesagt, die Herstellung unmenschlicher Zustände von wirt-
schaftlichem Elend, von Hunger.

Schließlich ein Faktor, der sich besonders schwer in harten,
sachlichen Nachweisen fassen läßt: die Verzweiflung. Sicher ist,
daß Selbstmorde ein häufiges Phänomen waren. Aus einigen
Beispielen aus jüngster Vergangenheit (etwa dem Völkermord
an den Aché in Paraguay in den 60er/70er Jahren) wissen wir, daß
Depression, Verzweiflung beispielsweise über Gefangennahme
und Kulturschock, die Abwehrkräfte gegen Krankheiten geschwächt hat.

Die oben genannten Zahlen aus dem 15. und 16. Jahrhundert
schließen noch nicht ein weiteres Phänomen ein, das später die
Gesamtzahl der Indianer verringerte: Die Mestizierung. So
stimmt es zwar beispielsweise, daß Tausende von Feuerländern

dem Völkermord zum Opfer fielen, es ist aber etwas ungenau, zu sagen, diese Indianer seien heute alle »ausgestorben«. Ihre Nachkommen sind heute noch lebendig, nur sind es keine »reinen« Indianer mehr, sondern Chilenen und Argentinier sowohl feuerländisch-indianischer als auch europäischer Herkunft.

Tatsächlich heißt »Völkermord« in den wenigsten Fällen, daß ein Volk wirklich geschlossen umgebracht wurde, sondern meist »nur«, daß so viele umkamen, daß die Überlebenden kein eigenes Volk mehr bildeten. Es war nicht die Absicht von »Kolumbus« (genauer: denjenigen, die hinter Kolumbus herkamen, die Indianer umbrachten oder versklavten und dann auch Afrikaner herbeischleppten), eine neue, nicht mehr nur europäische Kultur zu schaffen, eine neue Welt, in der auch Elemente indianischer und afrikanischer Tradition sich weiterentwickeln und in der die Nachkommen von Indianern und Afrikanern mehr sind als nur Europas brave Herde.

Aber die nicht wegen, sondern trotz »Kolumbus« nie ganz gebrochene Lebenskraft, Mut, kulturelle Kreativität, Phantasie der Indianer, Afrikaner und – auch – Europäer haben neben dem größten bekannten Verbrechen auch eines der größten Wunder der Weltgeschichte ermöglicht: Daß es in Amerika trotz 500 Jahren Kolonisierung noch immer Menschlichkeit und Kultur gibt. Auch das hat Kolumbus nicht gewollt.

Vielleicht ist er doch gescheitert.


Theodor Rathgeber
## »Indianer und ihr Territorium sind eins«

»Jedes Stück dieser Erde ist meinem Volk heilig. Jede schimmernde Nadel der Kiefer, jeder Sandstrand, jeder Nebel in den dunklen Wäldern, jede Wiese und jedes summende Insekt ist in der Erinnerung und in der Erfahrung meines Volkes heilig. Wir wissen, daß der weiße Mann unsere Bräuche nicht versteht. Für ihn ist ein Landstück wie das andere, weil er als Fremder in der Nacht kommt und von der Erde nimmt, wonach ihm der Sinn ist.

Die Erde ist ihm keine Schwester, sondern der Feind. Er erobert, er mißachtet das Erbe seiner Vorfahren und vergißt das Vermächtnis für seine Kinder«, schrieb ein Medizinmann der Duwarish vor 100 Jahren an den US-Präsidenten.[1]

Schon damals hatte der Medizinmann erkannt, daß seine Gesellschaft Anspruch auf eine selbstbestimmte Entwicklung erheben müsse, wenn sie ihre eigene Kultur und Tradition, ihr Sozialsystem und ihre Religion bewahren wollte. Heute finden die indianischen Repräsentanten deutlichere Worte. Vehementer klagen sie ihr Recht auf Selbstbestimmung ein und fordern als zentrale Grundlage dafür ihr Land. Die Regierungen der Nationalstaaten sind jedoch kaum dazu bereit, den Ureinwohnern ihre Landrechte zuzugestehen oder alte Verträge einzuhalten. Zu viele wirtschaftliche und machtpolitische Interessen stehen dem im Weg, und nicht zuletzt ist der Bestand des Nationalstaates bedroht.

Umgekehrt hat es Landkonflikte schon vor der »Entdeckung« Amerikas gegeben. Auch auf diesem Kontinent gab es große Völkerwanderungen und blutige Expansionskriege zwischen den verschiedenen indianischen Gruppen. Seit 1492 haben die europäischen »Eroberer« und ihre Nachfahren alle Ureinwohner in Nord-, Mittel- und Südamerika unterworfen und ihr Land nach und nach in Besitz genommen. Die brutale Kolonisation forderte jedoch nicht nur Millionen Todesopfer, sondern trachtete danach, die indianische Identität zu zerstören. Mit neuem Selbstbewußtsein kämpfen viele Ureinwohner heute darum, ihr Schicksal endlich wieder selbst in die Hände nehmen zu können. Landbesitz steht dabei im Zentrum der Auseinandersetzungen zwischen den indianischen Gemeinschaften und dem Staat sowie anderen Bevölkerungsgruppen.

Es war einmal mehr Kolumbus, der die Grundlage für die Konflikte um Landrechtstitel schuf. Aus der lateinischen Rechtstradition mit schriftlichen Rechtstiteln kommend, hatte er immer einen Notar dabei, der die Übergabe des Landes durch die Ureinwohner an die Eroberer schriftlich beglaubigte. Dieses Rechtsverständnis widerspricht diametral dem indianischen Recht. Es gibt keinen individuellen Landbesitz. Land gehört der Gemeinschaft und gilt als unveräußerliches Gut. Wie die Luft zum Atmen ist Land für die Existenz aller unverzichtbar. Allenfalls Nutzungsrechte konnten innerhalb der Familie von Generation zu

Generation weitergegeben werden. Diese Rechtsauffassung von kollektivem Landbesitz gibt es im heute herrschenden Rechtssystem bislang nur in wenigen Fällen als Sonderrecht. Das Problem ist allerdings nicht nur juristischer Art.

Gemeinschaftlicher Landbesitz, kollektive und die Ressourcen erhaltende Nutzungsformen unterscheiden sich grundsätzlich von den privaten Besitz- und Ausbeutungsformen der modernen Welt. Militärstützpunkte, landwirtschaftliche Entwicklungsprojekte, Staudämme zur Energiegewinnung oder für zentrale Bewässerungssysteme, Straßenbau als Infrastrukturmaßnahme, die Ausbeutung von Bodenschätzen und von Waldbeständen tragen zum vermeintlichen Wohl des modernen Staates bei. Diese kurzsichtige Politik ignoriert nicht nur die Indianer, die außerdem als billige Arbeitskräfte mißbraucht werden, sondern zerstört rücksichtslos die Umwelt für kurzzeitigen Profit. Die souverän gewordenen Nationalstaaten in Amerika betreiben moderne Kolonisationspolitik und setzen die Invasion in indianische Territorien bis heute fort. In ihren letzten Rückzugsgebieten, die den Indianern in der Annahme zugestanden worden waren, daß dort sowieso nichts Wertvolles zu finden sei, werden nun reiche Rohstoffvorkommen wie Bodenschätze oder wertvolles Edelholz entdeckt. Für die Ausbeutung dieses ungeahnten Reichtums werden skrupellos elementare Menschenrechte verletzt. Indianische Gemeinschaften werden von ihrem Land vertrieben, korrumpiert und entrechtet, einzelne werden mit Haft und Mord bedroht.

»Sie leben auf unserem Land und verspotten uns noch dazu. Sie verfügen über alles nach ihrem Gutdünken, und wir müssen zuschauen, wie sie unsere Erde mißbrauchen. Dies ist unerträglich«, klagte der Guaraní-Indianer Darío Ñandureza die Politik Boliviens an. Für die Indianer in ganz Amerika ist das Land, auf dem sie leben – symbolisch wie real – das gesamte Universum ihrer Lebensvorstellungen. Unbeschadet verschiedenster Lebensweisen verbinden indianische Gemeinschaften mit ihrem Territorium nicht nur die wirtschaftliche Nutzung. Ihre Religion, Kultur und Tradition, ihre soziale und politische Organisation sind untrennbar mit ihrem Land verbunden, das sie teilweise seit Jahrtausenden besiedeln. In der Mythologie der Indianer wird die Natur als Gesamtheit gesehen, von und mit der die Menschen leben. Die zerstörerische Ausbeutung von Bodenschätzen, des Waldes, der Tierwelt und des Wassers ist diesem Konzept fremd.

Die Indianer sind mit ihrem Land teilweise noch in tiefer Spiritualität verbunden: »Diese Berge und Flüsse erlauben unsere Existenz. Dieses Wissen darum haben wir von unseren Ahnen geerbt. Eher sterbe ich, als daß ich die Schande in den Augen unserer Kinder sehen muß, weil wir das Land verloren haben«, so sieht es Damián Tibijam, ein Aguaruna-Indianer aus Peru. Nur auf eigenem und selbstverwaltetem Land, mit eigener Gerichtsbarkeit und selbstgewählter Regierungsform, haben die Indianer eine Chance auf eine selbstbestimmte Zukunft. Sie hängt entscheidend davon ab, daß ihre Ansprüche endlich legalisiert werden, sie für ihre Gebiete offiziell Landrechtstitel erhalten oder daß alte Verträge anerkannt werden.

Seit den 70er Jahren haben sich die Indianer zusehends organisiert und tragen ihre Forderungen nach einem eigenen Territorium zunehmend selbstbewußter vor. Die Auseinandersetzungen um Land, Landrechte und die Verfügungsgewalt über Bodenschätze fanden bald auch internationale Aufmerksamkeit. Staatliche Behörden, Regierungsvertreter, Repräsentanten internationaler Organisationen oder auch Vertreter der Linken kommen inzwischen nicht mehr umhin, den Anspruch der indianischen Gemeinschaften auf eigene Territorien und Selbstbestimmung zumindest nicht mehr zu ignorieren.

Die indianischen Vertreter berufen sich auf ihre traditionellen Gewohnheitsrechte und auf die vom jeweiligen Nationalstaat zugestandenen Rechtsansprüche. Diese reichen von minimalen »Minderheitenrechten« bis hin zu Verfassungsnormen wie beispielsweise in Peru und Bolivien, wo indianische Territorien zumindest einen eingeschränkten Rechtsstatus genießen. Allzu häufig werden derartige Gesetze jedoch nicht ernstgenommen oder einfach geändert. So sollten in den 60er Jahren in einigen Staaten Südamerikas Agrarreformen durchgeführt werden. Über mögliche Ansprüche der Indianer wurde nicht einmal diskutiert. Dies hat sich in den letzten zwei Jahrzehnten geändert: Immerhin wird heute wenigstens darum gestritten, wie indianisches Land definiert werden muß. Die Indianer bestehen darauf, daß auch traditionell extensiv genutzte Gebiete zu ihrem Territorium gehören.

Um Gewohnheitsrechte und andere Ansprüche einklagen zu können, müssen sie ausreichend dokumentiert sein. Indianische Organisationen haben dies inzwischen in die Hand genommen.

Langwierige Landrechtsprozesse wurden begonnen. Viele Indianer beklagen allerdings, daß auch laufende Prozesse nicht verhindern können, daß der Staat selbst ohne Gerichtsurteil weiter über ihr Land verfügt und Konzessionen für Bodenschatzabbau oder Holzeinschlag vergibt. So deklarieren Regierungen dünn besiedeltes und landwirtschaftlich extensiv genutztes Land häufig als »Brachland«, das nur auf die Ausbeutung durch Konzerne, Viehzüchter oder auf die Besiedlung durch andernorts vertriebene Kleinbauern warte. Dabei gehört dieses Land Indianern, die es traditionell behutsam bewirtschaften, wobei dem Boden lange Ruhephasen gegönnt werden.

Mittlerweile gibt es in einigen amerikanischen Staaten Gesetze, die indianischen Gemeinschaften auf ihrem Land den Lebensunterhalt und die Ausübung ihrer Kultur gewährleisten sollten. Meistens stehen derartige Gesetze allerdings nur auf dem Papier, die Realität sieht anders aus. In aller Regel muß dem Rechtsanspruch mit politischem Druck nachgeholfen werden. Interessenorganisationen der Indianer veranstalten Demonstrationen, errichten Blockaden und treten an internationale Gremien heran. Auf diese Weise gelingt es ihnen zunehmend, weltweit Aufmerksamkeit zu erregen und ihre Regierungen zu zwingen, wenigstens teilweise einzulenken. Ein einmonatiger Protestmarsch in Bolivien im Jahr 1990 steht für viele derartige Aktionen. Unter den Augen der Öffentlichkeit mußte die bolivianische Regierung ein Abkommen unterzeichnen. Damit wurde mehreren indianischen Gemeinschaften die territoriale Verfügung über strittige Ländereien überschrieben. Der Konflikt hätte aber auch anders ausgehen können. Gängige Praxis ist, die Protestierenden zu kriminalisieren, sie als Staatsfeinde und Terroristen hinzustellen. In vielen Ländern müssen die Indianer für ihren öffentlichen Kampf um Landrechte einen hohen Preis bezahlen: Tausende verschwinden, werden inhaftiert, gefoltert oder ermordet.

Gleichwohl formiert sich der Widerstand, und inzwischen koordinieren auch verschiedene Selbstorganisationen der Indianer ihre Aktivitäten. So ist die COICA (Coordinadora de las Organizaciones Indígenas de la Cuenca Amazónica), der Dachverband der indianischen Organisationen aus dem Amazonasbecken, auch im deutschen Sprachgebiet bekannt. Um ihr Land zu verteidigen, begannen die Shuar in Ecuador und die Amuesha in Peru vor ungefähr 30 Jahren, gemeinsam gegen Besiedlungsvorhaben und

Straßenbauprojekte vorzugehen. Sie meisterten die Schwierigkeit, bislang verstreut siedelnde und im organisierten Widerstand gegen nationale Regierungen und Unternehmen wenig erfahrene indianische Gemeinschaften zu einem Bündnis zusammenzubringen. 1984 wurde dann die COICA als Zusammenschluß von Indianerorganisationen aus Bolivien, Peru, Ekuador, Kolumbien, Venezuela, Surinam und Brasilien gegründet. Dieses Bündnis versammelt sich jedes Jahr auf einer Konferenz und arbeitet strategisch und systematisch Programme zur Verteidigung der indianischen Territorien aus. Die COICA agiert nicht mehr allein im Rahmen der betroffenen Region, sondern tritt im Namen aller Eingeborenenvölker des Amazonasgebiets international sogar bei der UNO auf. Nicht zuletzt ist sie im sogenannten Klimabündnis Vertragspartnerin europäischer Städte. Diese unterstützen die Interessen der Amazonasindianer, setzen sich für die Erhaltung des Regenwaldes ein und verpflichten sich, kein Tropenholz mehr zu importieren und den Energieverbrauch drastisch zu senken.

»Wir sind Völker, Nationen. Wir haben eine eigene Entwicklung. Wir fordern das Recht auf ein Territorium, einen Raum, um unsere grundlegenden Elemente als Nation weiter entwickeln zu können«, beharrt Ampam Karakas von den Shuar in Ekuador. Würden die historischen Verträge zwischen indianischen Nationen und Nationalstaaten eingehalten, ergäben sich weitreichende Konsequenzen. Die beispielsweise von den USA abgeschlossenen 371 Verträge, die teilweise ausdrücklich von »Souveränität« und »indianischer Nation« sprechen, wurden zwar immer wieder gebrochen, aber nicht gekündigt. Diese Auslegung teilt sogar in einigen wenigen Fällen der Oberste Gerichtshof der Vereinigten Staaten. Doch die meisten Richter nehmen Vertragsbrüche inzwischen als historischen Fakt hin und wollen die Indianer für geraubtes Land allenfalls mit Geld entschädigen.

Wenn die indianischen Gemeinschaften oder Nationen ihr Recht auf Souveränität über ihr Land einklagen wollen, müssen sie daher meist auf internationales, den staatlichen Normen übergeordnetes Recht zurückgreifen. Sie können sich beispielsweise auf die Internationale Menschenrechtscharta der Vereinten Nationen berufen und die Verletzung der allgemeinen Menschenrechte vor Gericht bringen oder sich auf den Schutz von Minderheiten und auf völkerrechtliche Verträge zur Verhinderung des

Genozids sowie zur Beseitigung der Rassendiskriminierung beziehen. Doch die Indianer wollen nicht mehr nur Minderheitenrechte einklagen, sondern gleichberechtigt behandelt werden. Die indianischen Repräsentanten beharren darauf, daß ihr Anspruch auf ein eigenes Territorium und auf umfassende Selbstbestimmung zu einem Recht wird, das die grundlegenden Beziehungen zwischen selbständigen politischen, kulturellen und sozialen Gefügen regelt und nicht nur einfach ein Zugeständnis der Regierungen darstellt.

Nicht allein die indianischen Völker, sondern auch die Ureinwohner auf allen Kontinenten kämpfen inzwischen um Landrechte und Souveränität. Innerhalb der UN-Menschenrechtskommission arbeitet seit 1982 eine Arbeitsgruppe zu indigenen Völkern (offiziell UN-Working Group on Indigenous Populations) und bereitet eine Erklärung der Vereinten Nationen vor. Sie soll internationale Standards für die Rechte von Ureinwohnern entwickeln. Die Selbstbestimmung über ein eigenes Territorium nimmt darin wiederum eine zentrale Stellung ein. Parallel dazu haben die indigenen Völker den Welteingeborenenrat (World Council of Indigenous Peoples/WCIP) gegründet, der ihre Forderungen weltweit koordinieren und auf internationaler Ebene vorbringen soll. Die Konvention 169 der Internationalen Arbeitsorganisation (International Labour Organization/ILO) regelt bereits die Rechte indigener Völker. Darin enthalten ist ein Passus, der das Recht auf Land mit den Rechten auf eine eigene soziale und kulturelle Entwicklung sowie auf die Verwertung der Bodenschätze durch die indigenen Gemeinschaften verknüpft.

Die öffentliche Anerkennung indianischer Organisationen als gleichberechtigte (Vertrags-) Partner ist eine Möglichkeit, den Ureinwohnern Amerikas bei der Durchsetzung ihrer Rechte zu helfen.

---

[1] alle Zitate stammen aus A. Chirif Tirado et al.; El Indígena y su Territorio son uno solo. Estrategía para la Defensa de los Pueblos y Territorios Indígenas en la Cuenca Amazónica, Lima 1991

# Elisabeth Kumi
## Zerstörung der Regenwälder in Amerika

Jede Minute werden weltweit über 30 Hektar tropischer Regenwald zerstört. Nach Schätzungen der UN-Organisation für Ernährung und Landwirtschaft (FAO) sollen 1990 insgesamt 17 bis 20 Millionen Hektar vernichtet worden sein, 1980 waren es laut FAO etwa 11 Millionen Hektar. Wird die jährliche Abholzungsrate nicht reduziert, ist die totale Zerstörung der heute noch etwa 800 Millionen Hektar Regenwald bereits in der ersten Hälfte des nächsten Jahrhunderts zu erwarten.

Schon sind die Waldreserven in Südostasien, etwa auf den Philippinen, nahezu erschöpft. Auch in Afrika sind bereits weite Waldgebiete völlig verschwunden, etwa an der Elfenbeinküste. Zunehmend werden auch die Wälder in Kamerun, Zentralafrika und Zaire abgeholzt. Umso mehr werden sich Holzfirmen dem Amazonasgebiet in Südamerika zuwenden, wo bisher vergleichsweise wenige Prozent des vorhandenen Tropenwaldes zerstört worden sind.

Brasilien ist das Land mit der weltweit größten Fläche an Regenwald; weitere große tropische Waldgebiete finden sich in Venezuela, Peru und Kolumbien.

Ausgedehnte Urwälder gibt es aber auch in Nordamerika, an der Westküste der USA und Kanadas. Südlich der Arktis in der nördlichen Klimazone gibt es sogenannte boreale Wälder in Kanada, die ebenfalls des Schutzes bedürfen. Dort leben ebenfalls indigene Völker, die durch intensive Abholzung ihres Landes die Lebensgrundlage verlieren. In der aktuellen Regenwalddiskussion wird dies leider zu wenig beachtet.

Die tropischen Regenwälder, die Nebelwälder und die Urwälder der gemäßigten Breiten sind durch großen Artenreichtum gekennzeichnet. Man schätzt, daß 50 Prozent aller Tier- und Pflanzenarten dort, und nur dort, existieren. Obwohl der Regenwald nur ein Viertel der weltweit bewaldeten Fläche ausmacht, birgt er vier Fünftel der gesamten Landvegetation. Gefährdet sind aber neben der Artenvielfalt vor allem auch die indigenen Völker, die Ureinwohner, die in den Wäldern leben. Indigene Völker umfassen 95 Prozent der kulturellen Vielfalt der Welt. Im Amazonasbecken zum Beispiel leben etwa 200 000 Ureinwohner, die etwa 200 Völkern angehören, mit verschiedenen Sprachen, Wirtschaftsformen, Religionen, Kulturen. Zu ihnen zählen die Aguaruna in Peru, die Chimanes und Sirionó in Bolivien, die Pemon in Venezuela, die Yanomami, Ticuna, Macuxi oder Kaiapó in Brasilien, die Huitoto in Kolumbien, die Huaorani in Ekuador.

Ende der 60er, Anfang der 70er Jahre wurden im Amazonastiefland durch gezielte Prospektionen Bodenschätze entdeckt wie Uran, Eisenerz, Gold, Bauxit zur Aluminiumherstellung, Kohle und Erdöl, die jetzt, neben dem begehrten Tropenholz, den Ausverkauf des tropischen Regenwaldes beschleunigen.

Die Wirtschaftsweise indigener Regenwaldvölker ist auf die Bewahrung ihrer natürlichen Umwelt ausgerichtet: Die Ureinwohner haben in Jahrtausenden Methoden entwickelt, den Wald so zu nutzen, daß er sich immer wieder regenerieren kann. Die meisten lebten als Jäger und Sammler, legten auch kleine Gärten an, um ihre Ernährung zu sichern. Da der Boden zumeist sehr arm an Mineralien ist und sich entsprechend schnell erschöpft (in Lateinamerika sind beispielsweise 82 Prozent der Regenwaldböden unfruchtbar), mußten die Ureinwohner ihre Gärten nach ein paar Jahren verlegen; die kleinen Rodungen konnten in der langen Zeit der Brache wieder zuwachsen.

Die wirtschaftliche Nutzung des Regenwaldes, die westliche Industrienationen und Firmen im Bunde mit exportorientierten Unternehmern des Landes vorantreiben, läuft im Gegensatz dazu auf einen enormen Raubbau am genetischen Erbmaterial unserer Erde hinaus. Heute hat die Zerstörung von Fauna und Flora eine solche Geschwindigkeit und ein solches Ausmaß erreicht, daß die Basis für die Entwicklung neuer Lebensformen stark angegriffen ist. Auch die meisten Völker des Regenwaldes wurden bereits vernichtet. Allein in Brasilien sind in der ersten Hälfte des 20. Jahrhunderts 87 Indianervölker ausgerottet worden. Mit der wissenschaftlichen Erkundung und Erschließung des Amazonastieflands in den 70er Jahren wurden die Informationen eindeutiger, daß viele der noch existierenden Völker kurz vor dem Aussterben stehen.

Nicht nur die wirtschaftliche Existenz der Waldvölker hängt vom intakten tropischen Regenwald ab, auch ihr spirituelles Überleben und das ihrer Kulturen steht auf dem Spiel. »Wir sind nicht wie die von außen, die alles wegschlagen wollen, die den Reichtum zerstören und den Wald für immer zerstört zurücklassen. Wir respektieren den Wald.« (Ein Amarakaeri aus Peru, zitiert nach Gray, 1991:6). Indianern ist ihr Land heilig. In der mündlich überlieferten Geschichte und in der Religion indigener Völker spielen Plätze wie Quellen, Wasserfälle oder Berge eine zentrale Rolle. Auch die Begräbnisstätten sind heilig, da die Toten und die Lebenden in einem stetigen Prozeß des Austausches miteinander verbunden bleiben. In bestimmten Gebieten wachsen heilige Pflanzen, die bei religiösen Zeremonien verwendet werden. Da Religion und Kultur mit dem traditionell bewohnten Land so eng verwoben sind, kann Zerstörung der Umwelt oder Vertreibung die Gesellschaften indigener Völker zerbrechen und zu einem totalen Kulturverlust führen.

Die Regierungen der Nationalstaaten behalten sich das Recht vor, im öffentlichen Interesse, zum Beispiel oft auch zur Tilgung von Auslandsschulden, die Ressourcen auszubeuten, auch auf Indianerland oder in ausgewiesenen Naturschutzgebieten. Den indigenen Völkern werden ihre Landrechte de facto verweigert, auch wenn sie, wie zum Beispiel in Brasilien, in der Verfassung verankert sind. Oft schließen Gesetze oder Verträge über Landrechte die Verfügungsgewalt über natürliche Ressourcen nicht ein. Immer wieder müssen indigene Völker sich gegen Siedler und Firmen wehren, die an der Ausbeutung ihres Landes, des Waldes und der Bodenschätze sind.

Die Urwälder Amerikas sind durch viele verschiedene Faktoren bedroht, die zusammenwirken. Oft macht erst der Bau von Straßen ein zusammenhängendes, geschlossenes Regenwaldgebiet für weitere Ausbeutung zugänglich. Die katastrophalen Auswirkungen auf die Ureinwohner und den Erhalt des Waldes selber zeigten sich bereits Ende der 60er, Anfang der 70er Jahre beim Ausbau des Straßennetzes im Amazonasgebiet von Brasilien. »Die Straßen durchschneiden mehr als die Hälfte der zur Zeit bekannten Indianerterritorien. Für knapp 50 Prozent der 96 betroffenen Indianerstämme bedeutete dies den ersten Kontakt mit der dominanten Kultur.«[1] Straßenarbeiter und nachrückende Siedler zerstörten den Lebensraum der Indianer, schleppten Krankheiten ein, verjagten das Wild; Prostitution und Alkoholmißbrauch breiteten sich aus. Es kam auch zu direkten Auseinandersetzungen zwischen den Arbeitern und den Angehörigen indigener Völker, und nicht wenige Gemeinschaften wurden, wie die Waimiri-Atroari, dezimiert.

Auch andere Verkehrswege erweisen sich als problematisch, wie die 900 Kilometer lange Bahn-Verbindung, die im Zusammenhang mit dem gigantischen Erzförderprojekt Grande Carajás in Brasilien entstanden ist. Die 1985 gebaute Eisenbahnstrecke grenzt im Süden an das Gebiet der Awa. An der Strecke sind Köhlereien entstanden, die das Holz der umstehenden Wälder zu Kohle verbrennen, die wiederum für die Eisenverhüttung verwandt wird. Die Folgen für die Awa sind Zerstörung ihrer Lebensgrundlage, Unterernährung und Krankheiten.

Die Erschließung tropischer Regenwälder zieht landlose Bauern an, die sich dort den Aufbau einer neuen Existenz erhoffen. 35 Prozent der Regenwälder in Mittel- und Südamerika gehen durch die Umwandlung zu landwirtschaftlichen Flächen verloren. In manchen Staaten war dies sogar gezielte Regierungspolitik, um den sozialen Druck, Folge von Arbeitslosigkeit und Landlosigkeit, zu mildern. Zugrunde liegt diesen Problemen die ungleiche Verteilung von Land; in den Staaten Mittel- und Südamerikas liegen 93 Prozent der Anbauflächen in den Händen von sieben Prozent der Bevölkerung. In Brasilien zum Beispiel besitzen 4,5 Prozent der Landeigentümer 81 Prozent der landwirtschaftlich nutzbaren Fläche. Die Regierungen lassen sich auf die dringend notwendige Landreform nicht ein, da sie entweder selbst davon profitieren oder sich nicht um die politische Unterstützung der Großgrundbesitzer bringen möchten.

Landwirtschaft auf den Flächen der tropischen Regenwälder lohnt sich nicht. Der Boden ist sehr arm, so daß er nicht lange bewirtschaftet werden kann. Die dünne Humusschicht wird, wenn sie nicht mehr von den Wurzeln der Bäume gehalten wird, durch starke Regenfälle weggeschwemmt. Dies trägt zur Verschlammung von Flüssen und Stauseen bei, mit der Folge, daß manche Fischarten, die zu den Nahrungsmitteln der indigenen Völker gehören, sich in den Flüssen nicht halten, weil sie nur in klarem Wasser gedeihen. Kleinbauern müssen nach kurzer Zeit weiterziehen und brennen ein neues Stück Wald ab, um neue Felder anzulegen. Zusammen mit den Viehzüchtern, die auf die gleiche Weise große Flächen Waldes roden, sind sie damit eine der wichtigsten Ursachen von Regenwaldzerstörung.

Bundesdeutsche und europäische Firmen wie die Varta AG, die Atlas GmbH, Nixdorf und der mit der Vatikanbank verbundene italienische Liquigas-Konzern folgten in den 70er Jahren dem Angebot der brasilianischen Regierung, die Investitionen im Bereich der Viehzucht mit Zuschüssen unterstützte. Auch VW do Brasil erwarb 140 000 Hektar Waldland, von denen 55 000 durch Brandrodung zerstört worden waren, als Weideland für 86 000 Rinder. VW do Brasil gab das Projekt aber inzwischen auf. Vom südöstlichen Rand des Amazonasgebietes her brannten die Viehzüchter große Regenwaldflächen nieder. Bis Ende der 80er Jahre hatte die Viehwirtschaft vorsichtigen Schätzungen zufolge 40 Millionen Hektar Wald in ihren Besitz gebracht. 38 Prozent der in Brasilien abgeholzten Regenwaldflächen wurden Viehweiden. »Nirgendwo jedoch mußte soviel noch unberührter Regenwald den Viehweiden weichen wie in Costa Rica. (. . .) Im Zeitraum von 1950 bis 1978 ist die Waldbedeckung Costa Ricas von 72 Prozent auf 34 Prozent gesunken.«[2] Darüber hinaus heizt das Kohlendioxid, das beim Abbrennen der großen Urwaldflächen entsteht, die Erdatmosphäre auf. Diesen Treibhauseffekt unterstützt auch Methangas, das beim Abbau von organischem Material produziert wird. Sowohl Reisanbau als auch riesige Rinderherden vergrößern die Abgabe von Methan an die Atmosphäre, aber auch Stauseen von Wasserkraftwerken tragen zur Erhöhung der Methangasproduktion bei. Der Balbina-Staudamm in Brasilien beispielsweise wurde 1987 geschlossen, ohne daß vorher die Bäume abgeholzt und abtransportiert worden wären. Die Folge ist, daß sie in einem See von der Größe des Saarlandes verfaulen, Fische sterben, Malaria sich ausbreitet.

Der Balbina-Stausee ist Teil des sogenannten »Plano 2010«, der bis zum Jahr 2010 den Bau von 145 Wasserkraftwerken am Amazonas und seinen Nebenflüssen vorsieht. Da diese nur ein geringes Gefälle aufweisen, müssen zur Elektrizitätsgewinnung große Wassermassen aufgestaut werden. Die geplanten Staudämme würden insgesamt Waldflächen von 26 Millionen Hektar überfluten. Experten schätzen, daß 60 Prozent der Projekte Indianergebiet betreffen. Finanziert werden die Staudämme u. a. aus Krediten der Weltbank, in der die Bundesrepublik drittgrößter Geldgeber ist.

Widerstand indigener Völker gegen hydro-elektrische Großprojekte, die ihr Land überfluten und sie selbst vertreiben, manifestierte sich 1989 bei einem Treffen indianischer Völker in Altamira/Brasilien. Drei Staudämme, finanziert durch die Weltbank, werden dort 720 000 Hektar Wald überschwemmen und 4000

Indianer vertreiben. Der erste dieser Staudämme über den Fluß Xingu soll den nördlichen Teil des Xingu-Naturparks überschwemmen. 1400 Indianer aus zehn verschiedenen Völkern müssen sich in anderen Teilen des Naturparks ansiedeln. Der Xingu-Park ist das am dichtesten besiedelte indianische Territorium Brasiliens, wo viele Indianer leben, die schon einmal beim Bau einer Straße quer durch das Amazonasgebiet – der Transamazonica – umgesiedelt wurden. Durch einen anderen brasilianischen Staudamm, den Tucurui-Damm, der zusammen mit der Holzkohlegewinnung die Energiebasis des Eisenerz-Industriekomplexes Grande Carajás darstellt, wurde bereits das Gebiet der Parakana überflutet. Seit 1970 durch Zusammenstöße mit den Weißen von 700 auf 170 Angehörige dezimiert, mehrmals umgesiedelt, kulturell gebrochen, haben sie nun auch ihr Land verloren. Auch das Gebiet der Awa-Assurini ist von dem Stausee bedroht.

Das Erzabbauprojekt Ferro Carajás, Herzstück von Grande Carajás, wurde von der Weltbank, der EG, von der Kreditanstalt für Wiederaufbau (130 Millionen US-Dollar) und Banken (30 Millionen Dollar) finanziert. Auch deutsche Banken waren beteiligt. Den größten Kredit steuerte die EG mit 600 Millionen US-Dollar bei und sicherte sich damit über 15 Jahre die Lieferung eines Drittels des Eisenerzes zu gleichbleibenden Preisen; die Bundesrepublik, und hier wiederum die Firma Thyssen, ist Hauptabnehmer. Das Grande Carajás Projekt wird eine Fläche, die mehr als doppelt so groß ist wie die Bundesrepublik, und Gebiete von 19 indigenen Völkern mit etwa 10 000 Angehörigen betreffen. Das Reservat der Gavioes beispielsweise ist durch die Eisenbahnlinie zweigeteilt worden. Für die Hochspannungsleitungen des Tucurui-Kraftwerkes wurde eine breite Schneise in den Wald geschlagen, in dem die Gavioes Paranüsse gesammelt hatten. Das Erzabbauprojekt Ferro Carajás allein trifft etwa 4360 Indianer aus 42 Dörfern.

Ein ähnliches Mega-Projekt soll in Kolumbien verwirklicht werden, wo an der Pazifikküste, im Departamento Chocó, der Bau von Straßen und Eisenbahnlinien, vier Wasserkraftwerken und zwei Hochseehäfen zur Ausbeutung der natürlichen Ressourcen – tropische Hölzer, Gold, Platin, Kupfer, Bauxit und Erdöl – geplant ist. Das Projekt wird den Zustrom der Siedler steigern und den Holz- und Bergbauunternehmen den Zugriff auf das Land erleichtern. Schon jetzt zerstören dort Programme zur Förderung von Holzwirtschaft und Bergbau die Lebensgrundlagen der Emberá, Waunana und Kuna, insgesamt etwa 30 000 Menschen, sowie der fast 25 000 Schwarzen, die im Chocó leben. Durch die Abholzung versteppt bereits das Land. Die Erosion der Böden läßt den Wasserspiegel der Flüsse ansteigen, was wiederum zu häufigen Überschwemmungen der nahe an den Flüssen liegenden Anbauflächen der Indianer und Schwarzen führt.

Der kommerzielle Holzeinschlag ist nach der Brandrodung, deren Voraussetzung er oft erst schafft, die wichtigste Ursache für die Zerstörung der Regenwälder. Tropische Hölzer aus dem Amazonasgebiet haben mit unter zehn Prozent bisher noch einen relativ geringen Anteil am internationalen Holzhandel. Dennoch hat sich der Export seit Anfang der 80er Jahre beträchtlich gesteigert. Auch mehrere deutsche Holz- und Papierunternehmen haben brasilianische Tochtergesellschaften. Im Amazonasgebiet ist vor allem die Ulmer Firma Oesterle aktiv. Am weltweiten Holzeinschlag verdient auch die Waiblinger Firma Andreas Stihl, deren Besitzer Hans-Peter Stihl seit 1988 Präsident des Deutschen Industrie- und Handelstages (DIHT) ist. Stihl ist in der Herstellung von Motorsägen führend. Drei Viertel aller Handmotorsägen in Brasilien stammen von der Andreas Stihl Moto-Serras Ltda. in São Leopoldo. Angesichts dessen ist es geradezu zynisch, wenn Hans-Peter Stihl in einer Anzeigenkampagne in bundesdeutschen Zeitungen im Vorfeld der UN-Tagung für Entwicklung und Umwelt, die 1992 in Brasilien stattfinden wird, dafür plädiert: »Mit Entwicklungshilfe die Umwelt schützen.«

Experten sind sich inzwischen darüber einig, daß nachhaltige kommerzielle Nutzung nicht mit der Erhaltung tropischer Primärwälder vereinbar ist. Auch der sogenannte selektive Holzeinschlag, bei dem nur einzelne Stämme aus dem Wald herausgeholt werden, zerstört das Ökosystem. Das verdeutlichen Zahlen aus Afrika. 78 Prozent der einst geschlossenen Regenwälder, die dort jährlich kleiner werden, sind vorher holzwirtschaftlich ausgebeutet worden. Nachhaltige Nutzung kann im Regenwald also nur Subsistenzwirtschaft heißen.

Auf das Prinzip der kommerziellen Holzwirtschaft baut aber der von der Weltbank, dem Entwicklungsprogramm der Vereinten Nationen (UNDP) und dem World Resources Institute entworfene »Tropical Forest Action Plan« (TFAP), der als Waldschutzplan verkauft wird, tatsächlich jedoch ein Forstwirtschaftsplan ist. Selbst eine vom Bundeskanzleramt in Auftrag gegebene Studie kommt zu dem Ergebnis, daß der TFAP nicht mit dem Schutz noch intakter Tropenwälder vereinbar ist. Zudem ignoriert er die Rechte indigener Völker und sieht nur zehn Prozent der Gelder für den Schutz der Ökosysteme vor.

Auch das von der Bundesregierung beim G7-Gipfel (Gruppe der sieben reichsten Industrieländer) in Houston/USA 1990 vorgeschlagene Pilotprojekt für die Erhaltung des brasilianischen Regenwaldes geht von einer forstwirtschaftlichen Nutzung aus. Inzwischen haben die brasilianische Regierung, Weltbank und EG einen Entwurf für das Pilotprojekt ausgearbeitet, der allerdings aufgrund seiner Mängel bisher nicht zur Freigabe der versprochenen 1,5 Milliarden US-Dollar geführt hat. Lediglich 50 Millionen sind 1991 beim Londoner G7-Gipfel für die Vorbereitungsphase bewilligt worden. Die Bundesrepublik hat Brasilien 250 Millionen Mark zugesagt. Die Betroffenen des Pilotprojektes, die indigenen Völker, aber auch Kautschukzapfer und andere Waldbewohner, sind an der Planung nicht beteiligt.

Die tropischen Regenwälder haben eine Schlüsselfunktion im globalen Wasserkreislauf. Die Flüsse des Amazonasbeckens fassen zwei Drittel des Süßwassers der Erde und leiten mehr als ein Fünftel des in die Meere fließenden Süßwassers in den Atlantik ein. Riesige Niederschlagsmengen verdunsten in diesen Wäldern. Zwischen 50 und 75 Prozent der Sonnenenergie wird dabei für die Verdunstung verbraucht, der Rest für die Erwärmung der Luft. Der Wald hält also durch Abgabe von Wasserdampf und anschließende Abschirmung von der Sonne die Erdoberfläche kühl. Der Hauptteil der Feuchtigkeit wird in Richtung der Anden verschoben, ein Teil gelangt in höhere Zonen, wo durch Kondensation große Mengen gebundener Energie freigesetzt werden. Diese Dampfzirkulation bewirkt eine schnelle und effiziente Verteilung der Sonnenenergie. Was passiert, wenn dieser Kreislauf von Verdunstung und Niederschlag durch die Zerstörung des Waldes unterbrochen wird, ist nicht genau vorherzusagen.

Die Amazonasregion würde sich wahrscheinlich zu einem wüstenähnlichen Gebiet wandeln. Gleichzeitig würde es durch Sedimenteinlagerung in den Flüssen zu Überschwemmungen kommen, wie sie jetzt schon teilweise in Südostasien zu beobachten sind. Auch Trockenperioden in anderen Gebieten wären vermutlich die Folge.

Die gegenwärtige Zerstörung des Amazonas verstärkt den Treibhauseffekt und produziert soviel Kohlenstoff wie alle anderen menschlichen Quellen auf der Welt zusammengenommen. Dieser Effekt ergibt sich nicht nur durch die Brandrodung, sondern auch durch die Oxidation der bei der Entwaldung freigelegten Humusschicht. Gleichzeitig gibt es immer weniger Pflanzen, die Kohlendioxid in Sauerstoff umwandeln können. Insgesamt ergibt sich aus der Anreicherung der Treibhausgase (Kohlendioxid, Methan und andere), aber auch von FCKW, eine Erwärmung der Erdatmosphäre.

Indigene Völker haben jahrhundertelang im empfindlichen Ökosystem Regenwald gelebt, ohne es zu zerstören. »Die Zerstörung des Regenwaldes hat in der Tat erst wirklich angefangen, als die Industriegesellschaft anfing, auf ihr (der Indianer) Land vorzudringen.«[3] Zwar sind auch indigene Völker verschiedenen Interessen unterworfen und Veränderungen ihres Umfeldes ausgesetzt, die es ihnen teilweise unmöglich machen, die traditionellen Methoden der Bewirtschaftung weiterzuführen. Dennoch ist es den meisten Ureinwohnern gelungen, auf ihrem Land auf der Basis von Subsistenzwirtschaft zu überleben. In der Diskussion um indigene Völker und die Erhaltung des tropischen Regenwaldes kann es also nicht darum gehen, bedingungslos traditionelle Lebensweisen zu konservieren, sondern die selbstbestimmte Entwicklung der Waldvölker muß das Ziel sein. Allein die Anerkennung der Landrechte indigener Völker und die Stärkung ihrer Organisationen, ihre Kontrolle über die Märkte, auf denen Produkte des Waldes gehandelt werden, ihre Beteiligung an Entscheidungen über Umweltschutzmaßnahmen können letztlich zum Schutz der Regenwälder beitragen.

»Der beste Schutz der amazonensischen Biosphäre«, heißt es in einem Papier des Dachverbandes der Organisationen indigener Völker des Amazonasbeckens (COICA), »ist der Schutz von Land, das von indigenen Völkern als ihre Heimat bezeichnet wird, und die Förderung unserer Modelle für das Leben in dieser Biosphäre und für die Nutzung der Ressourcen.«[4]

Die zentralen Forderungen indigener Völker sind Selbstbestimmung, d. h. selbstbestimmte Entwicklung, Landrechte, das

Recht auf freie Kulturausübung und die Kontrolle über die Nutzung von und Verfügung über die natürlichen Ressourcen ihres Landes. Dies schließt die Respektierung des geistigen Eigentums indigener Völker und ihrer Vorstellungen über den Schutz ihrer Umwelt ein.

[1] Welter, Tun: Wer hat dich du schöner Wald... Die Zerstörung der tropischen Regenwälder, in: ila-info 113, 1988, S. 6
[2] Welter, 1988: 7
[3] Gray, Andrew (IWGIA Document 70): Between the Spice of Life and the Melting Pot, in: Biodiversity Conservation and its Impact on Indigenous Peoples, Kopenhagen 1991, S. 57
[4] COICA: To the Community of Concerned Environmentalists, Lima 1989, S. 57

*Literatur*:
ARA/INFOE (Hg.): Das Regenwald-Memorandum, Mönchengladbach 1989
Behrend, Reinhard/Paczian, Werner: Raubmord am Regenwald, Reinbek 1990
Coordination Forêts Tropicales (Hg.): Amazonien: Die Vernichtung des Regenwaldes ist auch eine soziale Katastrophe, Luxemburg 1991
Hagemann, Helmut: Stirbt der Wald, stirbt der Mensch. In: Maderspacher/Stüben (Hg.): Bodenschätze contra Menschenrechte, Hamburg 1984
Lobgesang, Bernd: Wohin sollen wir noch flüchten? Die brasilianischen Amazonas-Indianer zwischen Anpassung und Widerstand gegen mörderische Fortschrittsgläubigkeit. In: Grieb/Hermanns/Strohscheidt-Funken (Hg.): Wer ihr Land nimmt, zerstört ihr Leben. Menschenrechtsverletzungen an Ureinwohnern, Hamburg 1991
Welter, Tun: Wer hat dich du schöner Wald... Zerstörung der tropischen Regenwälder. In: ila-info 113, 1988

# Eva-Maria Bockor
# Klimabündnis

Globale Klimaveränderungen bedrohen das Leben auf unserer Erde. Ökologisch intakte Lebensgemeinschaften werden zunehmend weltweit zerstört, im besonderen tropische Regenwälder, die Lungen unserer Erde.

75 Prozent aller Emissionen kommen von den nördlichen Industrieländern, vor allem das am Treibhauseffekt beteiligte $CO_2$ durch den Verbrauch fossiler Brennstoffe wie Mineralöl, Kohle, Gas und Holz.

Während der Amazonientage 1989 in Berlin wurde der Grundstein zu einem Klimabündnis zwischen europäischen Städten und den Amazonasindianern gelegt. Durch Gespräche wurde deutlich, daß die Ursache für die Zerstörung Amazoniens bei uns, unserer Lebensweise, unserem Umgang mit den Ressourcen dieser Welt liegt. Aus diesen Kenntnissen heraus wurde das Bündnis gegründet, welches nun Maßnahmen zum Klimaschutz einleiten und umsetzen kann.

Das Klimabündnis ist ein solidarischer Schritt zum Erhalt unserer Erdatmosphäre. Die indianischen Völker haben bisher mit ihrer nachhaltigen Wirtschaftsweise bewiesen, daß sie Tropenwald umweltverträglich nutzen können. Ihr Lebensinteresse ist an den Wald geknüpft.

Jede europäische Stadt, die dem Klimabündnis beitritt, verpflichtet sich:

– den Energieverbrauch zu senken;

– den motorisierten Verkehr zu verringern;

– die Emissionen, vor allem von $CO_2$, bis zum Jahre 2010 zu senken;

– einen FCKW-Stop durchzusetzen;

– auf Tropenholz zu verzichten;

– die Interessen der amazonensischen Bevölkerung, die für den Tropenwalderhalt und die Demarkierung ihrer Territorien kämpfen, nachhaltig zu unterstützen.

Den Rahmen für inhaltliches Handeln schafft das Manifest zum Klimabündnis, welches jede Stadt bei ihrem Beitritt unterschrieben hat. Es wurde bisher von 100 europäischen Städten und Gemeinden verbindlich unterzeichnet. Gefordert sind die Bündnisstädte durch lokales Handeln. Sie müssen konkrete Maßnahmen ergreifen, um Klimaschutz durchzusetzen. Von ihrem ökologischen Stadtumbau hängt es ab, ob die Emissionen der Städte des Nordens, die Hauptursache der Klimaveränderung, gesenkt werden.

Europäische Kontaktadresse der Koordination des Klimabündnisses europäischer Städte mit den indianischen Völkern Amazoniens: Umweltforum der Stadt Frankfurt am Main, Phillip-Reis-Str. 84–86, 6000 Frankfurt a. Main, Tel.: (069)79 58 11 12/0.

*Literatur*:
Stadt Frankfurt am Main, Dezernat für Umwelt, Energie und Brandschutz, Um-

weltforum Frankfurt (Hg.): Klima-Bündnis der Europäischen Städte mit den Indianervölkern Amazoniens zum Erhalt der Erdatmosphäre, Dokumentation des ersten Arbeitstreffens, Frankfurt/Main 1991

Yvonne Bangert
# Bodenschätze auf Indianerland

Die Ausbeutung der wertvollen Bodenschätze unter dem Land indigener Völker durch die Industrienationen hat in den letzten Jahren erschreckende Ausmaße angenommen. Den Ureinwohnern werden häufig Verträge angeboten oder aufgezwungen, in denen sie gegen eine Entschädigung ihre Landrechte abtreten. Viel häufiger aber werden die eigentlichen Landbesitzer enteignet oder vertrieben. Um Argumente ist man nicht verlegen. Oft wird das für die Konzerne interessante Gebiet als menschenleere Ödnis oder als sehr dünn besiedelt ausgegeben, wobei man die dort lebenden Ureinwohner geflissentlich übersieht. Oder es ist von den Segnungen der Industriegesellschaft die Rede, die der Urbevölkerung Wohlstand, Fortschritt und Arbeitsplätze bringen sollen – ein Versprechen, das sich kaum je erfüllt. Denn im Gegensatz zur allgemeinen Auffassung führt der Abbau von Bodenschätzen auf dem Land indigener Völker in der Regel weder zu einer Verbesserung ihres Lebensstandards, noch bringt er ihnen materiellen Nutzen. Statt dessen sind zumeist Verarmung, soziale Verelendung und Abhängigkeit von der staatlichen Fürsorge die Regel.

Auch das Argument, es würden Arbeitsplätze geschaffen, erweist sich als trügerisch. Die Angehörigen indigener Völker werden, wenn überhaupt, nur im Anfangsstadium eines Projektes beim Aufbau der Infrastruktur beschäftigt. Sind die Minen dann in Betrieb, wird auswärtiges Fachpersonal eingesetzt. Die ansässigen Ureinwohner haben meist keine entsprechende Qualifikation, so werden sie höchstens als Hilfsarbeiter unter miserablen Bedingungen eingestellt. Spätestens dann müssen viele von ihnen ihre einstige Unabhängigkeit gegen den staatlichen Wohlfahrtsscheck eintauschen. Oder sie wandern in die Elendsquartiere der Städte ab in der Hoffnung, dort wenigstens als Tagelöhner existieren zu können.

Indigene Völker haben, so der britische Menschenrechtler Roger Moody, den größten Nachteil vom Rohstoffabbau: Sofern sie nicht ohnehin vertrieben werden, leiden sie unter Mangelernährung, steigenden Krankheitsraten, ungesicherten Arbeitsplätzen oder Arbeitslosigkeit. Sie müssen unter armseligen Verhältnissen leben. Giftmüll, der nach Beendigung eines Projektes zurückbleibt, verseucht ihren Lebensraum.

Verarmung und Identitätsverlust sind die Folgen. Die traditionelle Sozialorganisation indigener Völker wird durch Bergbau und Industrialisierung zerstört. Der Zusammenbruch der Gemeinschaft, des auf der Familie fußenden Zusammenarbeitens und der traditionellen Autorität der Ältesten wirke sich auf den Zusammenhalt der indigenen Gemeinschaften negativ aus, heißt es in einem Bericht an die Arbeitsgruppe Indigene Völker der UNO 1987(1). Fast überall gibt es Alkohol- und Drogenmißbrauch, hohe Selbstmordraten und Prostitution. Dort, wo einige Unerschrockene – wie in Teilen Nordamerikas – an der alten Lebensweise festhalten und beispielsweise staatlich erlassene Jagd- und Fischfangquoten überschreiten, kommt es häufig zur Kriminalisierung der Einheimischen. Oft zerstört die Ausbeutung der Bodenschätze das Land so nachhaltig, daß seinen einstigen Besitzern auch nach Beendigung eines Abbauprojektes ein Leben mit und von der Erde nicht mehr möglich ist.

Der damalige Gouverneur des brasilianischen Bundesstaates Roraima trieb 1975 die Ignoranz gegenüber den Interessen von Ureinwohnervölkern mit seltener Offenheit auf die Spitze: »Ein Gebiet wie dieses, das so reich ist an Gold, Diamanten und Uran, kann sich nicht den Luxus erlauben, ein halbes Dutzend Indianerstämme zu schützen, die den Fortschritt aufhalten.«[1]

Nachrichten von Gold und anderen Reichtümern wirken wie ein Magnet auf die übrige verarmte Bevölkerung eines Landes. Auf der Suche nach einem Stück vom Glück drängen Tausende in die Territorien indigener Völker und lösen durch mitgeführte Krankheiten Epidemien aus. Sie roden den Wald für ihre Siedlungen, verscheuchen das Wild, verschmutzen die Gewässer oder machen gar Jagd auf die Ureinwohner. Traurige Berühmtheit erlangte das Amazonasgebiet Südamerikas, wo die Vernichtung

der Yanomami-Indianer im brasilianisch-venezolanischen Grenzgebiet durch illegal eingedrungene Goldwäscher noch immer fort-
schreitet.

Für die Abbaukonzerne birgt das vermeintlich menschenleere
Land wahre Schätze, ein neues Eldorado, das nur auf seine Entdeckung wartet. Ihnen kommt der technische Fortschritt zugute.
Rohstoffvorkommen können inzwischen per Satellitenaufnahme
aufgespürt und durch modernes Gerät auch in solchen Gegenden
abgebaut werden, die früher als unzugänglich galten. Ein Wett-
lauf um die Entdeckung neuer Bodenschätze und den Erwerb
entsprechender Lizenzen hat begonnen. Für die Nationalstaaten
selbst ist keineswegs ein Gewinn garantiert. Denn häufig müssen
sie sich hoch verschulden, um ihren Part an den Projektkosten zu
übernehmen. Das Geschäft machen die großen Konzerne. Und
niemand denkt an Alternativen wie Energieeinsparung, Roh-
stoffwiederverwertung oder daran, die Möglichkeiten der sich
erneuernden Ressourcen auszuloten.

Zuweilen wirkt die Aussicht auf den Einzug der Moderne auf
die betroffenen Ureinwohner auch verführerisch. Denn die negativen Konsequenzen für ihre Lebenswelt werden oft erst später
erkennbar, wenn ein Abbauprojekt bereits läuft. Die »Red Dog
Mine« in Alaska ist ein Beispiel. Sie liegt auf dem Terrain einer
der Gebietskörperschaften der Inupiak-Inuit. Hier wird eines der
größten Blei-Zink-Vorkommen der westlichen Welt vom kanadischen Konzern Cominco ausgebeutet. Die Reserven des Vorkom-
mens sollen sich auf 85 Millionen Tonnen belaufen, wobei auf jede
Tonne Erz 17 % Zink, 5 % Blei, 0,5 % Cadmium und 70 Gramm
Silber entfallen, berichtete die »Neue Zürcher Zeitung« am 18.
10. 1989. 330 Millionen Dollar seien bereits investiert worden.

Anfangs war der Widerstand der ansässigen Inuit beträchtlich.
Dennoch unterschrieb 1982 die Inuit-Gebietskörperschaft »Nana
Regional Corporation« einen Vertrag mit Cominco, weil sie sich
davon bessere Ausbildungs- und Arbeitsmöglichkeiten für ihre
Jugend versprach. Doch noch sieben Jahre später waren lediglich
160 von 600 Angestellten der Mine Inuit. Alkohol- und Drogen-
konsum waren zu einem großen Problem geworden. Inzwischen
wurden im Red-Dog-Gebiet auch Kohle, Öl, Kupfer, Gold und
Jade entdeckt.

Ein anderes Beispiel aus Nordamerika, diesmal aus Wisconsin,
dokumentiert die britische Organisation »Minewatch«, ein Netz-

werk, das über die Projekte multinationaler Konzerne im Rohstoffabbau informiert. Dort ist der in Großbritannien ansässige Megakonzern Rio Tinto Zinc (RTZ) über seine amerikanische Filiale Kennecott im Januar 1991 mit der Regierung des Bundesstaates Wisconsin übereingekommen, bei Ladysmith Kupfer in großem Stil abzubauen. Das Minengelände liegt nur etwa 50 Meter vom Flambeau-Fluß entfernt, der Trinkwasserreserve und wichtiges Fischgewässer ist. Außerdem leben darin zwei geschützte Muschelarten. In der Region entdeckten Naturschützer auch eine sehr seltene Schmetterlingsart. Das geplante Abbaugebiet befindet sich innerhalb des Territoriums, in dem die Lac Courtes Oreilles Chippewa/Ojibway der Lake Superior Region jagen, fischen und sammeln. Ihre sechs Stammesgruppen haben eine von Umweltschutzorganisationen unterstützte Koalition gegründet, die versucht, gegen das RTZ/Kennecott-Projekt vorzugehen. Professor Al Gedicks vom »Center for Alternative Mining Development Policies« erläuterte gegenüber »Minewatch«, daß Abbaukonzerne in der Region in aller Stille bereits mehr als 400 000 acre (etwa 1600 Quadratkilometer) Farm- und Waldland sowie Erholungsgebiete aufgekauft hätten, um den Abbau weiterer Vorkommen an Uran, Kupfer und Zink vorzubereiten.

Die Versuche der Lac Courtes Oreilles Chippewa, den Kupferabbau vor Wisconsins Gerichten zu stoppen, scheiterten daran, daß sie die Prozeßkosten nicht mehr aufbringen konnten. Auch eine direkte Intervention ihres Oberhauptes Gaiashkibo bei RTZ blieb erfolglos. »Sie könnten unseren Sorgen und unseren Rechten kaum gleichgültiger gegenüberstehen«, meinte er, nachdem er im Mai 1990 an der Hauptversammlung von RTZ in London teilgenommen hatte. Als er seine Bedenken vortrug, wurde er mit der Bemerkung unterbrochen, man werde direkt mit den Regierungen von Wisconsin und den USA verhandeln; dann stellte man ihm das Mikrophon ab. Die Regierung Wisconsins aber hatte die Meinung der betroffenen Menschen schlicht übergangen, als sie die Abbaukonzession erteilte.

Die Chippewa/Ojibway wollen nun versuchen, vor einem US-Bundesgericht ihre Jagd-, Fischerei- und Sammelrechte einzuklagen. Andere Bewohner des Projektgebietes wie auch Umweltschützer wollen ebenfalls gerichtlich gegen die Entscheidung der Regierung Wisconsins zugunsten der Kupfermine vorgehen. Sie sind bereit, eventuelle vorbereitende Baumaßnahmen für die notwendige Infrastruktur durch Blockaden zu behindern. Bei einer Protestkundgebung im November 1990 faßte eine Ojibway-Vertreterin die Ansicht ihres Volkes so zusammen: »Uns wurde gesagt, solange wir die Erde schützen, wird die Erde uns schützen. Hören wir aber auf, die Erde zu schützen, werden wir aufhören zu existieren ... Wenn unsere Großväter zusammenkamen, waren sie sich immer einig darin, dieses Land miteinander zu teilen und es nicht zu zerstören. Auch unsere Nachbarn müssen sich jetzt erheben. Die Ojibway werden sich mit den Menschen aller Farben die Hände reichen und so die Ojibway-Prophezeiung erfüllen.«[2]

RTZ, so »Minewatch«, bezeichnet sich gern als »Hüter der uns anvertrauten grundlegenden Ressourcen, damit sie den Ländern, in denen sie sich befinden, und der ganzen Welt nutzen«. Allerdings will RTZ dabei auch seinen Aktionären »langfristigen Wohlstand« verschaffen. Diese beiden Ziele gehen Hand in Hand; bei einem so langfristig angelegten Geschäft wie dem Rohstoffabbau, kann das eine nicht ohne das andere erreicht werden«.

Getreu dieser Philosophie schreckte der Konzern in Ekuador nicht einmal davor zurück, sich in einem Naturschutzgebiet an der Suche nach Rohstoffen zu beteiligen, wodurch sowohl die territorialen Rechte der Shuar-Indianer als auch die Vorschriften des Gesetzes für Wald- und Umweltschutz verletzt wurden. Auch in der Cotopaxi-Region, die für die dort lebende indianische Bevölkerung von hoher kultureller und historischer Bedeutung ist, soll RTZ aktiv gewesen sein. Ein führender Mitarbeiter des Konzerns hat »Minewatch« inzwischen versichert, RTZ habe die Arbeit innerhalb der Naturschutzgebiete Ekuadors eingestellt.

Die Beispiele solcher und anderer Großprojekte in Amerika, und nicht nur dort, sind zahlreich. Einige werden in den Länderberichten dieses Buches zur Sprache kommen, wie die der Big Mountains und der Navajos (Arizona/USA) oder Brasiliens Großprojekt Grande Carajás. Dort werden für das Verschiffen der zu fördernden Rohstoffe nicht nur etwa 100 000 Menschen – 10 000 von ihnen Indianer – enteignet, sondern auch Straßen, Bahntrassen, Häfen und nicht zuletzt Unterkünfte für die Bau- und Minenarbeiter gebaut.

Auch Panama plante vor kaum mehr als zehn Jahren mit dem Cerro Colorado-Projekt ähnliches. Im Tagebau, der ökologisch besonders verheerenden Variante des Rohstoffabbaus, sollte auf einem Gelände von 330 Quadratkilometern ein Kupfervorkommen ausgebeutet werden. Weitere 720 Quadratkilometer waren als Reserve für künftigen Abbau vorgesehen. Die Unterkünfte der Arbeiter sowie die Zufahrtsstraßen und andere Infrastruktureinrichtungen sollten 630 Hektar beanspruchen. Das Land gehört den Guaymi-Indianern, der mit etwa 80 000 Menschen größten indianischen Bevölkerungsgruppe Panamas. Mitten in ihrem Gebiet, der Kordillere zwischen den Provinzen Chiriqui und Bocas del Toro, sollten mindestens 180 Millionen Tonnen Kupfer pro Jahr ausgebeutet werden. Auch hier war RTZ dabei. Im Juni 1980 hatte der Konzern einen Vertrag mit dem Staat Panama unterzeichnet, in dem es u. a. heißt: »Das Projekt Cerro Colorado braucht die entschiedene Unterstützung von seiten der Regierung und der Geldgeber, um es in eines der größten Bergbauvorhaben der Welt zu verwandeln, um so die Republik von Panama zum weltgrößten Exporteur von Kupfer zu machen.«[3]

Die in der Verfassung von 1972 festgelegten Rechte der Guaymi wurden bei der Projektierung verletzt, sie selbst nie in die Planung einbezogen oder gar nach ihrer Meinung gefragt. Die Anteile an dem Projekt teilten sich, so geht es aus der Klageschrift der Guaymi vor dem IV. Russell-Tribunal über die Rechte der Indianischen Nationen Nord-, Mittel- und Südamerikas von 1980 hervor, die »Bergbau-Entwicklungsgesellschaft Cerro Colorado«/CODEMIN (51 Prozent) und RTZ (49 Prozent).

Zum eigentlichen Abbauprojekt kam in der Planung ein riesiges Wasserkraftwerk hinzu, das die Kupfermine und ihre Einrichtungen mit der nötigen Energie beliefern sollte. Sieben Guaymi-Dörfer sollten der Mine selbst zum Opfer fallen, drei weitere Dörfer in den Fluten des Stausees verschwinden. Überdies waren Zufahrtsstraßen quer durch das Guaymi-Gebiet geplant. Sie hätten zwölf ihrer Dörfer durchschnitten.

Doch die Guaymi hatten Glück. Vorerst. Die Weltmarktpreise für Kupfer fielen, die Kosten des Projektes stiegen. Hinzu kamen eine durch das Rotterdamer Russell-Tribunal sensibilisierte Öffentlichkeit und nicht zuletzt die Protestkampagne der Guaymi selbst. Das Projekt Cerro Colorado wurde zunächst eingestellt. Doch für wie lange? Was wird geschehen, wenn steigende Preise auf dem Kupfer-Weltmarkt es irgendwann wieder attraktiv erscheinen lassen, die Pläne aus der Schublade zu ziehen? Die

Guaymi versuchen daher, ihre Landrechte abzusichern und verhandeln mit der Regierung Panamas um ein eigenes Territorium,
in dem ein Guaymi-Kongreß die oberste Entscheidungsinstanz
sein soll. Im Herbst 1991 waren die Verhandlungen noch nicht
abgeschlossen.

[1] zitiert nach: »Indigenous Peoples«, Bericht für die Commission on International
Humanitarian Issues der UNO, Zed-Books, London 1987.
[2] Materialien von Minewatch Network, London
[3] aus: Der Völkermord geht weiter, Indianer vor dem Vierten Russell Tribunal,
Reinbek 1982, S. 220

# Günter Wippel
# Nuklearer Kolonialismus contra Ureinwohner

»Kolumbus kam nach Amerika und was er fand, war Uran«,
pflegt Tom LaBlanc, Direktor des Indigenous Uranium Forum zu
sagen. Die heutige Entwicklung der Atomindustrie und der ato-
maren Bewaffnung wäre kaum möglich ohne die kolonialistische
Einstellung, für die ein Christoph Kolumbus im 500sten Jahr nach
der »Entdeckung« der westlichen Hemisphäre als Symbol steht.
Der Kolonialismus, die Rohstoffausbeutung auf Kosten anderer
Völker ist eine der Grundvoraussetzungen der heutigen Atom-
technik. Heute wird den Indianern beider Amerika nicht mehr
nur das Gold abgejagt, das den Inkas den Tod brachte und die
Lakotas um ihre Black Hills. Heute suchen international tätige
Konzerne nach dem Energierohstoff Uran, bauen ihn ab und
produzieren Elektrizität für die hochindustrialisierten Länder,
während die auf Jahrtausende hinaus radioaktiv strahlenden Abfälle das Wasser, die Luft, die Pflanzen, das Wild, das Vieh
vergiften und die Gesundheit der Indianer bedrohen. Nicht um-
sonst haben indianische Aktivisten den Begriff des »nuklearen
Kolonialismus« geprägt.
    Schon die »hochentwickelten« Kriegsmaschinerien Hitler-

Deutschlands und der USA waren gleichermaßen an der militärischen Verwendbarkeit der von Otto Hahn 1938 erstmals durchgeführten künstlichen Spaltung von Atomen interessiert und brauchten spaltbares Material – Uran. Während die Atomforschung in Deutschland praktisch versandete, waren die USA »erfolgreicher«: Sie entwickelten die ersten Atombomben. Das Uran dafür kam vom Colorado-Plateau, aus dem nördlichen Kanada und aus Schwarzafrika. Die Hopi-Indianer, die das Colorado-Plateau als unter ihrer Obhut stehend betrachten, waren entsetzt, daß mit dem Material, das ohne ihre Zustimmung oder Genehmigung von ihrem Land genommen worden war, Bomben konstruiert wurden, die Hunderttausenden den Tod brachten.

Nach dem Schock der Atombombenabwürfe von Hiroshima und Nagasaki wurde in den USA das Programm »Atoms for Peace« geschaffen, um der Kernspaltung ihr todbringendes Image zu nehmen. Damit begann die sogenannte friedliche Nutzung der Atomenergie. Der Uranbedarf wuchs. Im Jahr 1952 wurde nahe Edgemont, Süd-Dakota, im südlichen Teil der Black Hills, Uran entdeckt. Der Druck auf die indianischen Gemeinschaften nahm zu, als Militär und Industriekonzerne Pläne für ein Imperium der Energieversorgungsunternehmen in den westlichen Staaten der USA schmiedeten. Doch die großangelegten Konzepte stießen unerwartet auf Widerstand. Lakota-Aktivisten, unterstützt von Mitgliedern des American Indian Movement (AIM) verlangten ihr Land zurück und verweigerten die Annahme einer Entschädigungszahlung. So hatte sich AIM genau in die Schußlinie der großen Energiekonsortien gebracht.

Die Regierung hätte auf das wieder erwachende indianische Selbstbewußtsein und auf die Landrechtsfrage nicht so hart reagiert, wären die Indianer nicht gerade den Absichten der Militärs und der Atom- und Energie-Industrie in die Quere gekommen, die in aller Ruhe Uran in großen Mengen, auf billigste Weise und ohne große Umweltschutzauflagen abbauen wollten. In Kanada stellen sich ähnliche Probleme. Auch hier haben die Regierung und Unternehmen viel zu verlieren, sollten die indianischen Völker ihr Selbstbestimmungsrecht und den Anspruch auf ihr Land durchsetzen: im Norden Saskatchewans leben die Cree, Chippewa und Dene auf Uranvorkommen, die Lubicon Cree wehren sich gegen Ölbohrungen und Abholzungen. Hinter der vordergründigen Auseinandersetzung zwischen »Rot« und »Weiß« kollidieren massive wirtschaftliche Interessen mit dem Willen der indianischen Völker, ihre Kultur aufrechtzuerhalten und zu überleben.

Uranabbau ist gefährlich. Die Gewinnung ist keineswegs, wie der Begriff »Abbau« zu suggerieren versucht, mit dem Abbau von Kohle oder Eisenerz zu vergleichen. In der Regel liegen Uranvorkommen einige hundert Meter unter der Erdoberfläche. Bereits die Exploration dieser Lagerstätten ist ein wenig umweltfreundliches Unterfangen. Ist ein uranhöffiges Gebiet z. B. durch Messungen aus der Luft ausgemacht, beginnen Probebohrungen. Allein der Transport von Mannschaften und Material in die oft unwegsamen Regionen, wie im Norden Kanadas, die nur per Hubschrauber oder Wasserflugzeug erreichbar sind, stellt schon eine erhebliche Belastung des empfindlichen Ökosystems dar. Die ständige Lärmbelästigung verschreckt das Wild, auf das die Indianer angewiesen sind. Häufig wird nach Beendigung der Probebohrungen alles Material zurückgelassen. Zurück bleiben auch Bohrlöcher, die mehrere hundert Meter in die Tiefe reichen können. Steigt in ihnen Grundwasser auf, kann im Laufe der Zeit uranhaltiges Material an die Erdoberfläche gelangen und sich dort verteilen – eine nicht zu unterschätzende Gefahr für Mensch und Tier.

Das uranhaltige Gestein wird sowohl unter Tage durch Schächte und Stollen gefördert als auch im Tagebau gewonnen. Dabei werden »open-pit-mines« angelegt. Das Deckgebirge, d. h. die obere, nichturanhaltige Gesteinsschicht, wird abgetragen, das Urangestein abgebaut und in einer Mühle zerkleinert. Das begehrte, spaltbare Uran-235 ist meist nur in einer Konzentration von 0,1 bis etwa drei Prozent im Gestein enthalten. Vorkommen mit einer höheren Konzentration (bis zu 10 Prozent) sind die Ausnahme. Um das Uran aus dem Gestein zu lösen, wird es zermahlen und mit Säuren bzw. Laugen behandelt. Das vorläufige Endprodukt ist der »yellowcake« mit einem Urangehalt von über 90 Prozent.

Zurück bleibt Gestein, dessen Urangehalt zu niedrig ist, als daß sich die weitere Verarbeitung derzeit lohnen würde. Der Abraum kann noch immer bis zu 85 Prozent der ursprünglichen Radioaktivität enthalten. Um ein Kilogramm »yellowcake« herzustellen, fällt bei einem Urananteil von 0,1 Prozent im Gestein eine Tonne Abraum an. Dazu kommen ungefähr zwei Tonnen flüssige und schlammige Abfälle aus dem chemischen Gewinnungsprozeß, die nicht nur radioaktiv sind, sondern auch giftige Schwermetalle wie Quecksilber und Blei enthalten. Schon die Menge der »Abfälle« ist beängstigend: Allein in Kanada könnte man mit dem Abraum aus Uranbergwerken einen mehrere Meter breiten Highway von der Ost- bis an die Westküste bauen.

Viel verheerender sind die ökologischen Folgen der radioaktiven Verseuchung: Einmal aus der Erde geholt, ist die Verbreitung radioaktiven Materials durch Wind sowie über Oberflächen- und Grundwasser nicht mehr zu stoppen.

Radionuklide reichern sich in Pflanzen und Tieren an, die später dem menschlichen Verzehr dienen. In manchen Uranabbauregionen ist schon das Trinkwasser kontaminiert. Eine indianische Frauenorganisation (WARN: Women of all Red Nations) führte in der Lakota-Reservation Pine Ridge eine Gesundheitsstudie durch, nachdem dort auffällig viele Kinder tot geboren wurden. Ergebnis: Im Testmonat des Jahres 1979 endeten in einem Teilgebiet der Reservation 38 Prozent der Schwangerschaften mit einer Fehl- oder Totgeburt. 60 Prozent der lebend Geborenen waren unterentwickelt oder litten an Krankheiten wie etwa Gelbsucht. Außerhalb der Reservationsgrenzen befinden sich alte Uranminen und Abraumhalden. Die Radioaktivitätswerte im Grund- und Oberflächenwasser liegen, selbst nach Messungen der staatlichen Umweltschutzbehörden, um ein Mehrfaches über den erlaubten Grenzwerten. Die Probleme wurden bis heute nicht gelöst. Eine bessere Wasserversorgung gibt es immer noch nicht.

In den frühen Jahren des Uranabbaus arbeiteten viele Dineh (Navajo) in den Uranminen auf dem Colorado-Plateau. Es gab fast keine Arbeitsschutzmaßnahmen. Die Arbeiter atmeten die mit Radon-Gas kontaminierte Luft und tranken zum Teil radioaktiv verseuchtes Wasser. Viele von ihnen sind gestorben; ihre Witwen, die zumindest eine Entschädigung einklagen wollten, erhielten bis zum heutigen Tag keinen Pfennig.

Aus dem Norden Saskatchewans wird immer wieder von Mißbildungen bei Tierföten berichtet, von krebsartigen Geschwüren bei Fischen und von Fehl- und Mißgeburten bei indianischen Frauen. Bisher gibt es keine Dokumentation darüber, eine Tatsache, die die Uranindustrie zynischerweise als Beweis für die Ungefährlichkeit der Uranbergwerke anführt. Unfälle sind jedoch an der Tagesordnung, ihre Verheimlichung und Verharmlosung ebenfalls.

Auch die Energieversorgung Deutschlands ist vom Uran abhängig. Auf dem Gebiet der alten Bundesrepublik gibt es keine nennenswerten Uranvorkommen. So werden 99 Prozent der 3500 Tonnen Uran, die in deutschen Atomkraftwerken jährlich verbraucht werden, aus dem Ausland importiert. Innerhalb der Europäischen Gemeinschaft wird rund ein Drittel des Uranbedarfs durch Importe aus Ländern außerhalb der EG gedeckt. Die heutige Entwicklung der Atomindustrie in Europa ist also nur durch Uranimporte aus dem außereuropäischen Ausland möglich gewesen.

In einschlägigen Medien wird gar kein Hehl daraus gemacht, daß die kolonialistische Politik der Vorkriegsjahre fortgesetzt wird: »Der weitgehende Verlust des deutschen Bergbaubesitzes im Ausland als Folge des Zweiten Weltkrieges und die Zurückhaltung der deutschen Unternehmen... angesichts des hohen technischen und wirtschaftlichen Risikos... unterstrichen aus damaliger Sicht die Notwendigkeit staatlich flankierender Maßnahmen.«[1] Der Weg führt direkt vom Verlust der Kolonialgebiete zu den Explorationsprogrammen der Bundesregierung. Wurden zur Zeit des »klassischen« Kolonialismus indigene Völker und Nationen militärisch überrannt und ihr Land mehr oder weniger gewaltsam besetzt, so wird heute durch den Kapitaleinsatz »privatwirtschaftlicher« Unternehmen mit finanzieller Unterstützung der Bundesregierung dasselbe Ziel angestrebt: Rohstoffe, in diesem Fall Uran, aus fremden Ländern für die eigene Wirtschaft zu sichern. Die Energieversorgungsunternehmen Deutschlands erhalten das Uran, die Industrie und die privaten Stromverbraucher profitieren von der elektrischen Energie; in den Abbauländern verbleiben der radioaktiv strahlende und chemisch verseuchte Abraum und die damit verbundenen Umweltprobleme. Der Kolonialismus hat eine neue Variante bekommen: er ist nuklear geworden, ganz unserem Zeitalter entsprechend.

Drei bundesdeutsche Unternehmen beteiligen sich am Uranabbau: die Urangesellschaft mbH, Frankfurt, die Uranerzbergbau GmbH, Bonn, und die Interurban-Saarberg-Interplan-Uran GmbH, Saarbrücken. Die ersten beiden wurden in den Jahren 1967 und 1968 auf Anregung der Bundesregierung gegründet; sie fördert diese Unternehmen sowohl durch politische Anerkennung ihrer Ziele, als auch durch finanzielle Unterstützung. Von 1966 bis 1982 wurde die Uranexploration im Ausland durch das Bundesministerium für Forschung und Technologie mit 254 Millionen DM gefördert; das Bundeswirtschaftsministerium subventionierte die Uransuche ab 1978. In den folgenden zehn Jahren wurden weitere 187 Millionen DM ausgegeben.

Die Urangesellschaft mbH sucht mit Hilfe ihrer kanadischen Tochterfirma intensiv in den Nordwestterritorien Kanadas nach Uranlagerstätten und ist darüber hinaus weltweit an Uranproduktionsanlagen beteiligt. Die Aktivitäten der Uranerzbergbau GmbH erstrecken sich ebenfalls auf Kanada (Saskatchewan) mit insgesamt 24 Explorationsprojekten, außerdem auf die USA und Australien.

Über 70 Prozent der Welt-Uranvorräte liegen auf bzw. unter dem Land indigener Völker. Der Konflikt ist vorprogrammiert. Wenn deutsche Unternehmen zur »Sicherung der Energieversorgung« nach Uran suchen oder es abbauen, verletzen sie häufig die Landrechte indigener Völker. Schleichende radioaktive Verseuchung kann ihnen zudem ihre Lebensgrundlage entziehen.

Die Cree im Norden Kanadas beispielsweise leben noch immer hauptsächlich von Fischfang und Jagd. Durch diese Selbstversorgungswirtschaft waren sie bislang weitgehend unabhängig. Mit dem zunehmenden Vordringen der Uranfirmen werden Wasser, Fische, Pflanzen und Tiere radioaktiv verseucht. Die Indianer können ihre traditionellen Nahrungsquellen nicht mehr nutzen. Ihnen drohen auch gesundheitliche Gefahren wie Lungenkrebs oder Mißbildungen bei Neugeborenen. Über kurz oder lang wird ihr sozialer Zusammenhalt zerbrechen, und es ist nur eine Frage der Zeit, bis die einst unabhängigen Indianervölker selbst im Norden Kanadas zu abhängigen Wohlfahrtsempfängern werden.

Nach Auffassung deutscher Uranfirmen ist die Vernichtung ganzer Kulturen und Lebensweisen ein ganz normaler Vorgang: »Die Zerstörung der indianischen Gesellschaft und die damit verbundenen Probleme . . . treten leider überall dort auf, wo traditionelle Wirtschaftsformen mit der modernen Industriekultur zusammentreffen . . . Sie können für die Entwurzelung der Indianer nicht die wenigen kleinen Uranbetriebe verantwortlich machen«, so die Rheinisch-Westfälische Elektrizitätswerke AG, Hauptverwaltung Essen, an die Regionalgruppe Göttingen der Gesellschaft für bedrohte Völker in einem Brief vom 9. 11. 1988.

Einerseits wird die Vernichtung indianischer Kulturen zwar zugegeben, andererseits aber wird jede Verantwortung dafür abgestritten, ganz so, als ob es sich dabei um ein Naturereignis handeln würde und nicht um geplante Vorhaben der Rohstoffausbeutung. Die Unternehmen setzen die Politik des Ethnozids fort, wie sie die kanadische und die US-Regierung seit mehreren hundert Jahren gegen die indianische Bevölkerung führt.

Die Indianer, um deren Land es geht, haben kaum Rechte oder Möglichkeiten mitzubestimmen, was mit und auf ihrem Land geschieht. Meist haben sie es weder verkauft noch abgetreten. Ihnen wurde ihr Land ganz einfach weggenommen. Das Konzept des Landbesitzes der weißen, westlichen Zivilisation ist ihnen unverständlich: Daß man Land kaufen oder pachten kann, um es ohne Rücksicht auf die Folgen für Mensch und Umwelt auszubeuten, hat in ihrem Lebenskonzept keinen Platz. Viele indianische und andere indigene Völker verstehen sich als »Hüter des Landes«, das unversehrt an die nächsten Generationen weitergegeben werden soll, da es die Grundlage für alles Leben ist. Traditionell denkenden Indianern muß es wie eine Beleidigung erscheinen, wenn ganze Regionen dem Energiehunger einer Nation geopfert werden. In den sogenannten »sacrifice areas« (Opfergebieten) der USA wird jedoch hemmungslos Raubbau betrieben und auf eine Rekultivierung von vornherein verzichtet.

Die indigenen Völker Nordamerikas bezahlen mit ihrer Gesundheit, mit hohen Krebs- und Leukämieraten, mit Fehlgeburten und Mißbildungen den Preis für einen verschwenderischen Lebensstil, für den übersteigerten Energiebedarf der Industrienationen und für die Gewinne der Unternehmen. Ihr Protest, ihr Widerstand gegen die übermächtig erscheinende industrielle Zivilisation drückt sich nicht nur in Kundgebungen und Aktionen aus. Sie setzen dem »American way of life« ihre Art zu leben entgegen. Die Indianer leisten Widerstand, indem sie ihrem eigenen Weg folgen und sich nicht dem allgegenwärtigen System, in dem fast ausschließlich materielle Werte zählen, unterwerfen. Sprecher indigener Völker haben wiederholt zum Ausdruck gebracht, daß sie nicht weiter zusehen werden, wie ihre Völker dem Lebensstil in den industrialisierten Ländern und der Profitgier multinationaler Unternehmen geopfert werden.

Daher werden vom 13. bis 19. September 1992 Sprecher indigener Völker aus der ganzen Welt über die Folge von Uranabbau

und Atomwaffentests in Salzburg vor Repräsentanten der Weltöffentlichkeit berichten. (World Uranium Hearing e. V., Prater-
insel 4, 8000 München, Tel.: 0 89/2 28 59 24. Fax.:0 89/2 28 53 40)

---

[1] Gustav Roethe, Wolfgang Sames: Die Lagerstättensuche und der Staat, in: Metall,
41. Jg., Heft 11, 1987, S. 1163

*Literatur:*
Bertell, Rosali: Keine akute Gefahr? München 1987
Goldstick, Miles: Voices from Wollaston Lake, Vancover 1987
Maders, Florian/Stüben, Peter E. (Hg.): Bodenschätze contra Menschenrechte,
Hamburg 1984
Partisans (Hg.): Plunder, London 1991
Schumann, Holger: Das Uran und die Hüter der Erde. Atomwirtschaft – Umwelt –
Menschenrechte, Stuttgart 1990

# Elisabeth Kumi
## Selbstorganisation und Widerstand

Seit 500 Jahren werden Indianer mißachtet, verfolgt, vertrieben,
vergewaltigt, gefoltert, ermordet, ihr Lebensraum wird zerstört, ihre Kulturen werden unterdrückt, ihr soziales Gefüge
zerbrochen. Doch die Ureinwohner des amerikanischen Kontinents haben sich immer gewehrt. Früher starben Hunderttausende im Kampf gegen die Truppen der Eroberer und an den von
ihnen eingeschleppten Krankheiten und Seuchen. Aufstände ver-
mochten die Macht der neuen Herrscher nicht zu brechen. Heute
entwickeln indianische Völker neue Formen des Widerstandes.
Sie organisieren sich nicht nur auf lokaler, sondern fordern zunehmend auch auf regionaler Ebene und in internationalen Gremien ihre Rechte ein. Selbst die Bewohner des Regenwaldes, die
erst vor relativ kurzer Zeit mit »Weißen« konfrontiert wurden,
schließen sich trotz vieler Hindernisse zusammen. Sie haben erkannt, daß sie allein nichts ausrichten können gegen den ungebro-
chenen Eroberungswillen der Entdecker und Landhungrigen von
heute.

Auf dem Land der Ureinwohner wird Sondermüll abgeladen,

Atombomben werden getestet, Straßen und Wasserkraftwerke gebaut. Die Ressourcen werden skrupellos ausgebeutet. Bergbauunternehmen suchen nach Uran, Gold, Kupfer und anderen wertvollen Bodenschätzen. Nicht nur Holzfirmen und die Papierindustrie, sondern auch Großgrundbesitzer, Viehzüchter und Agroindustrielle roden Urwälder. Politiker verfolgen kurzsichtig die Sicherung eigener Privilegien. Die nationale und internationale Entwicklungspolitik, auch die der Weltbank, orientiert sich immer noch am überholten Fortschrittsglauben der Industrienationen, oft ohne Rücksicht auf Menschenrechte und Umwelt.

Die zentrale Forderung indigener Völker ist Selbstbestimmung – Selbstbestimmung als Recht eines Volkes, »ohne Einmischung von außen seinen politischen Status zu bestimmen und seine wirtschaftliche, soziale und kulturelle Entwicklung zu betreiben«, heißt es in der UN-Deklaration über freundschaftliche Beziehungen und die Zusammenarbeit von Staaten. Eng verbunden damit ist die Forderung auf Anerkennung der Landrechte indigener Völker und ihr Kampf darum.

Extrem ungleiche Landverteilung ist in vielen mittel- und südamerikanischen Staaten die Ursache von Landbesetzungen durch landlose Bauern, oft indianischen Ursprungs. So geschehen beispielsweise im September 1991 in der Gemeinde Simojovel im mexikanischen Bundesstaat Chiapas. Verarmte indianische Bauern besetzten dort zwei Grundstücke, deren Besitz umstritten ist. In Chiapas herrschen extreme soziale Gegensätze, die Mehrheit der indigenen Landbevölkerung, Tzotzil und Zoque, lebt im Elend. Immer wieder kommt es zu Konflikten zwischen armen Bauern und Großgrundbesitzern. Kirchenvertreter in Chiapas werfen dem Gouverneur des Bundesstaates Mord und Folter an Indianern, die Vertreibung von Kleinbauern von ihrem Land und die Verzögerung von Landrechtsprozessen vor. 77 Jahre nach der ersten Agrarreform in Mexiko haben immer noch 3,5 Millionen Bauern kein Stück Land, das sie bebauen können.

Bolivianische Tieflandindianer organisierten im Spätsommer 1990 einen 38 Tage dauernden »Marsch für Land und Würde« in die Hauptstadt La Paz. Ihr Lebensraum ist durch Holzeinschlag, expandierende Viehzucht und Siedler bedroht. Diese Aktion erregte soviel Aufmerksamkeit, daß die bolivianische Regierung nach zähen Verhandlungen die Gebiete »Bosque de Chimanes«, »El Ibiato« und den Nationalpark »Isiboro-Securé« zumindest teilweise per Dekret zu indianischen Territorien erklärte. Das umfaßt jedoch nur Nutzungsrechte, nicht die Verfügungsrechte über natürliche Ressourcen. Die Landrechte der Indianer sind vor Ort allerdings bisher nicht durchgesetzt. Der Leiter der Indianerorganisation des bolivianischen Ostens (CIDOB), Susano Padilla, erklärte in einem Gespräch beim Treffen der Arbeitsgruppe für indigene Völker im August 1991 in Genf, seine Organisation werde nicht nachlassen, die bereits garantierten Rechte einzufordern.

In den Black Hills, den heiligen Bergen der Lakota (Sioux) in Süddakota, USA, wurde seit 1951 Uran abgebaut. Im Vertrag von Laramie waren sie ihnen 1868 für immer zuerkannt worden. Bis heute kämpfen die Lakota vor Gericht und im Kongreß der USA für die Anerkennung des Vertrages. Die Regierung der Vereinigten Staaten wollte den Landrechtskampf wie bei den Western Shoshone durch eine Zwangsentschädigung beenden. Die Lakota weigern sich bis heute, das Geld, über 140 Millionen US-Dollar, anzunehmen. Aber dadurch konnten sie den Uranabbau auf ihrem Land nicht verhindern. Geblieben sind über drei Millionen Tonnen radioaktiver Abraum, der ungeschützt am Cheyenne River liegt.

Die indianische Frauenorganisation »Women of all Red Nations« (WARN) führte 1979 auf eigene Initiative eine Gesundheitsuntersuchung durch, nachdem die Zahl der Totgeburten alarmierend gestiegen war. WARN fand heraus, daß in einem Teilgebiet der Pine Ridge Reservation 38 Prozent der Schwangerschaften mit einer Fehl- oder Totgeburt endeten. 60 Prozent der lebend geborenen Kinder hatten gesundheitliche Probleme. Auch die Zahl der Mißbildungen bei Kindern lag enorm hoch. Allein zwischen 1971 und 1979 waren, bei einer Bevölkerungszahl von 12 000, 314 Kinder mit Geburtsfehlern auf die Welt gekommen.

Nicht nur der Abbau von Bodenschätzen wie Uran in den USA, Gold oder Eisenerz in Brasilien zerstört den Lebensraum und die Nahrungsgrundlage indigener Völker. Auch Staudämme und Wasserkraftwerke zur Gewinnung von Elektrizität richten in Nord- und Südamerika auf dem Land der Ureinwohner großen Schaden an.

In Alberta, Kanada, kämpfen die Peigan-Indianer gegen den Bau eines Staudammes am Oldman River. Der Stausee soll das

Land von 300 Farmen bewässern, es gäbe jedoch auch schonendere Methoden. Der Stausee wird einen heiligen Platz der Peigan und einen Friedhof unter Wasser setzen. Insgesamt werden 300 archäologische und 46 weitere historische Zeugnisse ihrer Vergangenheit überflutet. Die Gegner des Dammes befürchten, daß die gesetzlich vorgesehenen Umweltverträglichkeitsuntersuchungen erst dann vorliegen, wenn auch der Damm fertiggestellt ist. Alle Versuche, die Bauarbeiten auf rechtlichem Wege zu stoppen, schlugen fehl. Im August 1990 begann die »Lonefighter Society« der Peigan, den Lauf des Oldman River auf ihrem Gebiet umzuleiten. Die künftigen Bewässerungskanäle liegen damit trocken.

Wo Justiz nicht Recht spricht oder Regierungen ihrer Fürsorgepflicht gegenüber ganzen Bevölkerungsteilen nicht nachkommen, haben indigene Völker angefangen, sich selbst zu helfen. Im Hochland von Peru, im Department Huancavelica, haben etwa 30 Quechua-Gemeinden vor einigen Jahren damit begonnen, die Entwicklung ihrer Dörfer selbst in die Hand zu nehmen. Sie gründeten die »Gesellschaft zur Verteidigung und Entwicklung der andinen Dorfgemeinschaften« (ADECAP). Gemeinsam entscheiden die Dorfbewohner über Maßnahmen in den Bereichen Gesundheit, landwirtschaftliche Entwicklung, Alphabetisierung, Frauen, Ernährung und über die Verbesserung der Infrastruktur, beispielsweise durch den Bau von Schulen. Gemeinsam wird an der Umsetzung der Pläne gearbeitet, die von den Dorfgemeinschaften, soweit möglich, auch selbst finanziert werden. Die Ausbildung von Gesundheitsberatern und der Bau von Latrinen war ein wichtiger Schritt bei der Verhütung von Krankheiten. Nun ist die Verbesserung der Trinkwasserversorgung geplant.

Ein wichtiger Faktor für Selbstbestimmung und selbstbestimmte Entwicklung ist die Kontrolle indigener Völker über die Erziehung ihrer Kinder. Nicht einmal zweisprachige Schulen sind in den meisten Ländern Amerikas selbstverständlich.

In Ekuador hat die Föderation der Shuar-Indianer 1972 mit einem zweisprachigen Schulfunkprogramm begonnen. Jeden Tag werden Lektionen für die Primar- und Sekundarstufe ausgestrahlt, zumeist in Shuar. Inzwischen entwirft ein Stab von zehn Shuar mit Hochschulabschlüssen die Lektionen, die in über 150 Shuar-Zentren mehr als 5000 Schülerinnen und Schüler erreichen. Vor Ort werden die Kinder von ausgebildeten Hilfslehrern angeleitet und unterstützt. Bevor es die Rundfunkschulen gab, besuchten 60 Prozent der Shuar nie eine Schule. Heute erreichen 80 Prozent der Kinder einen Schulabschluß. Insgesamt ist die Analphabetenrate bei den Shuar auf zehn Prozent zurückgegangen, denn der Radiosender bietet auch Alphabetisierungsprogramme für Erwachsene an. Die Rundfunkschulen haben zur Bewahrung der kulturellen Identität der Shuar beigetragen. Zum einen, weil die Kinder nicht mehr aus ihren Gemeinschaften herausgerissen werden und weit entfernt liegende staatliche oder kirchliche Internate besuchen müssen, zum anderen, weil neben Lesen, Schreiben und Rechnen auch die Geschichte ihres Volkes, traditionelle Musik und andere Elemente ihrer Kultur auf dem Lehrplan stehen. Seit 1988, seit der Gründung der »Nationalen Kommission für Interkulturelle Zweisprachige Erziehung«, arbeiten das ekuadorianische Erziehungsministerium und die »Föderation der Indigenen Nationen Ekuadors« (CONAIE) an der Reform des Schulwesens. Bis 1995 soll das gesamte Grundschulwesen auf zweisprachigen Unterricht umgestellt werden.

Immer mehr Organisationen indigener Völker versuchen, durch Lobbyarbeit Einfluß auf die Politik des Landes zu nehmen, in dem sie leben.

1980 plante der damalige kanadische Präsident Trudeau, Kanada im Schnellverfahren durch die Übernahme aller verfassungsmäßigen Hoheitsrechte von Großbritannien unabhängig zu machen. Die Verfassung Kanadas war bis dahin britisches Gesetz, Kanada formal noch Kolonie. In der damals gültigen Verfassung, dem British North American Act, war der kanadische Staat auf die Einhaltung der von der britischen Krone eingegangenen Bindungen verpflichtet. Im Entwurf der neuen Verfassung sollten nur die bis dahin von Kanada anerkannten Rechte indianischer Völker berücksichtigt werden, nicht aber die von der Britischen Krone garantierten Ureinwohner- und Vertragsrechte. Dazu gehört beispielsweise die Royal Proclamation von 1763, die die Souveränität aller indianischen Nationen anerkennt und festlegt, daß Gesetze oder Änderungen, die die indigenen Völker betreffen, nicht ohne deren Zustimmung beschlossen werden können. Auf dieser Entschließung fußen auch Verträge über Landrechte, Jagd- und Fischereirechte, die zwischen 1763 und 1867 geschlossen wurden.

Aus Protest gegen den Verfassungsentwurf Trudeaus organisierten indigene Völker Kanadas 1981 den sogenannten »Consti-tution Express«. Ein Sonderzug brachte etwa 1000 Indianer aus den Westprovinzen nach Ottawa. Dort demonstrierten sie gegen die drohende Verletzung ihrer Ureinwohner- und Vertrags-rechte. Im Anschluß daran reisten 150 Vertreterinnen und Ver-treter von mehr als zwanzig indianischen Nationen nach Großbri-tannien und in andere europäische Staaten und suchten dort Unterstützung. In der Bundesrepublik wurden sie, begleitet von Vertretern der Gesellschaft für bedrohte Völker (GfbV), von Willy Brandt und Parlamentsmitgliedern empfangen.

Zwar wurde die Änderung der Verfassung 1982 vollzogen, inzwischen wird aber wieder über eine Verfassungsreform disku-tiert. Die kanadischen Indianer verlangen, neben ihrer Anerken-nung als eine der drei Gründernationen des Staates, Selbstver-waltungs- und Souveränitätsrechte, die Territorialrechte ein-schließen. Die vorliegende Fassung sieht die Möglichkeit von Verhandlungen über eine beschränkte Autonomie indigener Völ-ker und deren Verankerung in der Verfassung vor und setzt eine Frist von zehn Jahren für die entsprechenden Verhandlungen zwischen den Organisationen der Indianer, Inuit, Metis und der kanadischen Regierung. Die Indianer bestehen auf Anerkennung der Tatsache, daß sie ihre Souveränitätsrechte nie aufgegeben haben. Kanada dagegen ist zwar bereit, über Selbstverwaltung, nicht aber über Souveränitätsrechte zu verhandeln. Bislang ha-ben beide Seiten sich nicht einigen können.

Der Dachverband der Organisationen indigener Völker des Amazonasbeckens, COICA, mit Sitz in Lima, Peru, versucht durch Bündnisse mit Umweltschutzorganisationen und mit euro-päischen Städten, eine Stärkung der Position der Regenwaldvöl-ker zu erreichen. Einer der Arbeitsschwerpunkte der COICA liegt zur Zeit auf der Vorbereitung einer internationalen Tagung indigener Völker über Land, Umwelt und Entwicklung. Im Vor-feld der UN-Konferenz für Entwicklung und Umwelt, die 1992 in Rio de Janeiro, Brasilien, stattfindet, wollen die Regenwaldvöl-ker ihre Vorstellungen klar definieren. Ziel ist letztlich die di-rekte Beteiligung von Vertretern indigener Völker an der Konfe-renz der Vereinten Nationen.

Indigene Völker haben ein besonderes Verhältnis zur Natur, zu ihrer Umwelt. Das Land, auf dem sie leben, sichert traditionell nicht nur ihr physisches Überleben, sondern ist gleichzeitig

Grundlage ihrer Entstehungsgeschichte, ihres spirituellen und kulturellen Lebens. Deshalb kämpfen sie weltweit gegen die Zerstörung ihres Lebensraumes und entwickeln neue Strategien zur Bewahrung der Umwelt.

Die Inuit Circumpolar Conference, in der Inuit aus Kanada, Alaska, Grönland und der Gemeinschaft Unabhängiger Staaten (GUS) vertreten sind, hat 1985 eine Kommission für Umweltfragen eingesetzt, die einen Regionalplan zur Erhaltung der Arktis ausgearbeitet hat.

Dieser Plan ist Teil einer globalen Umweltstrategie, die 1980 von Unterorganisationen der Vereinten Nationen, dem World Wide Fund for Nature (WWF) und der International Union for the Conservation of Nature (IUCN) vorgelegt wurde. Darin war die Formulierung von nationalen und regionalen Strategien zur Bewahrung der Umwelt angeregt worden.

Die Umwelt-Kommission der Inuit Circumpolar Conference hat im Rahmen ihres Regionalplans inzwischen Informationen zusammengetragen über die natürlichen Ressourcen der Arktis und die drohende Zerstörung. In Projekten werden Möglichkeiten einer schonenden, umweltverträglichen Nutzung von Ressourcen bereits praktiziert. 1989 wurden die Bemühungen der Inuit Circumpolar Conference vom UN-Umweltprogramm mit dem »Global 500 Award« anerkannt.

Internationale Foren, in denen indigene Völker ihre Lebenssituation schildern, Menschenrechtsverletzungen bekanntmachen und sich austauschen können, sind inzwischen ein wichtiger Faktor für den organisierten Widerstand von Ureinwohnern.

Seit 1982 existiert bei den Vereinten Nationen die Arbeitsgruppe für indigene Bevölkerungen. Sie ist der Menschenrechtskommission in Genf zugeordnet. Die Arbeitsgruppe hat die Aufgabe, sich einen kritischen Überblick über die Lage von Ureinwohnern zu verschaffen und internationale Standards für die Wahrung ihrer Rechte zu entwickeln. Eine Deklaration der Rechte indigener Völker liegt inzwischen im Entwurf vor. Die jährliche Sitzung der Arbeitsgruppe bietet für Repräsentanten indigener Völker eine einzigartige Möglichkeit, auf dem Hintergrund gemeinsamer, leidvoller Erfahrungen Strategien für einen gemeinsamen Kampf für eine gerechte Zukunft zu entwickeln. Gleichzeitig ist sie die einzige Institution der Vereinten Nationen, in der Völker oder Individuen, nicht nur Repräsentanten von Staaten, Rederecht haben. In der UN-Vollversammlung sind indigene Völker noch nicht direkt vertreten.

Weltweit hat sich inzwischen ein Netz von Organisationen gebildet, die den Kampf indigener Völker um ihre Rechte unterstützen. Sie versuchen, den Organisationen der Ureinwohner in der Öffentlichkeit Gehör zu verschaffen und mit Aktionen, Publikationen und Lobby-Arbeit auf deren Probleme aufmerksam zu machen. In Europa gehören dazu Organisationen wie Survival International mit Sitz in London, die International Work Group for Indigenous Affairs (IWGIA) in Dänemark, die Working Group Indigenous Peoples (WIP) in den Niederlanden, KWIA (Koördinatie Werkgroepen Inheemse Aangelegenheden) in Belgien, die Gesellschaft für bedrohte Völker (GfbV) mit Sektionen in der Bundesrepublik Deutschland, Österreich, der Schweiz und Luxemburg, Incomindios in der Schweiz sowie viele kleinere Vereinigungen wie das Institut für Ökologie und Aktionsethnologie (INFOE) und die Big Mountain Aktionsgruppe in der Bundesrepublik Deutschland.

Die Russell-Peace-Foundation (gegründet von dem walisischen Mathematiker, Philosoph und Schriftsteller Bertrand Russell) hat im Jahr 1980, unter anderem mit Unterstützung der GfbV und der WIP, in Rotterdam das IV. Russell Tribunal zum Thema indigene Völker abgehalten. Die ersten Tribunale der Russell-Stiftung hatten sich mit der Menschenrechtssituation in Vietnam, Südamerika (besonders Chile) und der Bundesrepublik Deutschland beschäftigt. 45 Fälle von Landraub, Menschenrechtsverletzungen und Genozid an indigenen Völkern Amerikas wurden zum IV. internationalen Tribunal eingereicht. Davon wurden 14 zur Darstellung ausgewählt und mit Hilfe von Zeugen, Sachverständigen und Dokumenten belegt. Auch indigene Völker anderer Kontinente erhielten die Möglichkeit, von ihrer Bedrohung zu berichten. Eine Jury, der unter anderem der Autor Eduardo Galeano, der Anthropologe Darcy Ribeiro, Domitila Barrios, Gewerkschafterin aus Bolivien, und der Philosoph und Zukunftsforscher Robert Jungk angehörten, legten das Maß internationaler Gesetze und Vereinbarungen an und konstatierten in allen Fällen mehrfache Verletzungen des Völkerrechts. Und dies oft gerade durch Regierungen, die nicht selten per Gesetz zum Schutz der indigenen Völker und zur Wahrung ihrer Rechte verpflichtet sind. Das Russell-Tribunal hat zum einen unerhörte

Verbrechen wie Mord, Massaker, Vertreibung, Zerstörung der Lebensgrundlagen der Indianer in verschiedenen Ländern des amerikanischen Kontinents eindeutig belegt, andererseits aber auch die Entschlossenheit der Ureinwohner, die das Recht auf eine eigene Identität respektiert wissen wollen. Das Russell-Tribunal hat nur in wenigen Ländern wie z. B. in Peru und Brasilien ein Echo in der breiten Öffentlichkeit gefunden. Keine der angeklagten Regierungen wurde zu einer Änderung ihrer Politik bewegt. Allerdings hat der Druck auf die Staaten zugenommen, die Rechte der Indianer zu wahren. Ein anderer positiver Effekt des Tribunals war die Stärkung der Organisationen indigener Völker.

1992, 500 Jahre nach der »Entdeckung« des amerikanischen Kontinents durch Christoph Kolumbus, werden nicht nur in Mittel- und Südamerika, sondern auch in Nordamerika Aktionen zum Gedenken an die jahrhundertelange Unterdrückung stattfinden. Der International Indian Treaty Council (IITC), als politischer Arm des American Indian Movement (AIM), in dem ca. 100 indianische Nationen des Kontinents und der Arktis organisiert sind, plant für den 12. Oktober 1992 eine Veranstaltungsreihe, Gegenfeierlichkeiten, in San Francisco. Der IITC will dort als Kontrast zu den umfangreichen offiziellen Feiern – u. a. sollen dort die drei nachgebauten Karavellen des Kolumbus einlaufen – ein Tribunal abhalten, bei dem die bedrohliche Situation indigener Völker aller Welt dokumentiert werden soll.

Auch im Jahr 1993 wird die Situation der indigenen Völker im Blickpunkt der Weltöffentlichkeit stehen. Die Vereinten Nationen haben es zum internationalen Jahr indigener Völker erklärt. Der Kampf der Ureinwohner wird weitergehen, denn die Verwirklichung zu vieler Rechte liegt noch in weiter Ferne.

*Literatur*:

Almeida, Matilde: Ecuador: The Government denounces a boycott of bilingual education, in: IWGIA Newsletter, No. 59, Dez. 1989, S. 55–57

Domnick, Renate: Nuklearer Kolonialismus und indianischer Widerstand; in: Mesch, Harald (Hg.): Ökowiderstand. Gulliver, Deutsch-Englische Jahrbücher, Bd. 27

Jull, Peter: A Perspective on the Aboriginal Rights Coalition and the Restoration of Constitutional Aboriginal Rights; in: IWGIA Newsletter, No. 30, April 1982, S. 82–98

Macdonald, Theodore: Shuar Children: Bilingual-Bicultural Education; in: Cultural Survival Quarterly 10 (4), 1986

Yvonne Bangert/Theodor Rathgeber
# Indianer und Strafverfahren

In allen Teilen Amerikas müssen viele jener Indianer, die gegen die Vertreibung ihrer Völker von ihrem Land, gegen Unterdrükkung und Entfremdung von ihrer Kultur Widerstand leisten, jederzeit damit rechnen, verhaftet und zu hohen Strafen verurteilt zu werden. Mehr noch als in Nordamerika führt in Mittel- und Südamerika der indianische Alltag fast zwangsläufig zur Verletzung staatlicher Normen: Die eng gezogenen Grenzen indianischer Territorien machen zum Beispiel Landbesetzungen zur Überlebensnotwendigkeit. Die Ausübung der Religionen und Heilpraktiken schließen Hilfsmittel und Pflanzen ein, die der Staat als Drogen definiert. Ratsversammlungen indianischer Gemeinschaften in militarisierten Gebieten stören die »öffentliche Ordnung« und verstoßen gegen die Regeln der »öffentlichen Sicherheit«. Die aufgrund solcher oder ähnlicher »Vergehen« Verurteilten werden selten als »politische Gefangene« nach der Definition, wie sie zum Beispiel Amnesty International benutzt, anerkannt. Sie gelten schlicht als »Kriminelle«, auch wenn ihre »Taten« im Rahmen ihrer eigenen Rechtstradition nicht als Verbrechen gewertet werden oder ausschließlich Folgen staatlicher Politik sind.

In Mexiko spricht selbst die Justizverwaltung von über 6000 Inhaftierten, die aufgrund der genannten Gründe einsitzen (EL PAIS/Mexiko, 9. 7. 90). In Brasilien werden laut Amnesty International Indianer Opfer privater Mordjustiz und staatlicher Folter. Die Berichte zu Guatemala und Peru listen seitenweise Menschenrechtsverletzungen an der indianischen Bevölkerung auf. Morde, Entführungen und Einzelhaft ohne jede Kontaktmöglichkeit (Incomunicado-Haft) lassen Häftlinge spurlos »verschwinden«. Aus Ekuador und Kolumbien wird von willkürlichen Festnahmen, Mißhandlungen, Morddrohungen und Tötungen berichtet, die staatliche Ordnungskräfte stillschweigend dulden oder selbst veranlassen. Insbesondere in ländlichen Gebieten Boliviens gibt es Folter und Todesfälle im Gewahrsam der staatlichen Sicherheitskräfte. Indianisches Anderssein wird verfolgt – zum geringsten Teil jedoch im Rahmen überprüfbarer Justizverfahren.

Dies zumindest ist in den USA meist anders. Zwar werden auch hier die Indianer als Minderheit diskriminiert und ihr Anteil an der Gesamtzahl der Gefängnisinsassen ist relativ hoch. Auch in den Vereinigten Staaten werden Indianer häufiger angeklagt und zu härteren Strafen verurteilt als Angehörige anderer Minderheiten oder Weiße. Die Prozesse finden meist vor einer nur aus Weißen zusammengesetzten Jury statt, Beweise werden verfälscht oder unterschlagen. Die Haftbedingungen sind katastrophal. Doch steht – zumindest formal – ein Rechtsweg offen.

Von politischen Gefangenen ist im Zusammenhang mit den USA gleichwohl nur selten die Rede. Doch ein Blick in die Prozeßgeschichten gerade indianischer Strafgefangener – wie sie von dem American Indian Movement (AIM) und zahlreichen, auch europäischen Unterstützerkomitees dokumentiert werden – zeigt, daß es Gerechtigkeit oder faire Prozesse für Indianer oft nicht gibt, insbesondere wenn es sich um Angehörige der Bürgerrechtsbewegung handelt. Da werden Zeugen erpreßt, Beweise verfälscht oder Geschworene durch eine künstlich geschürte Atmosphäre der Angst während des Prozesses eingeschüchtert und beeinflußt.

Inhaftierte indianische Aktivisten sind für die Bürgerrechtsbewegung Prisoners of War (POW), Gefangene eines Krieges zwischen souveränen indianischen Nationen und den USA. Schauplatz dieses Krieges sind auch die Gefängnisse, in denen sich die Diskriminierung fortsetzt. Berüchtigt ist das Zuchthaus Marion/Illinois, wo das Bundesgefängnisamt eine Sonderabteilung zur »Verhaltenskontrolle« eingerichtet hat, die »Behaviour Control Unit«. Dort soll das Verhalten von »Problemgefangenen« »korrigiert« werden. Häufig sind indianische Strafgefangene von dieser Maßnahme betroffen. Die Methode erinnert eher an Gehirnwäsche: Gefangene berichten von Drogen im Essen, von fensterlosen Zellen, bei denen selbst die Türklappe fehlt und wo Sinneswahrnehmungen wie natürliches Licht oder Schall ausgeschaltet werden, so daß jegliche Orientierung verloren geht. Rund um die Uhr brennt dort eine 60-Watt-Birne.

Diskriminiert werden indianische Gefangene auch in der Ausübung ihrer Religion, die ihnen durch den »Religious Freedom Act« von 1978 ausdrücklich garantiert wurde. Sie mußten vor Gericht um geistliche Betreuung durch ihre »spiritual advisers« kämpfen. Einem Christen wird die religiöse Betreuung nicht verweigert. In Kalifornien, Arizona, Idaho, Utah und Washington State sind »spiritual advisers« inzwischen zugelassen, werden in der Wahrnehmung ihrer Aufgaben aber häufig behindert: Wichtige Zeremonialgegenstände wie Süßgras, Tabak, Pfeifen oder Federn werden beschlagnahmt; Nachrichten, die ein »spiritual adviser« für die Angehörigen eines Gefangenen übermitteln soll, werden als nicht genehmigter Informationsaustausch gewertet. Deswegen wurde dem Betreuer Bedeaux Wesaw die Zutrittsgenehmigung für alle Haftanstalten Kaliforniens entzogen. Dies sei ein Rechtsbruch, so Wesaw, weil ein solches Verbot nicht pauschal für alle Gefängnisse im ganzen Bundesstaat verhängt werden dürfe.

Schließlich gibt es auch sehr subtile Formen von Diskriminierung. So werden indianische Männer zuweilen gezwungen, ihr traditionell lang getragenes Haar schneiden zu lassen. Besonders indianische Frauen werden entwürdigend behandelt. Manchmal wird ihnen das Tragen eines BH verboten, nur eine Garnitur Wäsche zum Wechseln zugeteilt oder es werden ihnen selbstverständliche Hygieneartikel, Monatsbinden etwa, vorenthalten.

Der wohl bekannteste indianische Gefangene ist Leonard Peltier. Durch sein Engagement in der indianischen Bürgerrechtsbewegung, dem American Indian Movement (AIM), das er mitaufgebaut hat, geriet er in die Mühlen der Justiz. Nach einer Schießerei im Pine Ridge Reservat (Süd Dakota) im Juni 1975, bei der zwei FBI-Agenten ums Leben kamen, wird er mit mehreren anderen indianischen Beteiligten des Mordes angeklagt. Peltier flieht nach Kanada, wird von dort aufgrund der vom FBI erzwungenen – und später widerrufenen – Aussage einer angeblichen Augenzeugin aber an die USA ausgeliefert. Peltiers Mitangeklagte werden freigesprochen, weil sie in Notwehr gehandelt haben. Er selbst wird 1977 von einem anderen Gericht unter Richter Benson wegen Mordes zu zweimal lebenslänglicher Haft verurteilt. Seitdem sind alle Versuche, eine Neuaufnahme des Verfahrens zu erwirken, schon im ersten Anhörungsverfahren gescheitert. Dies ist kaum verwunderlich, denn Richter Benson hat auch über die Revision seines eigenen Urteils zu entscheiden. Er lehnte jedes Mal ab, obwohl Peltiers Anwälte über den Widerruf der vermeintlichen Augenzeugin hinaus inzwischen neue Unschuldsbeweise beibringen können. So hatte das FBI behauptet, daß die tödlichen Schüsse auf die beiden Agenten aus Peltiers

Waffe abgefeuert worden seien. Seine Anwälte fanden heraus, daß die Ergebnisse der ballistischen Untersuchungen gefälscht wurden. Diese und andere neue Beweismittel wurden bei der bislang letzten Anhörung für ein Wiederaufnahmeverfahren im Oktober 1991 gar nicht erst zugelassen. Neue Zeugen durften nicht benannt werden, Peltier selbst an der Anhörung nicht teilnehmen. Inzwischen wurde er von der in ganz Amerika arbeitenden indianischen Organisation »International Indian Treaty Council (IITC) als Kandidat für den Friedensnobelpreis 1992 nominiert. »Leonard Peltier ist unser Nelson Mandela«, sagen sie.

Zwar ist Peltier zweifellos der international bekannteste, doch keineswegs der einzige indianische Gefangene, der aufgrund kaum noch nachvollziehbarer Gerichtsentscheidungen in Haft ist. Stellvertretend für viele andere stehen auch Norma Jean Croy und David Sohappy sen.

Norma Jean Croy, eine Shasta/Karuk-Indianerin, gerät im Sommer 1978 mit ihrem Bruder Patrick Hooty Croy und drei weiteren Familienmitgliedern, alle zwischen 17 und 26 Jahren alt, in eine Schießerei mit der Polizei. Ein Ladenbesitzer in Yreka/Nordkalifornien fühlte sich von den teilweise angetrunkenen Indianern bedroht und rief die Beamten zur Hilfe. 27 bewaffnete Polizisten rücken an. Sie schießen auf alles, was sich bewegt. Die fünf jungen Leute haben gerade ein Gewehr dabei. Als einer der Beamten Patrick von hinten anschießt, feuert dieser zurück und verletzt den Beamten tödlich.

Die Geschwister werden wegen Mordes angeklagt und nach getrennten Gerichtsverfahren verurteilt: Patrick Hooty Croy zum Tode, Norma Jean Croy zu langjähriger Haft. Während Patrick erfolgreich einen neuen Prozeß führt, in dem er dann wegen Notwehr freigesprochen wird, ist seine Schwester bis heute im Gefängnis. Ihr Urteil wurde nach dem Freispruch ihres Bruders nicht aufgehoben oder in eine Strafe auf Bewährung umgewandelt. Sie sei Alkoholikerin, heißt es, und der Lebenswelt »draußen« nicht gewachsen.

Im Juli 1991 sagt Norma Jean in einem Interview: »Ich bin jetzt seit 12 Jahren im Gefängnis. Ich habe einen Ladenbesitzer angegriffen, aber darüber hat das Gericht nicht geurteilt. Ich sitze wegen Mordes an einem Polizisten ein, für einen Mord, für den mein Bruder bereits zum Tode verurteilt wurde. . . . Ich habe mein Alkoholproblem gehabt. So hätte ich an dem besagten Tag zum Beispiel gar nicht schießen können, weil ich zu sehr mit Trinken beschäftigt war. Aber jetzt – nach 12 Jahren – bin ich überzeugt, daß Alkohol kein Problem mehr für mich ist und daß ich auch keine Gefahr für meine Mitmenschen bin.«

Der Wanapum-Indianer David Sohappy sen. hat sich jahrelang für die Rechte seines Volkes im Staat Washington eingesetzt. Als Hauptkläger erstritt er 1969 vor dem 9. Appellationsgericht der USA, daß die Wanapum, eine Gruppe der Columbia-River-Indianer im Yakima-Reservat, gleichberechtigt am Lachsfang beteiligt werden müssen. Dies hatte ihnen schon der Stevens-Vertrag von 1854/55 garantiert. Der Streit um Lachsfangquoten wird ihm Jahre später zum Verhängnis. Er wird mit seinem Sohn und anderen indianischen Fischern wegen Verletzung der Fischereirichtlinien angeklagt, denn nicht etwa die Sportfischer, sondern die Indianer werden für den Rückgang der Lachsbestände verantwortlich gemacht.

Das als »Salmonscam«-Prozeß bekannt gewordene Verfahren fand wegen der vorurteilsbeladenen Stimmung an der Nordwestküste der USA in Los Angeles statt. Weil David Sohappy 317 Lachse widerrechtlich gefangen und verkauft habe, sein Sohn 28 Lachse, wurden beide zur zulässigen Höchststrafe von fünf Jahren Haft verurteilt. Da Sohappy aber davon überzeugt war, daß ihr Fall nicht in die Zuständigkeit der US-Gerichte, sondern in die des Stammesgerichtes der Yakima fällt, stellte sich Sohappy mit seinem Sohn und einem weiteren Verurteilten 1986 der Stammesjustiz, kurz bevor sie die Haftstrafe antreten sollten.

Das Stammesgericht sprach sie frei. Trotzdem übergab sie der Chef der Stammespolizei entgegen der Anweisung des Richters den US-Behörden. »Wir wurden regelrecht entführt«, erzählte er im Sandstone-Gefängnis in Minnesota dem Journalisten Mordecai Spector. »Mein Volk will die Vergünstigungen nicht verlieren, die ihnen die US-Regierung verschafft hat. Sie wollen nicht in dem Maße um Souveränität kämpfen, wie es nötig wäre. Die Yakima-Nation soll eigentlich eine unabhängige, souveräne Nation sein, die ihre eigenen Gesetze schafft und durchsetzt, aber sie tut es nicht.«

David Sohappy sen. war damals 61 Jahre alt. Auch er wurde im Gefängnis in der freien Ausübung seiner Religion behindert. Seine für das Gebet wichtige Adlerfeder wurde ihm abgenommen. Er verkraftete die Umstände seiner Haft nicht und erlitt einen Schlaganfall. 1988 wurde er nach 21 Monaten vorzeitig entlassen. Aber erholt hat er sich nicht mehr. Am 6. Mai 1991 starb er in einem Pflegeheim in Hood River/Oregon.

## Michael Has
# Tourismus und indigene Völker

Tourismuskritiker protestieren seit fast einem Jahrzehnt gegen die Auswirkungen der sogenannten »weißen Industrie« des Tourismus. Dennoch finden seine Folgen, insbesondere die des sogenannten Abenteuertourismus zu indigenen Völkern und kulturellen Minderheiten, in der öffentlichen Diskussion immer noch viel zu wenig Beachtung.

»Zu Fuß durch die Steinzeit (...)« – und damit's nicht zu anstrengend wird, steht »jedem Teilnehmer ein eigener Träger zur Verfügung«. So entnimmt es der nicht wenig erstaunte Leser dem Katalog eines Hamburger Reiseveranstalters: Es geht um eine »Sonderexpedition« zu den Dani, die – wie wir aus dem Prospekt weiter erfahren – unter »sehr traditionellen (...) steinzeitlichen Lebensbedingungen« existieren.

In meist kleinen Gruppen werden Reisende zu »fern von der Zivilisation« lebenden Völkern geführt. Diese Völker und ihr Lebensraum dienen als Bühnenbild für das Reiseschauspiel: Übernachtungsplätze oder gar Hotels, die im allgemeinen westlichen Standards genügen, werden bereitgestellt, die »Bereisten« auf ihre Rolle als Schauobjekt eingeschworen, denn »...tritt der Kongonegerstamm nicht pünktlich auf, kann der Reiseveranstalter wegen entgangener Urlaubsfreude belangt werden« (G. Hauser, Abenteuerreiseunternehmer, im Stern 5/90). Von den Touristen wird nicht erwartet, wenigstens die Grundbegriffe der Sprache des besuchten Volkes zu erlernen, geschweige denn sich mit der fremden Gesellschaftsform vertraut zu machen, nein – »jeder kann teilnehmen«, der »eine Flugreise in den Fernen Osten machen kann« (Zitat aus einem Reisekatalog).

Der Mythos der völkerverständigenden Funktion wird allein bei einem Blick auf die Verweildauer der Reisenden am jeweiligen Ort schnell entlarvt: Ein, zwei Tage oder eventuell eine Woche, kaum länger bleiben die Touristen. Bar jeder Kenntnis der lokalen Sprachen, Sitten und Tabus und häufig einer wenig sachkundigen Reiseleitung ausgesetzt, können sie die Eigentümlichkeit der Kultur der Zielregion in dieser kurzen Zeit kaum durchschauen. Sie haben, selbst wenn sie wollen, keine Chance, genügend Sensibilität zu entwickeln, um nicht in die Rolle des Kulturvoyeurs bei eigens für sie inszenierten Festen zu geraten. Doch das Bedürfnis nach »interethnischer Koexistenz« überkommt die Damen und Herren Touristen ohnedies meist nur nächtens. Ein signifikanter Unterschied zwischen Alternativtouristen und Pauschaltouristen besteht hier wie auch sonst nicht. Vielmehr belegen jüngere Beobachtungen, daß auch der jetzt neu aufkommende Trend zum ökologisch verträglichen Tourismus nicht notwendigerweise zur Lösung bestehender Probleme beiträgt. Tatsächlich werden für diese Form des Reisens etwa in der Karibik bisher touristisch nicht erschlossene Regionen für die Reisenden »entdeckt«. Die neu entstehenden Reiseströme nutzen die bereits bestehende touristische Infrastruktur der etablierten Ziele selbstverständlich mit, brechen danach aber häufig in bisher touristisch noch nicht erschlossene Gebiete auf. Gerade diese Öko-Touristen stören das ökologische Gleichgewicht in noch unberührten Regionen: »Entdecken Sie den Regenwald, solange es ihn noch gibt!«

Reiseveranstalter, Reiseleiter und Journalisten wissen um die Folgen für die betroffenen Völker: Sie kennen die durch »Expeditions«-Touristen eingeschleppten Krankheiten, die durch Touristen entstehende einseitige wirtschaftliche Abhängigkeit, die ökologischen Probleme, die durch den Reiseverkehr in allen seinen Auswüchsen verursacht werden und insbesondere die fatalen Folgen des Touristenstromes für die Kulturen der besuchten Regionen. Und auch wenn diese möglichen und wahrscheinlichen Schwierigkeiten nicht bekannt sein sollten, so wären sie doch bei einigem Nachdenken offensichtlich.

Wie wenig ausgeprägt das Verantwortungsgefühl mancher Reiseunternehmer ist, zeigt eine Aussage eines Sprechers der Firma Neckermann: »Tourismus ist Verbrauch. Tourismus schafft nichts und Tourismus versucht nichts zu schaffen. Er verbraucht antike Stätten, Strände, Natur, bis sie abgenutzt sind. Er ist schließlich eine Industrie.«[1] Ohne Rücksicht auf Verluste.

Reiseveranstalter und Ländervertretungen führen gerne Argumente wie die Verbesserung der Infrastruktur oder gar der Traditionsbewahrung durch den Tourismus an. (»Ohne den Tourismus würde in der Alpenregion schon längst nicht mehr gejodelt...«; so ein Vertreter der TUI auf einer von der Gesellschaft für bedrohte Völker veranstalteten Tagung). Beweise für derartige Entwicklungen lassen sich nicht erbringen. Was die Verbesserung der Infrastruktur betrifft, läßt sich klar sagen, daß in den meisten Reiseländern für Ferntourismus nur sehr kleine Regionen erschlossen werden, so daß ein Beitrag zur nationalen Entwicklung der Infrastruktur nicht möglich ist. Es sind jedoch Fälle bekannt geworden, bei denen durch die Entwicklung einer touristischen Infrastruktur die lokale Bevölkerung massiv geschädigt wurde. So etwa durch den Bau der Straße von Bontok nach Banaue, die Touristen den schnellen Zugang zu den bekannten Reisterrassen im Norden der Hauptinsel der Philippinen gestattet. Für den Bau dieser Straße wurden eine Vielzahl von Reisterrassen und, was noch schlimmer ist, ein umfangreiches Bewässerungssystem zerstört. Den Einheimischen wurde damit die Lebensgrundlage genommen.

Auch volkswirtschaftlich rechnet sich die touristische Erschließung für viele Regionen kaum. Im Senegal bleiben weniger als 50 Prozent der durch die Touristen eingeführten Devisen im Land. Der große Gewinn fließt an den Bereisten vorbei zu den Hotelketten, den Touristikunternehmen und Reisebüros. Ein kurzer Blick in die Kataloge der Reiseveranstalter gibt Aufschluß über die wenigen Arbeitsplätze, die für die Einheimischen übrigbleiben: Sie zeigen Bilder von Bedienungen, von tanzenden Eingeborenen, die als fotogenes Motiv oder Hintergrund für den Schnappschuß mißbraucht werden, von attraktiven und exotischen Frauen und Männern. Besser als auf solchen Fotos läßt sich das Ende des Weges vom Kolonialismus zum Massentourismus kaum beschreiben: Die europäischen, amerikanischen oder auch japanischen Herren (oder Damen), die Einheimischen in deren eigenem Land Befehle erteilen und sich bedienen lassen. Auf Sitten und Traditionen wird, falls überhaupt, nur dann Rücksicht genommen, wenn Profiteinbußen zu befürchten sind. Die Wirtschaftswoche beschrieb die Situation indigener Völker, die vom Tourismus betroffen sind, so: »Wie einst die Indianer bei der Besiedlung Amerikas sind gerade die Ureinwohner die Verlierer in der Nutzung exotischer Urlaubsziele.«[2]

Der Markt reagiert sehr sensibel: Fast 75 Prozent aller Reisenden lassen sich bei der Auswahl ihres Zieles durch politische und Umweltnachrichten beeinflussen. Die Einbußen von etwa 30 Prozent der Tourismuseinnahmen, die Südafrika von 1984 bis 1989 aufgrund der etwas objektiver gewordenen Berichterstattung über die dortigen Menschenrechtsverletzungen hinnehmen mußte, verdeutlichen die Empfindlichkeit des Marktes.

Eine andere Variante des Tourismus zu indigenen Völkern stellt der Bildungstourismus dar, doch auch hier sind die Folgen nicht immer positiv. Politische Studienfahrten sind in Mode. Einzelne Interessierte oder Gruppen besuchen Projekte, Dörfer oder Regionen und wollen sich selber Einblick in soziale und politische Zusammenhänge verschaffen oder geben dies vor. Sie möchten verstehen lernen, was sie zum Teil seit langem ideell und finanziell unterstützen. Im Juni 1976 veröffentlichte Claus Biegert das Buch »Seit 200 Jahren ohne Verfassung«. Rarihokwats, der damalige Herausgeber der »Akwesasne Notes«, einer indianischen Zeitschrift, dessen Adresse im Nachspann des Buches für weitere Informationen angegeben war, berichtete Claus Biegert später über die ungeahnten und natürlich nicht beabsichtigten Folgen der Notiz im Buch: Er erzählte mir, daß im Sommer 1976, also wenige Monate nach dem Erscheinen des Buches, ein reger Besucherstrom die Redaktion heimsuchte, auf einmal zehn Deutsche. Jeder war frustriert, weil er ja der einzige sein wollte, der den Weg zu den Irokesen gefunden hatte (...) Für viele waren die näheren Angaben scheinbar die Aufforderung zu einem Trip ins Irokesenland mit einer kostenlosen Jugendherberge in Akwesasne.«

Verschiedene Indianervölker in Nordamerika haben jedoch ein großes Interesse am Kontakt zu Touristen, wollen aber das Besuchsprogramm selber gestalten und sich nicht dem breiten Touristenstrom aussetzen. Vor diesem Hintergrund werden seit 1986 einige Reiseprogramme zu Indianervölkern organisiert. Zwei Ansätze erscheinen hier besonders erwähnenswert: So gibt es einen alljährlichen Austausch zwischen Jugendlichen aus Deutschland und jungen Indianern aus Nordamerika. Bei Rundreisen und Workcamps wird den Besuchern das Land vorgestellt, und politische, ökologische und kulturelle Fragen werden diskutiert. Gegenseitiges Kennen- und Verstehenlernen wird so möglich.

Gemeinsam mit nordamerikanischen Indianern organisieren verschiedene Reiseveranstalter seit Mitte der 80er Jahre Rundreisen durch Reservate. Um den Kontakt zu den Bereisten zu erleichtern und die besuchten Gemeinschaften nicht zu stark zu stören, legen die Veranstalter besonderen Wert auf sehr kleine Reisegruppen. Die Route wird von den Vertretern des besuchten Volkes festgelegt und richtet sich auch nach den Wünschen der Besucher. Unter indianischer Führung werden Pow Wows (indianische Versammlungen) besucht, Gespräche mit Stammesvertretern geführt, historische Stätten besichtigt. Der finanzielle Gewinn geht größtenteils an die besuchte Nation.

Für den Massentourismus der Zukunft sind jedoch auch diese an sich lobenswerten Projekte wohl kaum eine Alternative, sie wollen es auch nicht sein. Meine Hoffnung für den Fremdenverkehr zielt auf einen kreativen Nahtourismus, bei dem der oder die Reisende in dieser Freizeit entspannende und anregende Erfahrungen macht, die im Berufsalltag mit mehr oder weniger großem Aufwand wiedererlebbar sind.

[1] Zitat nach Schilling und Ehrlich, FVW – International, 5/88.
[2] Zit. nach J. Hammelehle, Zum Beispiel Tourismus, Göttingen 1991.

# 2. Kanada und Alaska

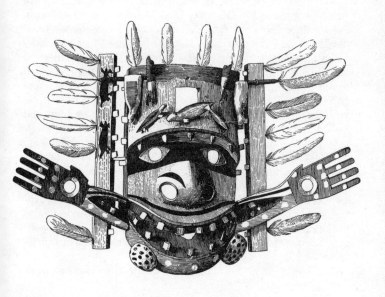

# Yvonne Bangert
## Alaska: Vorbildliches Landrechtskonzept?

Das zaristische Rußland verkaufte Alaska 1867 an die USA. Die traditionelle Wirtschaftsform der dort lebenden Indianer und Inuit war bereits fast völlig zusammengebrochen. Die US-Regierung versuchte, durch Anwerben von hundert samischen Rentierzüchtern aus Norwegen um 1898 den Ureinwohnern einen neuen Wirtschaftszweig zu eröffnen. Doch die Indianer und Inuit lehnten diese Wirtschaftsweise ab. Als den Samen um 1920 per Gesetz die Rentierhaltung verboten und ihre Herden konfisziert wurden, verließen sie nach und nach das Land.

Die Zahlenangaben zur Urbevölkerung Alaskas schwanken. Spricht die britische Minority Rights Group (MRG) von 25 000 Inuit, so gehen andere Schätzungen von 30 500 aus, verteilt auf die beiden Sprachgruppen Yupik (Westalaska) mit 18 000 und Inupiat (Nordalaska) mit 12 500 Angehörigen. Die indianische Bevölkerung gliedert sich auf in 9000 Tlingit, 500 Haida, 1000 Tsimshian. Hinzu kommen 8000 Aleuten.

Alaska wurde 1959 zum 49. Bundesstaat der USA. Neun Jahre später wurde das bisher größte Ölvorkommen Nordamerikas in der Prudhoe-Bay entdeckt. Eine Pipeline quer durch das Land der Inuit und Indianer sollte entstehen, um das Öl zum Verladehafen Valdez zu transportieren. Doch die Ureinwohner bestanden auf einer vorherigen Klärung der Landrechtsfrage. Nach Verabschiedung des »Alaska Native Claims Settlement Act« (ANCSA) im Jahr 1971 wurde die 1300 Kilometer lange Ölleitung gebaut. Dieses Gesetz löste sämtliche Ansprüche von Inuit und Indianern gegen Zahlung von 962,5 Millionen Dollar und Zuweisung von 44 Millionen acre Land (etwa 178 000 Quadratkilometer) ab. Geld und Land wurden nicht individuell verteilt oder der Selbstverwaltung durch traditionelle Regierungsinstitutionen überantwortet, sondern Gebietskörperschaften übertragen, die als »corporations« (Wirtschaftsunternehmen in Form einer Aktiengesellschaft) organisiert wurden. Jeder 1971 lebende Ureinwohner Alaskas bekam hundert Anteilsscheine an seiner jeweiligen Körperschaft, auf deren Grundlage er Gewinnausschüttungen erhält.

Das Gesetz gilt als vorbildlich und wurde zum Modell anderer

Landrechtsvereinbarungen, auch in Kanada. Dennoch gab es von Anfang an Kritik von seiten der Ureinwohner. Zum einen, so hieß es, sei Alaska von ihnen nie an den Zaren abgetreten worden, deshalb hätte er das Land nicht an die USA verkaufen dürfen. Alaska gehöre folglich nach wie vor seinen Ureinwohnern. Wer 1971 dem Vertrag zustimmte, habe gleichzeitig alle folgenden Generationen enteignet, da nur die damals bereits Geborenen Anrecht auf Anteilsscheine hätten. (Nachgeborene können Anteile nur erben.) Und schließlich droht die Gefahr eines schleichenden Ausverkaufs des Landes, da die Anteilsscheine seit 1991 frei verkauft werden dürfen.

Unter Vorsitz von Richter Thomas Berger gründeten 1983 die polumspannende Vertretung der Inuit »Inuit Circumpolar Conference« und der »World Council of Indigenous Peoples« eine Kommission. Berger sollte durch Anhörungen in sämtlichen Dörfern Alaskas die Meinung der unmittelbar betroffenen Indianer und Inuit zur Landrechtsfrage erforschen und gegebenenfalls Empfehlungen für eine Ergänzung des ANCSA-Gesetzes erarbeiten.

Über eine entsprechende Textvorlage debattiert der US-Kongreß inzwischen, so die britische Organisation »Minewatch«. Die Ergänzung des Gesetzes wurde von Kongreßmitgliedern aus Alaska eingebracht und versucht, einen Kompromiß zwischen dem Korporationssystem und den Ansprüchen der Kritiker unter den Ureinwohnern zu finden. Die nämlich sind der Meinung, die Gebietskörperschaften hätten im Endeffekt den Ölkonzernen mehr genutzt als den Anteilseignern. Sie kritisieren, daß die Ergänzung zwar nun die Möglichkeit einschließt, Anteilsscheine einer Gebietskörperschaft zu übertragen, statt sie auf dem freien Markt zu verkaufen. Besser wäre es aber gewesen, die Übertragung der Anteile ausschließlich an die selbstgewählten Regierungsinstitutionen der Indianer und Inuit vorzusehen. Dadurch hätten sie langfristig ihr Land selbst verwalten können.

Statt dessen müssen sie sich mit den Hinterlassenschaften der »Zivilisation« befassen: Der Ölpest zum Beispiel, die 1989 der Havarie des Öltankers Exxon-Valdez vor der Küste Alaskas folgte. 900 Millionen Dollar Schadenersatz an die Regierungen Alaskas und der USA sowie 150 Millionen Dollar Geldstrafe muß der Konzern nun zahlen. An die Regierungen wohlbemerkt, nicht an die Ureinwohner oder an ihre Gebietskörperschaften.

Um die Verantwortung für Altlasten wird noch gestritten:

Staatsland, das den Ureinwohnern im Rahmen des ANCSA-Gesetzes zugesprochen wurde, ist verseucht. Ehemaliges Militärgelände ist mit ausgeflossenem Treibstoff, Öl, nicht gezündeter Munition oder krebserregenden Chemikalien verschmutzt. Schulen, die früher vom staatlichen Bureau of Indian Affairs[1] betrieben wurden, sind hoch mit Asbest belastet. Wer für die Sanierung aufkommen soll, ist noch offen.

---

[1] Das Bureau of Indian Affairs ist die staatliche Indianerbehörde in den USA, die im 19. Jahrhundert zur Zeit der Indianerkriege dem Kriegsministerium unterstellt war, heute zum Innenministerium gehört.

Yvonne Bangert
## Aleuten: Mit Optimismus in die Zukunft

Als der dänische Kapitän Vitus Bering im Auftrag des russischen Zaren 1741 die Aleuten-Inseln erreicht, leben dort etwa 16 000 bis 20 000 Menschen, die mit den Inuit kulturell und sprachlich eng verwandt sind: das Volk der Aleuten. Sie sind Jäger und Fischer. Ihre Inseln interessieren Rußland vor allem wegen der begehrten Seeotterfelle.

Die Menschen haben dem russischen Ansturm wenig entgegenzusetzen; sie werden ermordet, versklavt oder auf die weiter nördlich gelegenen Pribilof-Inseln verschleppt. Unter dem Einfluß des orthodoxen Christentums wandelt sich ihre Kultur schnell und umfassend. Unter den Vorfahren der heutigen Aleuten, ihrem Selbstgefühl nach die Ureinwohner der Inselkette, sind zahlreiche Russen.

Rußland verkauft 1867 mit Alaska auch die Aleuten an die USA. Als die Inseln 1913 zum Naturschutzgebiet erklärt werden, haben amerikanische Jäger die Robben und Seeotter, Nahrungsgrundlage der Aleuten, fast völlig ausgerottet. Nur die Aleuten selbst dürfen jetzt noch jagen. Bis zum Zweiten Weltkrieg kommt als neuer Erwerbszweig die Zucht von Polarfüchsen hinzu.

Dieser Krieg hat für die Menschen verheerende Folgen. Ihre

strategisch wichtigen Inseln sind zwischen den USA und Japan hart umkämpft, werden Anfang Juni 1942 von Japan besetzt und erst 14 Monate später nach erbitterten Gefechten von den USA zurückerobert, die eine japanische Invasion in Alaska fürchten. Das Trauma von Pearl Harbour (1941) wirkt nach.

Die 42 Bewohner der Insel Attu werden von den Japanern nach Hokkaido verschleppt. Die Hälfte hat nicht überlebt. Die Bewohner der übrigen Inseln werden in Internierungslager im Süden Alaskas evakuiert, wo etwa 10 Prozent von ihnen an Krankheiten sterben oder verhungern. Die Überlebenden finden bei ihrer Rückkehr von amerikanischen Soldaten geplünderte und zerstörte Häuser, verwüstete Häfen und verschmutzte Gewässer vor. Die Truppen bleiben: Die USA läßt vorbeugend für etwaige weitere Kriege auf der Inselkette Militäranlagen errichten. Zwischen 1955 und 1971 werden sogar Atomtests durchgeführt. 95 Prozent der Inseln sind Naturschutzgebiet und damit nur eingeschränkt für Jagd und Fischfang nutzbar. Mehr als die Hälfte der Inselbewohner arbeitet daher bei der Armee.

Die USA schließen 1971 mit den Aleuten analog zum »Alaska Native Claims Settlement Act« einen Vertrag. Darin werden die Ureinwohner offiziell anerkannt. Ihnen werden 38,2 Millionen Dollar und 1,3 Millionen acre Land übertragen, das sind 5261,1 Quadratkilometer, kaum ein Drittel der Gesamtfläche der Inseln. Ein Fischereiboom bringt in der Folgezeit viele Fremde auf die Inseln. Sie überfischen die Küstengewässer. Als die Bestände vor allem der begehrten Krabben drastisch zurückgehen, ziehen die fremden Fischer zwischen 1980 und 1982 ab.

Das Ende des Fischereibooms habe die kleine Gemeinschaft der heute etwa 8000 Aleuten vorerst gerettet, so der Luxemburger Ethnologe Alex Diederich. Dies hätten sie auch ihren durch den Landrechtsvertrag entstandenen Gebietskörperschaften zu verdanken, die ein stabilisierendes Moment für die Identität der Aleuten geworden seien. Jagd, Schafzucht und Fischerei bieten ihnen eine solide Wirtschaftsgrundlage, die zu Optimismus für die Zukunft berechtigen.

*Literatur:*
Alex Diederich, »Das Ende des Booms war für uns ein Segen« – Die Aleuten Südwestalaskas, pogrom 119, 1985, S. 42 ff.

# Karl-Heinz Raach
## »Wir wohnen nicht mehr im Iglu« – Inuit in der kanadischen Ostarktis

Eine dünne Neuschneedecke liegt über Broughton Island und den umliegenden Hügeln. In der Bucht türmen sich Packeisschollen. Es ist Ende August, und vom Himmel fallen dicke Schneeflocken. Stereotype Fertighäuser säumen die Schotterstraße. Ein dichtes Netz von Stromleitungen versorgt sie mit Elektrizität für Kühlschränke, Waschmaschinen und Telephone. Aus den Wohnstuben flimmert das grelle Licht der Fernsehapparate. »Dallas« und »Denver Clan« sind den Inuit bestens vertraut. Programme in ihrer eigenen Sprache bietet der kanadische Sender CBC kaum.

»In den 60er Jahren standen hier nur ein paar Zelte«, erklärt mir Markosie Audlakiak, ein 44jähriger Inuk, der noch im Iglu aufgewachsen ist. Heute leben über 400 Menschen im Dorf. Die Hälfte davon ist unter 15 Jahre alt. »Wenn das Dorf so weiterwächst, werde ich demnächst mein Jagdgerät zusammenpacken und in die Wildnis zurückkehren.« Doch wie viele Inuit könnten Markosies Beispiel folgen? »Von den jungen Leuten wohl niemand.« Denn, so Markosie weiter, das Leben in den geheizten Häusern und die Nahrung aus dem Supermarkt habe sie verweichlicht. Auch in der Schule würden sie »angepaßt«. Was dort mit den Jugendlichen geschieht, nennt er schlicht »Gehirnwäsche«. Überhaupt kann Markosie dem modernen Bildungswesen wenig Positives abgewinnen. »Einer meiner Söhne war in Frobisher Bay in der High School. Was war ich doch stolz auf ihn. Doch als er nach Broughton Island zurückkehrte, stand er ohne Arbeit da. Ich ging zwar nie zur Schule, aber ich hab 'nen Job. Wofür soll denn diese Schulbildung gut sein, wenn es keine Arbeit gibt.«

Mitten im Dorf, nur wenige Schritte vom Gemeindezentrum entfernt, steht ein tunnelförmiger Wellblechschuppen mit der Aufschrift »Coffee Shop«. Jung und alt trifft sich da. Für knapp neun Mark verkauft der weiße Besitzer Hamburger aus dem Mikrowellenherd. Auch Hot Dogs, Limonade und Süßigkeiten gehören zum Angebot. Neben der Theke stehen Regale mit Konservendosen, Gewehrmunition und Ersatzteilen für Motorboote und Schneemobile. An den hellbraunen Holzwänden hängen Poster von Popstars, davor blinken zwei Flipperkästen und eine Jukebox. Fünf Metalltische mit Plastiktischdecken füllen den Raum.

Bei einer Tasse Kaffee lerne ich Loasie Konneeliusie kennen. Während der Woche arbeitet er als Planierraupenfahrer, am Wochenende geht er auf die Jagd. Ohne geregelte Lohnverhältnisse könnte Loasie die teure Jagdausrüstung allerdings nicht bezahlen. Denn für die arktischen Jäger ist die Jagd mittlerweile schon beinahe Luxus.

Das war bis vor wenigen Jahren noch ganz anders, da lebten die Inuit vor allem von der Seehundjagd. Die erbeuteten Tiere sicherten die Ernährung der Familien. Der Erlös aus dem Verkauf der Felle deckte die Kosten für Motorboote und -schlitten, Gewehre und Munition. Doch diese Zeiten sind vorbei. Die Tierschutz-Kampagne gegen die profitorientierte Baby-Robbenschlächterei hat auch die Inuit getroffen – ungerechtfertigterweise. Denn sie jagen ausschließlich erwachsene Tiere. Und nie mehr, als sie für den eigenen Verzehr benötigen.

»Tierschutz geht vor Menschenschutz«, so die bittere Erkenntnis der kanadischen Ureinwohner. Dabei liegt gerade ihnen das Überleben der Robben besonders am Herzen. »Welches Volk zerstört schon freiwillig seine Lebensgrundlage?« bringt es einer auf den Punkt. »Vielleicht würden wir mehr geachtet, wenn wir dieselben traurigen Augen hätten wie die Robbenbabies.« Die anwesenden Inuit nicken beifällig. Und auch Graham Baird, der Wildhüter, sieht schwarz: »Die hohen Kosten für Benzin und Ausrüstung haben viele bereits gezwungen, mit dem Jagen und Fallenstellen aufzuhören. Was bleibt da noch anderes als die Fürsorge?«

Schon müssen viele Inuit auf Ölbohrtürmen und in Minen arbeiten, obwohl sie diesen Firmen sehr skeptisch gegenüberstehen. Die Unternehmen greifen nicht nur massiv in das Familien- und Dorfleben der Inuit ein, sie gefährden auch das Naturgefüge der Arktis. »Die Seehunde sind ja nicht durch unsere Jagd gefährdet, sondern durch die Profitgier des weißen Mannes«, behauptet Mark Gordon, ein Vertreter der nationalen Inuit-Organisation »Inuit Taparisat«.

Bereits 1976 wurde das erste Minenprojekt nördlich des Polarkreises, die Blei- und Zinkgrube Nanisivik, in Betrieb genommen. Hier arbeiten auch Freunde von Loasie, die in Broughton

Island keine Arbeit finden konnten. Nach Plänen der kanadischen Regierung sollte Nanisivik die Wirtschaftlichkeit des Rohstoffabbaus in der Arktis beweisen und gleichzeitig demonstrieren, daß Inuit als Arbeiter erfolgreich integriert werden können. Wirtschaftlich ist das Minenprojekt inzwischen ein Erfolg – die Inuit sind jedoch auf der Strecke geblieben. Zu naiv war die Vorstellung, man könne die arktischen Jäger von heute auf morgen zu guten Minenarbeitern umerziehen. Inuit, deren Leben sich bisher in der Natur abspielte und denen die engen sozialen Kontakte in der Familie und der Dorfgemeinschaft äußerst wichtig sind, können sich nicht einfach auf zwölfstündige Arbeitsschichten unter Tage und an die Isolation in den Arbeiterteams gewöhnen. Weiße Kollegen tun diese Anpassungsprobleme oft als »mangelnde Arbeitsmoral« ab. »Zuerst muß man den Jägerinstinkt in ihnen auslöschen«, meint der Geologe, der mich in den Minenschacht begleitete, kurz angebunden.

Viel Zeit zum Eingewöhnen bleibt den Inuit nicht mehr. Schon in zwei bis drei Jahren werden die Erzadern von Nanisivik erschöpft sein. Die Mine muß dann wohl geschlossen werden. Der Firmenleitung ist die Frage unangenehm, was dann aus den dort beschäftigten Inuit werden soll.

Wie riskant eine auf Rohstoffabbau orientierte Zukunft für die Inuit ist, zeigt sich auch am Beispiel der Ölerschließung. Seit Mitte der 60er Jahre wird im kanadischen Teil der Beaufort Sea in der Westarktis intensiv nach Öl und Erdgas gesucht. Namhafte amerikanische und kanadische Ölfirmen richteten etwa bei Tuktoyaktuk, dem »Ort, an dem es Elche gibt«, riesige Versorgungscamps ein. Von hier aus wurden die Bohrungen in den umliegenden Gewässern koordiniert. Bis zu 300 weiße Arbeiter lebten zeitweise am Rand der 800 Einwohner zählenden Inuit-Siedlung. Tuktoyaktuk boomte. Jeder Inuit konnte bei den Ölfirmen einen Job finden, staatliche Gelder flossen in die Gemeindekasse, und die »Dome Petroleum« stiftete eine Eishockey-Arena und einen Wassertank. Die Folge: Vereinzelung und Konkurrenzdenken, Diebstahl, Alkoholismus und Gewalt, die Selbstmordrate schoß in die Höhe. Dann sank der Ölpreis, die Konzerne stellten die Bohrarbeiten in der kanadischen Arktis fast völlig ein und die Inuit verloren über Nacht ihre Arbeitsstellen. Zurück blieb eine ruinierte Inuitgemeinde.

Im gesamten Arktisgebiet sollen heute insgesamt etwa 100 000

Inuit leben, rund 25 000 in Kanada, 30 500 in Alaska – verteilt auf die beiden Sprachgruppen Yupik (18 000) und Inupiat (12 500) – 42 000 in Grönland und 2500 in Sibirien. Die »Inuit Taparisat«, die nationale Interessenvertretung aller kanadischen Inuit, wurde 1971 gegründet. Ihr folgte 1976 als internationaler Zusammenschluß der Inuit aus Kanada, Alaska und Grönland die »Inuit Circumpolar Conference«, der 1989 auch die sibirischen Inuit beitreten konnten. 1991 erfüllte die kanadische Regierung eine zentrale Forderung der Inuit des kanadischen Nordwestterritoriums: In dessen nördlichem Teil entsteht eine Region der dort ansässigen 17 500 Inuit mit dem Namen Nunavut. So gelangen 1,9 Millionen Quadratkilometer, ein Fünftel des kanadischen Territoriums, unter Inuit-»Kontrolle«. 350 000 Quadratkilometer gehen direkt in ihren Besitz über.

Am Freitag treffe ich Loasie bei einem Motorboot. Seine Arbeit ist für diese Woche erledigt, übers Wochenende will er zur Seehundjagd. Der zweitägige Aufenthalt ist der erholsame Ausgleich zur täglichen Arbeit im Dorf. Außerdem ist die Familie Konneeliusie so nicht auf die überteuren Angebote im Supermarkt angewiesen. Frisches Robbenfleisch schmeckt ihnen ohnehin besser. So geht es noch vielen Inuit. »Das Fleisch aus dem Laden hat weder Saft noch Kraft«, erklärte mir ein paar Tage später Simon Idlauk. »Wir brauchen frisches und nahrhaftes Fleisch. Fleisch, das uns wärmt. Wenn du das Zeugs aus dem Laden ißt, und draußen ist's 40 bis 50 Grad unter Null, erfrierst du doch glatt. Und wenn ich für 22 Dollar Fleisch kaufe, reicht das meiner Familie nicht einmal für eine Mahlzeit.«

Eisschollen versperren den Weg. Loasie versucht, die verkeilten Eisbarrieren mit dem Motorboot auseinanderzudrücken. Erst nach einer Stunde erreichen wir das offene Wasser und erst am späteren Abend unser Ziel. Am felsigen Ufer des Fjords findet Loasie einen Bootsanlegeplatz. Ganz in der Nähe steht eine Hütte, die Touristen und Jägern als Notunterkunft dient. Loasie kennt diese Gegend genau; als kleiner Junge hat er hier mit seinen Eltern gezeltet. Damals, 1956, verließen die ersten Inuit-Familien das Lager hier und zogen nach Broughton Island. In vielen Gegenden freilich weigerten sich die Inuit, Lager zu verlassen. Erst als die Regierung mit Hilfe der allgemeinen Schulpflicht Familien trennte, gaben immer mehr Inuit ihr Nomadenleben auf. »Hätte ich damals geahnt, was auf uns zukommt, wäre ich nie nach Broughton Island gezogen«, seufzt Loasie. »Das Leben im Dorf ist wie im Gefängnis.«

Als Loasie um fünf Uhr morgens die Hüttentür öffnet, sind die Fjordwände im Nebel verschwunden. Nur ein schmaler Felsrand über dem Wasser ist noch sichtbar. Dicke Schneeflocken fallen vom Himmel. Das Wasser ist klar. Ideale Bedingungen für die Seehundjagd. Nach dem Frühstück steigen wir ins Boot. Es dauert nicht lange, bis Loasie die erste Robbe sichtet. Noch bevor ich etwas erkennen kann, peitscht eine Kugel ins Wasser. Loasie hat beim ersten Schuß getroffen, doch er feuert noch ein paar weitere ab, um sicher zu sein, daß das Tier sofort tot ist. Dann steuert er auf die Beute zu und zieht sie mit dem Fanghaken an Bord. Bis zum Abend erlegt Loasie noch eine weitere Robbe, danach bricht er die Jagd ab. Das Fleisch ernährt seine Familie gut eine Woche, das reicht. Aber wie lange noch? Wann kommt das endgültige Ende der Jagd? Denn was jetzt noch einen wichtigen Beitrag zur Lebensart der Inuit leistet, droht von Hot Dogs, Hamburgern und Konserven verdrängt zu werden. Und das nicht nur im Dorfladen von Broughton Island.

*Literatur:*
Karl-Heinz Raach: Bilder der Arktis, Kajo-Verlag, Hannover 1991

# Ulrich Delius
## Innu protestieren gegen Tiefflüge

Ausgerechnet am Tag der Menschenrechte, dem 10. Dezember 1990, mußten sich mehrere Dutzend Innu vor Gericht verantworten, weil ihnen vorgeworfen wurde, »widerrechtlich« ihr eigenes Land betreten zu haben. Die Ureinwohner hatten im September 1988 die Rollbahn des kanadischen Luftwaffenstützpunktes Goose Bay besetzt, um gegen Tiefstflüge von Kampfflugzeugen zu protestieren. Labrador oder Ntesinan (»Unser Land«), wie die Urbevölkerung ihr Land bezeichnet, hat sich in den 80er Jahren zum Tiefflugparadies der Luftwaffen verschiedenster NATO-

Staaten entwickelt. In nur 30 Meter Höhe jagen Kampfflugzeuge aus Deutschland, Großbritannien, den Niederlanden, USA und Kanada mit 900 Stundenkilometern und ohrenbetäubendem Lärm über die Baumwipfel hinweg. Die Piloten loben die »idealen Tiefstflugbedingungen«, da weder Hochspannungsleitungen, Hochhäuser noch Nebel ihren Flug über der subarktischen Landschaft behindern. Die Tiefstflüge zerstören jedoch die Existenzgrundlage der 10 000 Ureinwohner, die sich traditionell vom Jagen, Fallenstellen, Fischen und Sammeln von Wildfrüchten ernähren. Die »weiße« kanadische Mehrheitsgesellschaft hat nur Geringschätzung für die traditionelle Wirtschaftsweise der Innu übrig. Systematisch versuchten die kanadischen Behörden in den letzten Jahrzehnten, die Innu-Jäger anzusiedeln und zu assimilieren. Hohe Arbeitslosigkeit und Verarmung veranlaßten in den letzten Jahren jedoch immer mehr Innu, während einiger Monate die Jagd wieder aufzunehmen.

Seit Jahrhunderten ernähren sich die in Ntesinan lebenden Naskapi- und Montagnais-Indianer, die sich selber als Innu (»Menschen«) bezeichnen, vor allem von der Jagd der Karibus, einer wildlebenden Rentierart. Heute liegen viele ihrer Jagdgebiete in den Tiefflugarealen der NATO-Luftwaffen. In einigen Gebieten üben die Piloten der Kampfflugzeuge sogar den Abwurf von Bomben. Der Tiefstflug hat katastrophale Konsequenzen für die Karibu-Jagd. Innu beobachteten, daß immer mehr Karibu-Herden die Tiefflugzonen meiden und sich zum Teil der Wildbestand erheblich verringerte. So wurden die Tiere in der Border-Beacon-Area, in der früher 60 000 Karibus gezählt wurden, selten. Wissenschaftler führen die zunehmende Zahl von Verkalbungen auf die extreme Belastung zurück, der die Tiere beim Überflug durch Tiefflieger ausgesetzt sind. Qualitätseinbußen beim Karibu-Fleisch würden durch die hastige Nahrungsaufnahme der Tiere verursacht, erklären die Innu-Jäger. Schwerwiegende Folgen haben die Tiefstflüge aber auch für andere Tierarten. So fressen aufgrund des Stresses Nerz-Weibchen ihren Nachwuchs auf. Biber und Otter büßen an Gewicht ein, da sie sich nicht mehr ans Tageslicht trauen, Gänse und Enten verschwinden aus den Tieffluggebieten.

Die Innu machen auch Piloten der deutschen Luftwaffe für die Zerstörung ihrer Existenzgrundlage verantwortlich. Seit 1980 üben Angehörige der Bundeswehr Tiefstflug in Ntesinan. Seit

Jahren dürfen deutsche Piloten jährlich 4700 Flugstunden über dem Land der Innu ableisten. Eine deutliche Erhöhung der erlaubten Flugstunden ist geplant. Als Gegenleistung zahlt die deutsche Bundesregierung für den Tiefflugexport jährlich acht Millionen Dollar an Kanada. Im Bonner Verteidigungsministerium bestreitet man entschieden, daß die Tiefstflüge negative Auswirkungen auf die Entwicklung der Karibu-Bestände haben. Vor jedem Start deutscher Maschinen würden Aufklärungsflugzeuge prüfen, ob Karibu-Herden in den Tiefluggebieten weiden. Gegebenenfalls würde dann dieses Areal für Übungsflugzeuge gesperrt, erklärte ein Sprecher des Ministeriums. Die Ureinwohner schenken diesen Zusicherungen wenig Glauben, da die Tiere aufgrund der Farbe ihres Felles, das der Umwelt angepaßt ist, aus größerer Entfernung nicht leicht zu erkennen sind.

Mit der Verringerung der Karibu-Bestände droht den Innu auch der Verlust ihrer Kultur und Identität. Besitzen die Tiere doch eine maßgebliche Bedeutung in der Kultur der Ureinwohner, da sie nach Überlieferung der Innu eine Seele haben. Alle Lebewesen sind nach dem Glauben der Innu einzelnen Stämmen zugeordnet, deren Schicksal von einem geistigen Oberhaupt gelenkt wird. Wenn der Jäger auch zukünftig erfolgreich sein will, muß er durch Tanz, Gesang oder einen Traum Kontakt mit diesem Oberhaupt aufnehmen. Alle Jagdriten müssen streng beachtet werden. So bestreiten viele Innu mit der Jagd nicht nur ihre Lebensgrundlage, sondern nehmen auch mit ihren geistigen Oberhäuptern Kontakt auf. Eine Vernichtung der Karibu hätte eine Zerstörung der Kultur und Identität der Ureinwohner zur Folge.

Angesichts der drohenden Gefahren leisten immer mehr Innu Widerstand gegen die zunehmende militärische Nutzung ihres Landes. Zwar werden die Tiefflüge nicht über den Siedlungen der Ureinwohner durchgeführt, sie beeinträchtigen jedoch Jagdcamps der Innu in den Wäldern Ntesinans. Die Ureinwohner verlangten bereits 1984 ein Tiefflugverbot in einem Umkreis von 30 Meilen um ihre Jagdlager. In einer gemeinsamen Erklärung äußerten 1985 Innu aus verschiedensten Siedlungen ihren Protest gegen den fortgesetzten Mißbrauch ihres Landes. Da ihnen nur wenig Aufmerksamkeit geschenkt wurde, gingen die Ureinwohner zu spektakuläreren Aktionen über.

Mehrmals besetzten sie Bombenabwurfplätze oder die Rollbahn des Luftwaffenstützpunktes Goose Bay. Hunderte Demonstranten wurden verhaftet und wegen »widerrechtlichen Betretens« der Militärbasis vor Gericht gestellt. Meist wurden sie zu Haftstrafen verurteilt. Weltweites Aufsehen erregte im April 1989 ein Freispruch von vier Angeklagten. Der Richter des Bezirksgerichtes Happy Valley/Goose Bay begründete die ungewöhnliche Entscheidung damit, daß die Innu in gutem Glauben davon ausgegangen seien, daß sie sich auf ihrem eigenen Land befänden. Diese Überzeugung sei ihnen auch nicht vorzuwerfen, da die Urbevölkerung das Land niemals an Kanada abgetreten hätte. Der Entscheidung kam symbolische Bedeutung zu, da mit ihr erstmals ein Gericht die fortdauernde Geltung der Landrechte der Innu anerkannte.

Seit Jahrzehnten weisen die Ureinwohner darauf hin, daß sie niemals Land an europäische Kolonialherren oder an Kanada abgetreten und sie somit ihre territoriale Souveränität nicht eingebüßt haben. Die kanadische Regierung bestreitet entschieden diese Rechtsauffassung. Da die Ureinwohner mit den in ihr Land gekommenen europäischen Siedlern keine Verträge unterzeichneten, werden sie heute als sogenannte Nicht-Status-Indianer behandelt, die keine rechtlichen Ansprüche auf ihr Land geltend machen können. Trotzdem erklärte sich die kanadische Regierung angesichts der wachsenden Proteste von Nicht-Status-Indianern zu Landrechtsverhandlungen bereit, die jedoch einen längeren Zeitraum in Anspruch nehmen würden. Die Innu sind überzeugt, daß sie dafür keine Zeit mehr haben, da sich der Ausgang ihres Überlebenskampfes sehr bald entscheiden wird.

Neben vielen spektakulären Landbesetzungen versuchten die Innu bislang erfolglos, vor Gericht eine Einstellung der Tiefflüge durchzusetzen. Auf Einladung der Gesellschaft für bedrohte Völker und verschiedener Anti-Tieffluginitiativen informierten Innu-Vertreter bei mehreren Besuchen in Deutschland Politiker und Journalisten, aber auch die in unserem Land von Tiefflügen betroffene Bevölkerung über die katastrophalen Folgen des Tiefflugexports. Unterstützung erhielten die Innu ebenfalls von anderen indianischen Völkern Nordamerikas. So schloß die Vertragsgemeinschaft indigener Völker Nordamerikas (Treaty Alliance of Northamerican Aboriginal Nations) am 7. Juli 1989 einen Verteidigungspakt, in dem sie sich gegenseitige Hilfe zusicherten. Die Vertreter der 15 indigenen Völker Nordamerikas, die die

Vereinbarung unterzeichneten, warnten vor der Zerstörung der Lebensgrundlagen der Innu durch die militärische Nutzung ihres Landes und versprachen, gemeinsam mit den Innu Widerstand zu leisten. Ungeachtet der Proteste sieht die Zukunft der Innu düster aus. Ein Ende der Tiefflüge ist nicht absehbar, es ist sogar mit einer weiteren Ausweitung der Tiefflüge zu rechnen.

Claudia Bußmann
**Der Rabe und die Zeder:**
**Kahlschlag in British Columbia**

Kanada holzt ab. In ganz British Columbia sind 250 000 Quadratkilometer unberührter Nadelwälder vom Kahlschlag bedroht – neun Quadratkilometer pro Tag werden abgeholzt. Besonders betroffen ist eine der letzten Urwaldflächen an der Pazifikküste des Bundesstaates. Kanadas Wirtschaft beruht auf dem ruinösen Abbau und Export seiner Rohstoffe – Holz, Uran und Öl. Wie so oft ist der Schauplatz Indianerland. Verarbeitende Industrie gibt es so gut wie nicht. Einmal kahlgeschlagen, kann das vielfältige, bisher wenig erforschte Ökosystem des kanadischen Regenwaldes sich kaum wieder erholen – schon die minimalen Monokultur-Aufforstungsprogramme des Forstministeriums können nicht nach Plan durchgeführt werden – Bäume pflanzen ist einfach zu teuer.

Betroffen vom Abholzen ihrer Wälder sind zum Beispiel die Lil'wat im Stein Valley in Nordost-British Columbia, die Haida auf den Queen Charlotte Inseln und die Haisla sowie die Nootka auf Vancouver Island. Mit Blockaden versuchen die Lil'wat im Stein Valley oder die Friends of Carmanah/Walbran auf Vancouver Island, die großen Holzkonzerne wie McMillan Bloedel und Fletcher Challenge zu stoppen. Bisher mit wenig Erfolg. Selbst das deutsche Fernsehen zeigte Bilder von der gewaltsamen Räumung der Lil'wat-Blockade und dem Abholzungswahn auf Vancouver Island. Die kanadische Öffentlichkeit wurde aufgeschreckt: das Image der »sauberen« Indianerpolitik ist angeschlagen. Neuverteilung der Holzrechte, selektive Forstwirtschaft, Aufbau einer ökologisch orientierten verarbeitenden Holzindustrie und Anerkennung der Landrechte der indianischen Nationen wären eine Alternative.

Welche Bedeutung der Wald für die Indianer der Nordwestküste hat, erzählt ihre Schöpfungsgeschichte: »Rabe kam an eine Quelle nahe des Hauses, in dem der Himmelshäuptling wohnte. Dort setzte er sich hin und wartete. Die Tochter des Häuptlings kam heraus. Sie trug einen kleinen Eimer, mit dem wollte sie Wasser schöpfen. Als der Rabe sie kommen sah, verwandelte er sich in eine Zedernnadel, die auf dem Wasser trieb. Die Häuptlingstochter schöpfte sie mit dem Wasser in den Eimer. Als sie daraus trank, verschluckte sie dabei die Zedernnadel. Nach kurzer Zeit merkte sie, daß sie schwanger war und sie gebar einen Jungen.«[1] Am Ende stiehlt der aus einer Zedernnadel neugeborene Rabe die Lichtbüchse des Himmelshäuptlings, entkommt gerade noch in seinem Rabengefieder durch das Himmelsloch und bringt den Menschen und sich selbst das Licht, das sie zum Fischen, Sammeln und Jagen brauchen. Zeder, Leben und Licht sind eng miteinander verbunden.

»Die Zeder«, sagt ein Haisla-Häuptling, »ist eine Gabe Gottes, die wir auf viele Weisen nutzen. Die Männer machen aus ihrem Holz Kanus, Häuser und Totempfähle, die Frauen flechten aus ihrem Bast Körbe, Wiegen und Kleidung. Die Heilkundigen nutzen die ätherischen Öle.«[2]

Für die Indianer der amerikanischen Nordwestküste von Washington State bis Alaska gibt es zwei Lebenswelten: Im Sommer das »Draußen« der Sommerdörfer in der felsigen Küstenregion mit ihren Inseln und im Winter – bis zu 40 Kilometer von der Küste entfernt – das »Innen« der Winterdörfer an den ins Festland ragenden Fjorden, Flußsystemen und Wäldern. Die Nordwestküsten-Indianer lebten vor allem vom Fischfang. Ihr Winter- und Sommerzyklus und ihr Umzug in die jeweiligen Dörfer richtete sich nach dem jeweiligen Fischvorkommen.

Um Kanubesitzer und damit Fischer werden zu dürfen, mußte ein junger Mann in der Wildnis viele Tage lang fasten, meditieren und mit einem bestimmten Lied darum bitten, daß ein Baum sich entschließe, sein Kanu zu werden. Dann errichtete der junge Mann sein Lager am Fuße des Baumes, der ihn wählte und blieb

dort so lange, bis der Baum ihn alle Pflichten und Verantwortlich-
keiten des Kanu-Besitzes gelehrt hatte. War der Baum mit den
Lernerfolgen des jungen Mannes zufrieden und hielt er ihn reif
für den Besitz eines Kanus, so brachte er ihm bei, ihn zu fällen.[3]

Der Wald war, nicht nur der Zedern wegen, ein wichtiger
Lebensbereich beispielsweise der Nootka auf Vancouver Island,
die sich selbst Nuu-chah-nulth nennen. Die Männer versorgten
die Gemeinschaft mit Fleisch und Fellen von Bären, Nerzen,
Mardern, Waschbären und Bibern. Die Frauen sammelten von
April bis Dezember eine Vielzahl von Beeren, Wurzeln, Früchten, Kräutern und Blumen. In Kuchenform getrocknete Heidel-
beeren waren zum Beispiel ein wichtiger Nahrungsvorrat für den
Winter. Die Nootka-Frauen schälten im Juli die Zedernrinde, um
aus ihr den Bast herzustellen. Aus solchen Fasern machten sie
Hüte, Körbe, Matten, Decken, »Tapeten« für die Langhäuser,
Taue, Netze, Fischreusen und Babykrippen, Unterwäsche, Klei-
der und Regencapes.

Heute wird der Lebensraum der Nootka Tag für Tag kleiner.
Aus dem Wald haben die fleißigen Konzerne 1988 90 Millionen
Kubikmeter Holz »geerntet«. 2,5 Millionen LKW-Ladungen wurden zu den Säge- und Papiermühlen transportiert. Jahrhundertealte Baumriesen werden dort in Minutenschnelle zu Brettern,
Balken und Planken zersägt oder zu Zellstoff und Zeitungspapier
verarbeitet, und nach USA, Europa und Japan verschifft.

Im Carmanah Valley, Nuu-chah-nulth-Regenwald auf Vancouver Island, stehen riesige, zwischen 50 und 100 Meter hohe, zum
Teil über tausend Jahre alte Bäume, die für die Indianer den
Himmel mit der Erde und die Erde mit dem Himmel verbinden.
Die Baumwipfel entziehen sich dem Blick – erst recht, wenn es
regnet und die Feuchtigkeit über dem Tal hängt. Mit 1500–5000
Millimeter jährlicher Niederschlagsmenge gehört Carmanah zum
letzten Rest (3 Prozent) temperaten Regenwaldes[4] auf Vancouver Island. Die Bäume, die noch stehen, sind 350 bis 800 Jahre alt.
Umgestürzte Stämme brauchen bis zu 500 Jahre, um vollständig
zu zerfallen. Sie bilden die Grundlage zur natürlichen Verjüngung
des Waldes.

Der Holzkonzern McMillan Bloedel möchte kahlschlagen. Wie
im Nachbartal Walbran Valley, das McMillan sich mit seinem
neuseeländischen Kollegen Fletcher Challenge teilt. Die Baumriesen sollen für den Profit der Holzgiganten fallen – 45 000 kana-

dische Dollar pro Stamm. Ein jahrtausendealtes Ökosystem wird vernichtet: Vor allem für Zellstoff, der auch nach Deutschland exportiert wird – vielleicht für die Morgenzeitung? McMillan Bloedel beliefert nach Greenpeace-Informationen die München-Dachauer (MD) in Dachau und Haindl in Augsburg mit Zellulose. Haindl und MD wiederum sind neben der Feldmühle, die sich ebenfalls mit kanadischem Holz beispielsweise aus Alberta bedienen läßt, Papierlieferanten für den bundesdeutschen Zeitschriftenmarkt.[5]

Vor Ankunft der Europäer 1774 lebten bis zu 200 000 Indianer an der Küste des späteren British Columbia. Hundert Jahre später war die Bevölkerung um 80 Prozent dezimiert, zum Beispiel durch von Europäern verursachte Pockenepidemien. In British Columbia gab es weder Indianerkriege noch Verträge mit der kanadischen Bundes- oder Provinz-Regierung – die Kolonisation British Columbias fand auf dem Papier statt.

Der britische Kapitän George Vancouver handelte um 1790 den Spaniern das Land zwischen San Blas und den Queen Charlotte Inseln für die englische Krone ab. Grund für das ausgeprägte britische Interesse an diesem Küstenstreifen war ein lukrativer Dreieckshandel: Englische Händler erwarben von den Nuu-chah-nulth Seeotterfelle, die in China gegen Silber, Gewürze und Tee getauscht wurden. Diese Waren wurden auf dem europäischen Markt gewinnbringend verkauft.

1871 trat British Columbia der kanadischen Föderation bei. Damit wurden die indianischen Nationen aus weißer Sicht automatisch Teil des Reservationssystems des bundeseigenen Department of Indian Affairs (DIA). Außerdem unterlagen sie plötzlich den Bestimmungen des »Indian Act«, einem Beispiel kanadischer kolonialistischer Gesetzgebung par excellence. So wurden 1884 durch einen Zusatz zum Indian Act die Feste der Nordwestküsten-Indianer, Mittelpunkte ihrer Kultur, verboten. Bis heute ist der Indian Act – zwar in einigen Teilen modifiziert – aus eurokanadischer Sicht die gesetzliche Grundlage der Beziehungen zwischen der kanadischen Regierung und den indianischen Nationen.

Ein Kuriosum der rechtlichen Situation besteht darin, daß die kanadische Bundesregierung die »Verantwortung« für Indianer und indianisches Reservationsland übernahm, die Provinz jedoch alles Land kontrolliert. Seitdem ist die Souveränitätsfrage ein

Dauerkonflikt zwischen indianischen Nationen, Provinz- und Bundesregierung. 1876 und 1913 wurden gemeinsame Kommissionen aus Bund und Provinz eingesetzt, die die Landrechtsfrage endlich klären sollten. Das Ergebnis waren 871 Reservate an der NW-Küste, meist kleine Landparzellen, die verstreut auf den bisherigen indianischen Territorien lagen. Grundlage der »Zuteilung« waren oft die zum Zeitpunkt der Festlegung genutzten Dörfer und Fischgründe. Indianische Konzepte des Land»besitzes« wurden nicht berücksichtigt – und schon gar nicht der ökonomische Zwei-Phasen-Jahreszyklus von innen und außen, die damit verbundene Nutzung der Küste, der Flußsysteme und des Waldes. Mit der Landnahme wurden auch indianische Kultur und wirtschaftliche Unabhängigkeit zerstört. Dabei besaß keine der beiden Kommissionen irgendeine Autorität, Verträge zu schließen oder indianische Landrechtstitel zu löschen. Einfach ignoriert wurde auch die immer noch geltende Rechtsprechung der britischen Krone in Form der Royal Proclamation von 1763. Danach durfte indianisches Land nur von Europäern besiedelt werden, wenn ein Kaufvertrag der Krone vorlag.

Der indianische Widerstand gegen die kanadische Kolonisation begann mit der eurokanadischen Landnahme. Seitdem formierten sich immer wieder indianische Allianzen in British Columbia, um für ihr Land und ihre Souveränität zu kämpfen. Heute ist vor allem der Widerstand der Nuu-chah-nulth, der Gitskan-Wet'suwet'en und der Lil'wat öffentlichkeitswirksam geworden.

Die Position der Indianer ist klar: Ihre Geschichte begann nicht mit der europäischen Kolonisation und wird auch nicht mit ihr enden. Zu den Kahlschlagpraktiken von McMillan Bloedel auf Vancouver Island und den Profiten der kanadischen Regierung an den Bäumen heißt es in einer Erklärung des Nuu-chah-nulth-Stammesrates: »Wir haben Schwierigkeiten mit dem Begriff Landrechtsansprüche. Wir fordern kein Land, weil uns nicht etwas gegeben werden kann, das wir nie aufgegeben haben.« Sie fordern die Erarbeitung einer politischen Übereinkunft zwischen der eurokanadischen und der Nuu-chah-nulth-Rechtsprechung. Das Ziel ist eine friedliche Koexistenz, bei der sowohl die Vorstellungen der Indianer als auch das politische System der europäischen Einwanderer gleichermaßen berücksichtigt werden.

Der oberste Richter von British Columbia sieht den Fall ganz anders. Die Gitskan-Wet'suwet'en hatten bei ihm eine Landrechtsklage eingereicht, um ihr Gebiet vor den Holzkonzernen zu schützen. Im März 1991 entschied Richter Allan McEachern nach vierjähriger Bedenkzeit, die Gitskan-Wet'suwet'en hätten ihre Landrechte und Jurisdiktion verloren – durch die simple Tatsache, daß ihr Land von Weißen schon längst besiedelt worden ist. Den Indianern bleibt die Möglichkeit, sich an das Appellationsgericht von British Columbia zu wenden – zuständiger Richter ist ebenfalls McEachern. 499 Jahre nachdem Columbus das erste Mal amerikanischen Boden betreten hatte, bemerkte der oberste Richter der kanadischen Provinz in seinem Urteil, die indianischen Nationen könnten das Land ja wieder nutzen, wenn die Holzkonzerne ihren Kahlschlag beendet hätten.[6]

Bevor die Polizei im Februar 1991 ihre Blockade räumte, richteten die Lil'wat einen Appell an die Öffentlichkeit: »Die Lil'wat kämpfen um das Recht, über ihr Land selbst bestimmen zu können, und darum, es vor weiterer Zerstörung durch Kahlschlag zu schützen. Seit der Pockenepidemie (um 1775, C. B.) begraben wir hier unsere Toten. Indianische Ärzte suchten hier Stärkung ihrer Heilkraft. Ihre Visionen zeichneten sie auf die Steine. Viele dieser Bilderschriften wurden schon von dem Holzkonzern International Forest Products bei den Kahlschlägen zerstört. Heute widersetzen wir uns der Festnahme durch die Polizei.«[7]

Das Leben der Bäume ist das Leben der Menschen, sagen die Indianer. An der Küste British Columbias wurden schon 90 Prozent der Bäume des Regenwaldes geschlagen. Wenn nichts getan wird, wird hier in 20 Jahren kein alter Baum mehr stehen.

[1] Version nach Frederik Hetman: Indianermärchen aus Kanada, Frankfurt/Main 1978, S. 21–28
[2] Nethöfel/Schmidt 1987, S. 130
[3] Vine Deloria jr. 1977: Indians of the Pacific Northwest, Garden City, S. 32 f.
[4] Die »temperaten« Regenwälder unterliegen im Gegensatz zu den »tropischen« Regenwäldern dem Einfluß der vier Jahreszeiten, d. h. Temperatur- und Niederschlagsschwankungen.
[5] Greenpeace Magazin, 5/1991, S. 25 ff; sowie »Das Plagiat«. Umweltkiller Druckpapier, Greenpeace 1991, S. 11.
[6] Survival International Nr. 29/1991, The Friends of Clayoquout Sound, CS Quarterly 2/91
[7] CS Quarterley 15/2

*Literatur:*
Nethöfel, Wolfgang/Schmid Viola: Rabe fliegt nach Osten, Washington 1987

# Dionys Zink
## Lubicon Cree mit internationaler Unterstützung gegen Papierhersteller

Die Lubicon Cree sind Teil der westlichsten Cree-Gruppen und gehören zur Sprachfamilie der Algonkin. Um die Jahrhundertwende siedelten die noch etwa 3000 Lubicon Cree am gleichnamigen See im Norden der Provinz Alberta. Als die Regierungskommission in dieser Zeit Verträge mit den Ureinwohnern West-Kanadas abschloß, wurden sieben Cree-Gruppen – darunter die Lubicon – übersehen, da sie in einem sehr unzugänglichen Gebiet lebten. Die wenigen Begegnungen zwischen Weißen und Lubicon Cree waren verhängnisvoll. Fast 90 Prozent der Indianer starben vor dem Ersten Weltkrieg an einem eingeschleppten Grippevirus, eine Katastrophe, von der sich die Gruppe bis heute nicht wieder erholen konnte, nicht zuletzt wegen der unzulänglichen hygienischen Verhältnisse in ihrem Dorf Little Buffalo.

Erst in den 30er Jahren kamen die Lubicon wieder mit der kanadischen Obrigkeit in Kontakt. Die kanadische Seite versprach, ein Reservat einzurichten. Einige Indianer hielten die Vertragsbedingungen für unannehmbar, wurden jedoch unter Gewaltanwendung zum Schweigen gebracht. Aufgrund des Zweiten Weltkriegs kam es nie zur Unterzeichnung eines Vertrages oder zur formalen Einrichtung eines Reservats, da Vermessungspersonal knapp war. Auch später bemühte sich die Regierung nicht darum.

Anfang der 70er Jahre wurde eine Straße in das bis dahin nur zu Fuß erreichbare Gebiet der noch etwa 500 Lubicon Cree, 100 Kilometer östlich der Stadt Peace River gebaut, denn man hatte in der Provinz Alberta Ölvorkommen entdeckt. Die Erschließungsmaßnahmen durch etwa 80 Erdölunternehmen an mehr als 500 Bohrlöchern zerstörten die traditionelle Lebensweise der Indianer, die bis zu dieser Zeit von der Jagd und der Fallenstellerei gelebt hatten. Mehr als 90 Prozent der Cree verloren ihre Lebensgrundlage und sind heute von staatlicher Wohlfahrt abhängig.

Seit Beginn der Erschließung setzen sich die Lubicon mit allen Mitteln zur Wehr. Sie fordern die Einrichtung ihres Reservats, die Kontrolle über Wald- und Wildbestand sowie 200 Millionen kanadische Dollar Entschädigung für die Ausbeutung der Erdölvorkommen durch fremde Konzerne. Angesichts der Steuergewinne in Milliardenhöhe, die die kanadische Regierung durch die Erdölförderung erzielt, sind die Forderungen der Cree eher bescheiden.

Mit medienwirksamen Aktionen konnten die Indianer weltweit Sympathie gewinnen – wie bei ihrem Boykott des Rahmenprogramms der Olympischen Spiele in Calgary 1988. Im darauffolgenden Herbst errichteten die Lubicon Cree gemeinsam mit Kanadiern und zahlreichen Unterstützern aus Europa symbolische Blockaden der Zufahrtsstraßen in ihr rund 12 000 Quadratkilometer großes traditionelles Jagdgebiet. Die kanadische Regierung trieb die friedliche Demonstration mit Anti-Terror-Einheiten, ausgerüstet mit Hubschraubern, Maschinengewehren und Polizeihunden, auseinander. Unmittelbar danach schlossen der amtierende Premier der Provinz Alberta, Don Getty, und der Chief der Lubicon Cree, Bernard Ominayak, das sogenannte »Grimshaw-Agreement«, in dem die Landrechte der Indianer im Prinzip zwar anerkannt werden. Doch gelang es ihnen nicht, auch mit der kanadischen Bundesregierung zu einem Ergebnis zu kommen. Prime Minister Mulroneys Regierung versucht noch immer, mit allen Mitteln eine Lösung für die Lubicon Cree zu verhindern.

Mehrere Versuche der kanadischen Regierung, die Führung der Lubicon durch Bestechung und juristische Spitzfindigkeiten der Kolonialgesetzgebung ruhigzustellen, scheiterten 1989/90 am Zusammenhalt der Indianer. Die Bedrohung der Lubicon Cree wächst durch die rücksichtslosen Wirtschaftsprogramme der Provinzregierung, die dem Kahlschlag des waldreichen Lubicongebiets durch japanische Großkonzerne den Weg geebnet haben.

Am 22. September 1990 wurde die neue Zellstoffmühle der japanischen Firma Daishowa in Peace River offiziell eröffnet. Daishowa, einer der größten Zellstoffproduzenten der Welt, ist auch in Europa bekannt. Das Deutsch-Japanische Center in Düsseldorf vertritt offensichtlich Daishowas Interessen in Europa. Daishowas Tochterunternehmen Canfor versorgt laut Informationen von Greenpeace unter anderem die »Feldmühle AG« in Düsseldorf mit Zellstoff.

Schon seit 1982 holzt Daishowa Wald im Wood Buffalo National Park ab. In diesem Naturschutzgebiet lebt die letzte große Waldland-Büffelherde. Das Unternehmen versucht gegenwärtig, sich den Verzicht auf weiteren Einschlag von der kanadischen Bundesregierung durch die Gewährung eines zinslosen Kredits in Höhe von 12,5 Millionen Dollar honorieren zu lassen. Andernfalls werden Daishowa-Subunternehmer bis ins nächste Jahrtausend weiter kahlschlagen. Nun erklären die angeblich für den Naturschutz zuständigen Stellen, daß die Büffelherde aus seuchenhygienischen Gründen abgeschossen werden muß. Zusammen mit Mitsubishi hat Daishowa Kahlschlagrechte in Kanada für eine Fläche, die etwa einem Drittel des japanischen Staatsgebiets entspricht. Die Umweltschäden, die das Bleiche-Verfahren bei der Herstellung des Zellstoffs anrichtet, sind so gravierend, daß diese Produktionsweise in Japan verboten ist. Die kanadischen Behörden, allzeit verschwenderisch mit dem natürlichen Reichtum ihrer eingeborenen Völker, drücken sich mit dem Hinweis auf Arbeitsplätze um ihre Verantwortung.

Forstwirtschaft fällt in die Zuständigkeit der Provinzregierung. Alberta ist bekannt für seine liberale Praxis im Umgang mit den Interessen großer Papierkonzerne. So verkaufte die Regierung unter Premier Don Getty und dem Forstminister Leroy Fjordbotten im März 1988 Holzeinschlagsrechte auf 22 000 Quadratmeilen (das sind etwa 56 980 Quadratkilometer) in den nördlichen Waldgebieten der Provinz an das kanadische Tochterunternehmen der Firma Daishowa, an Mitsubishi und den Pampers-Hersteller Procter & Gamble. Fjordbotten ist neben seiner Tätigkeit als Forstminister auch zuständig für den »Western Diversification Fund«, der die wirtschaftliche Entwicklung des kanadischen Westens vorantreiben soll. Der Minister bewilligte also auch die Fördergelder, die Daishowa für den Bau der Zellstoffmühle in Peace River einstrich. Einen Interessenkonflikt sah »Entforstungsminister« Fjordbotten darin offensichtlich nicht.

Die Holzeinschlagrechte erstrecken sich über das gesamte Jagdgebiet der Lubicon Cree. Ähnlich wie bei den Genehmigungen für die Ölindustrie in den 70er Jahren verkauft Alberta damit Ressourcen eines Landes, das nach indianischer Auffassung weder kanadisches Hoheitsgebiet noch Eigentum der Provinz ist. Die Rechtsprechung bietet keinen Ausweg, da es den Regierungsstellen immer wieder gelingt, die Gerichtsverfahren zu verschleppen, bis entweder kein Geld mehr zur Verfügung steht oder die indianische Seite so erschöpft ist, daß der Durchhaltewille verlorengeht und ihr Zusammenhalt zerbricht. Dann kann sich die Regierung nach immer noch geltendem Kolonialrecht mit einer ihr genehmen, zermürbten Splittergruppe einigen und damit weitere Ansprüche der ganzen Gruppe tilgen.

Die Lubicon Cree versuchten, statt einer juristischen eine politische Lösung zu erreichen. Daishowa erklärte bereits im Frühjahr 1988, einer solchen Lösung nicht im Weg stehen zu wollen und vereinbarte daher mit den Indianern, so lange Zurückhaltung zu üben, bis die Landrechtsfragen geklärt seien. Mittels der schon erwähnten Strategien erreichten die kanadischen Regierungsbehörden, daß bis heute keine Einigung erzielt werden konnte.

Im Sommer 1990 unternahm Daishowa Anstrengungen, das geschlossene Abkommen mittels Subunternehmern zu umgehen. Die Firma hatte schon vorgesorgt. Im September 1989 schlossen die Provinzregierung von Alberta und Daishowa ein Abkommen, welches die Zahlung von 28 Cents pro Kubikmeter Hartholz und zwei Dollar pro Kubikmeter Weichholz an die Provinz vorsieht. Damit sind 16 Bäume von 16 Metern Höhe etwa 1,40 Dollar wert. Nach der Umwandlung in chlorgebleichten Zellstoff steigt der Wert etwa auf 950 Dollar. Der Preis der Papiermenge, die daraus gewonnen wird, kann zwischen 1300 und 2000 Dollar betragen.

Im Herbst 1990 wurde dem Chief Bernard Ominayak ein Schreiben zugestellt, in dem es heißt, daß bereits für die Saison 1990/91 fünf große Flächen auf dem Gebiet der Lubicon Cree zur Abholzung freigegeben wurden. Eine der Flächen schließt sich unmittelbar an den Bereich an, in dem die Lubicon Cree ihr Reservat einrichten wollen. Auf den Protest der Cree engagierte Daishowa einen ehemaligen Klatschkolumnisten als PR-Mann, der dann verlautbarte, daß Daishowa keine Absicht habe, das Abkommen zu verletzen, die Firma nicht für die Handlungen ihrer Subunternehmer verantwortlich sei und diese sich ohnehin aus den Bereichen, die für die Lubicon Cree von besonderem Wert seien, heraushielten.

Wiederholt wurde den Lubicon untersagt, auf dem Gebiet, das Daishowa von der Provinz Alberta erworben haben will, zu jagen. Die Provinzregierung bestimmte diese Gebiete kurzerhand zu Wildschutzzonen. Auf die Anfrage, was mit dem Wild geschehe, wenn der Wald abgeholzt sei, erklärten die Daishowa-Vertreter in einem Gespräch am 24. September 1990, die Gegend sei ein

Wild-, kein Waldschutzgebiet. Daraufhin kündigten die Lubicon Cree an, daß sie jede Aktivität der Holzfäller auf ihrem Territorium unterbinden würden, auch wenn es sich um Subunternehmer handele, da diese zu 100 Prozent der Firma Daishowa Canada Ltd. gehörten. Davon abgeschreckt, verzichteten Daishowa und eine ganze Anzahl von Subunternehmern auf Operationen im Gebiet der Lubicon während der Saison 1990/91.

Doch die Firma Buchanan Lumber begann Ende Oktober 1990 im Auftrag Daishowas mit Vorbereitungen zur Abholzung. Chief Bernard Ominayaks »trapline« (Fallenstrecke) wurde von Bulldozern für Transportwege plattgewalzt. Im November wurden Angehörige der Firma Brewster im Gebiet der Lubicon angetroffen. Der Firmenleiter Lyman Brewster dementierte Gerüchte, sein Unternehmen bereite den Kahlschlag vor. Daishowa dagegen kündigte an, daß Brewster mit der Arbeit demnächst beginnen würde. Die Antwort der Lubicon Cree kam postwendend: Am 24. November 1990 wurde das Camp von Buchanan Lumber zerstört. Der Wert der vernichteten Ausrüstungsgegenstände wird auf 20 000 bis 50 000 Dollar geschätzt. Als Folge dieser Notwehraktion stehen mehrere Angehörige der Lubicon Lake Indian Nation seit Frühjahr 1991 vor Gericht. Unter den Angeklagten befindet sich auch Chief Bernard Ominayak.

Seither bestreitet Daishowa die Existenz irgendeines Abkommens mit den Lubicon Cree. Gespräche zwischen den Indianern und Firmenvertretern verliefen erfolglos. Daraufhin reisten Chief Bernard Ominayak und Fred Lennarson, politischer Berater der Lubicon, auf Einladung japanischer Unterstützer nach Japan, um dort mit Spitzenvertretern Daishowas zusammenzutreffen. Die Firma lehnte es jedoch ohne Begründung ab, mit der Delegation einen Termin zu vereinbaren. Lennarson bezeichnete den Japanbesuch trotzdem als vollen Erfolg, da sich jetzt auch verschiedene japanische Parlamentsausschüsse und eine Ethikkommission der japanischen Wirtschaft mit dem Thema befassen. Meldungen aus Japan deuten an, daß sich Daishowa gegenwärtig in einem desolaten Zustand befindet. Auch wird davon gesprochen, daß die Firma die mittels hoher kanadischer Subventionen erstellte Papiermühle in Peace River wieder verkaufen muß. Die Preisvorstellungen bewegen sich in der Höhe von einer Milliarde kanadischer Dollar. Einer der möglichen Käufer ist das japanische Handelshaus Marubeni, das zusammen mit Daishowa bereits Firmen in Vancouver/Kanada und auch in Düsseldorf besitzt. Daher fordern die Lubicon und ihre Unterstützer dazu auf, sich an die Konzernleitung Marubenis zu wenden, um auch dieser Firma ihre möglichen Verpflichtungen im Falle eines Kaufs der Peace River-Papiermühle deutlich zu verstehen zu geben.

Vor diesem Hintergrund ist zu befürchten, daß Daishowa erneut und mit größerem Aufwand, vermutlich unter Polizeischutz, versuchen wird, das Gebiet der Indianer abzuholzen. Die politischen Berater der Lubicon Cree wie auch die europäischen Unterstützungsorganisationen sind der Überzeugung, daß dies das Ende der Lubicon Cree bedeuten würde. Damit würde auch eine Lebensweise untergehen, die ein Beispiel ist für die mögliche friedliche Koexistenz von Natur und Mensch in einem großen, unberührten Waldgebiet im Nordwesten Kanadas.

Die Lubicon bemühen sich schon mehr als ein halbes Jahrhundert um die Anerkennung ihrer Landrechte. Ihre Hartnäckigkeit und Ausdauer haben einen hohen Symbolwert für alle eingeborenen Völker Kanadas. Sollten sie scheitern, gehen mit ihnen auch die Hoffnungen vieler anderer Indianer zugrunde, deren Land- und Menschenrechte noch immer von der kanadischen Regierung mit Füßen getreten werden. Zwar verurteilte die Menschenrechtskommission der Vereinten Nationen Kanada wegen der anhaltenden Bedrohung der Lubicon Cree, doch zeigte dies keine Wirkung. Verantwortung für skrupellose Ausbeutung des Indianerlandes tragen auch Europäer. Auch wir sind gefordert, den Menschenrechten Geltung zu verschaffen.

Gundula Zeitz
## James Bay Cree contra Staudämme

Kanada, eines der reichsten Länder der Erde, vermarktet seine natürlichen Ressourcen und zerstört dabei die Siedlungsgebiete seiner Ureinwohner. Die kanadische Politik setzt zur Sicherheit des künftigen Energiebedarfs im eigenen Land, aber auch für Millionengeschäfte mit den USA, verstärkt auf den Ausbau von

Wasserkraftwerken an der James Bay, der südlichen Ausbuch-
tung der Hudson Bay. So läßt die kanadische Provinz Quebec in
den borealen Nadelwäldern der Region seit Beginn der 70er
Jahre den größten hydroelektrischen Komplex der Welt errichten. Mehr als 27 000 Megawatt elektrischer Leistung sollen die
gigantischen Wasserkraftanlagen, so die Pläne des Energiekonzerns »Hydro Quebec«, am Anfang des nächsten Jahrtausends
bereitstellen – eine auf den ersten Blick saubere Lösung im Vergleich zu Kraftwerken, die fossile Brennstoffe oder Atomenergie
nutzen.

Die etwa 6000 Quebecer James-Bay-Cree, Nachfahren einer
Jägerkultur, die seit mindestens 7000 Jahren an den Küsten der
Hudson Bay leben und vielerorts ihre traditionelle Lebensweise
bis heute bewahrt haben, sehen das anders. Das »Projekt des
Jahrhunderts«, das der Ministerpräsident der Provinz, Robert
Bourassa, in den 70er Jahren zum Wahlkampfthema machte,
bedroht ihre Existenz. Denn die scheinbar so saubere Energie
wird zu Lasten eines einzigartigen Ökosystems produziert, das
nicht nur die Lebensgrundlage für zahllose seltene Tierarten
bildet, sondern auch für die Cree, die bis heute vorwiegend von
der Jagd und vom Fischfang leben.

Über die Hälfte der gigantischen Staudämme, Elektrizitätswerke und Überlandleitungen sind seit 1971 bereits fertiggestellt
worden. In einem ersten Projektabschnitt im Gebiet des Großen
Flusses (La Grande Rivière) folgte dem rücksichtslosen Kahlschlag der Wälder der Bau von 1500 Kilometern Straße und fünf
Flugplätzen. 215 massive Dämme entstanden in kürzester Zeit in
einer Gegend, in der zwei Drittel des Jahres Winter herrscht, was
die Bauvorhaben erheblich erschwert. Die Betreiber von »Hydro-Quebec« setzten in der James Bay-Region mehr als 13 000
Quadratkilometer Land unter Wasser, eine Fläche etwa so groß
wie Schleswig-Holstein. Die Folgewirkungen dieses Vorgehens
wurden weder bedacht, noch ausreichend untersucht. Umweltschutzorganisationen meinen bereits, das Ausmaß der Zerstörung könne mit den ungeheuren Schäden verglichen werden, die
durch die Abholzung des Regenwaldes am Amazonas entstanden
sind. Zwar hat die Hydro Quebec Einzelstudien zu ökonomischen,
ökologischen und sozialen Auswirkungen vorgelegt, eine detail-
lierte Prüfung des Gesamtvorhabens steht allerdings bis heute
aus, es fehlt ein umfassendes Umweltverträglichkeits-Gutachten.

Die Cree sind seinerzeit über die ehrgeizigen Pläne der Bourassa-Regierung und des Energiekonzerns viel zu spät informiert worden. Sie protestierten sofort nach Bekanntwerden der Großvorhaben: »Wir wehren uns energisch gegen die Stauung unserer Flüsse, denn wir meinen, daß nur Biber das Recht haben, in diesem Land Dämme zu bauen«, hieß es vor 20 Jahren in einer der ersten Resolutionen der Ureinwohner gegen das Projekt.

Acht Cree-Gemeinden schlossen sich zum »Grand Conseil des Cris de Quebec« (GCCQ) zusammen, um die Kraftwerksgesellschaft und die Provinz Quebec wegen Mißachtung ihrer garantierten Landrechte zu verklagen. In einem aufsehenerregenden Verfahren wurde 1972 mit einer einstweiligen Verfügung ein kurzfristiger Baustopp erreicht. Die Provinzregierung strengte allerdings sofort ein Revisionsverfahren an, in dem die erste Entscheidung wieder aufgehoben wurde.

Die Indianer gaben nicht auf. Nach zähen Verhandlungen kam 1975 das sogenannte »James-Bay-Agreement« zustande, keinesfalls eine freiwillige Übereinkunft, wie einer der Mitunterzeichner der Cree, Billy Diamond, heute betont. In einer Publikation der International Workgroup for Indigenous Affairs (IWGIA) vom August 1991 schreibt er, die Indianer hätten damals unter dem Druck gestanden, sich entweder mit der Regierung auf dem Vertragswege zu einigen oder aber ohne jegliche Entschädigung vom technischen Fortschritt überrollt zu werden. Die Cree willigten schließlich ein, 1.156 Millionen Quadratkilometer ihres Landes gegen eine Entschädigung von 225 Millionen Dollar abzutreten, die innerhalb von 21 Jahren ausbezahlt werden sollten. Den James-Bay-Cree verblieben die alleinigen Jagd- und Fischerei-Rechte auf einer Fläche von 151 592 Quadratkilometern. Außerdem sprach man ihnen 10 543 Quadratkilometer Reservatsland zu. Als großen politischen Erfolg für sein Volk haben Diamond und andere damals auch jene Paragraphen des Abkommens gewertet, die die Provinzregierung von Quebec dazu verpflichteten, die Gesundheitsversorgung und die Sozialleistungen für die Cree zu verbessern. Quebec war gehalten, Gelder für eine von den Cree selbständig kontrollierte Gemeindeentwicklung und Wirtschaftsförderung zur Verfügung zu stellen. So entstand nicht zuletzt eine regionale Selbstverwaltung, die den Indianern auch die Aufsicht über ihr Erziehungswesen ermöglichen sollte.

»Hätte ich damals geahnt, wie sehr die vertraglichen Abmachungen interpretiert, verdreht und einfach ignoriert werden, hätte ich niemals unterschrieben«, bereut Diamond inzwischen seine Entscheidung. »Noch heute müssen wir darum kämpfen, daß die Vereinbarungen von der Quebecer Regierung erfüllt werden.« So starb in vielen Dörfern fast die Hälfte aller Kleinkinder an einer Magen-Darm-Epidemie, weil die Provinzregierung nicht für sanitäre Einrichtungen gesorgt hatte, obwohl sie nach dem Abkommen dazu verpflichtet war.

Auch hatten die Cree bei Vertragsabschluß nicht vorhersehen können, daß durch die Flutung riesiger Wälder organisches Quecksilber das Wasser vergiften würde. Es entsteht unter der Einwirkung von Fäulnisbakterien aus anorganischem Quecksilber, das im Felsgestein des kanadischen Schildes gebunden ist. Viele Tierarten werden dadurch belastet und geschädigt, so auch der Fischbestand, eine der wichtigsten Nahrungsgrundlagen der ortsansässigen Cree. Seitdem leiden viele von ihnen unter Quecksilbervergiftungen mit all den charakteristischen Schädigungen des Nervensystems. Hydro Quebec beruft sich darauf, daß die Konzentration des Metalls im Wasser im Laufe von 25 Jahren wieder abnehmen werde, nicht eben tröstlich für die heute Lebenden.

Der Elektrizitätskonzern bereitet seit 1990 die zweite Projektphase vor, den Great Whale-Komplex, der in seinen Ausmaßen und Auswirkungen die ersten Großanlagen noch bei weitem übertreffen dürfte. Geplant sind zunächst der Bau einer 500 Kilometer langen Straße sowie mehrerer Flughäfen. Danach sollen am Grande Rivière de la Baleine 4400 Quadratkilometer Land mit Hilfe von 125 Dämmen und Deichen unter Wasser gesetzt werden. Die Pläne der Hydro Quebec sehen im neuen Jahrtausend an den Flüssen Nottaway, Broadback und Rupert (im sogenannten NBR-Projekt) noch einmal die Flutung von 6000 Quadratkilometern Land vor. Wieder wurden die Cree an den Planungen nicht beteiligt.

Um die Fortführung des Milliarden-Dollar-Vorhabens ist jetzt ein heftiger Streit entbrannt. Die Indianer leisten erbitterten Widerstand. Ihre Vertretungen gingen erneut vor Gericht und erreichten im März 1991 mit einer einstweiligen Verfügung die vorläufige Einstellung der Bauarbeiten. Die Provinzregierung von Quebec ist nun zumindest verpflichtet worden, eine alle Projekte einbeziehende Umweltverträglichkeits-Analyse durchführen zu lassen, und zwar unter Beteiligung der Betroffenen. Auch die Bundesregierung in Ottawa hat sich eingeschaltet und erwägt, der Forderung nach einem umfassenden Umweltgutachten vor der Genehmigung weiterer Projekte nachzukommen. Ob die Cree nun wirklich erreichen können, daß die zweite Projektphase gestoppt wird, bleibt allerdings fraglich.

Auch in der Nachbarprovinz Ontario sind Cree von hydroelektrischen Großprojekten betroffen. Der dortige Energieproduzent »Ontario Hydro« vertritt das Argument, weitere Wasserkraftwerke seien notwendig, da auch im Norden der Provinz der Stromverbrauch stetig steige. Bis 1989 galten am Westufer der James Bay strikte Vorschriften für den Stromverbrauch. Der Strom wird hier noch mit Dieselgeneratoren erzeugt. Und so gestaltete sich das Leben der Ontario-Cree schon deshalb nicht eben einfach: Wenn Reg Loutit, Oberhaupt einer am Ontario-Ufer der James Bay lebenden Cree-Gemeinde mit 1200 Angehörigen, sich morgens Kaffee kocht, muß er zuerst seinen Kühlschrank ausschalten. Zwei elektrische Geräte zur gleichen Zeit betrieben, würden sein Stromnetz überfordern. Seit Jahren nimmt er dieses umständliche Frühstück in Kauf, denn er will ein Zeichen setzen gegen die Argumentation des Energieproduzenten.

Im April 1989 hob Ontario Hydro überraschend alle Einschränkungen auf, forcierte im Gegenteil durch Einbau stärkerer Generatoren den Stromverbrauch. Jetzt gilt hier wie auch im Süden des Bundesstaates: Je mehr Energie verbraucht wird, um so geringer die Grundgebühr. Loutit wundert das nicht mehr. Er sieht einen Zusammenhang damit, daß die Planer von Ontario Hydro im Dezember 1989 einen 25-Jahres-Plan vorlegten, der unter anderem den Bau von zwölf Dämmen an den Flüssen Moose, Abitibi und Mattagami vorsieht, die an der Mündung des Moose River in die James Bay fließen. Mit dem Bau von Straßen wurde bereits begonnen. In dem Plan heißt es nüchtern: »Der Charakter der durch das Moose River-Projekt betroffenen Gemeinden wird sich aller Wahrscheinlichkeit nach ändern.«[1]

Früher, so sagt Loutit, haben die Weißen Tee und Gewehre eingeführt, um die Menschen vom Pelzhandel abhängig zu machen, dann wurden Schulen gebaut, um die Anpassung zu fördern. »Jetzt wird durch die Abgabe riesiger Strommengen neue Abhängigkeit geschaffen: von der Bequemlichkeit elektrischer Haushaltsgeräte.«[2]

Auch die etwa 4000 Bewohner der Ortschaften Moose Factory und Moosonee am Ufer der Moose River-Mündung sind von den Plänen des Energiekonzerns betroffen. Die Moose-Cree sind sich der erwartbaren verheerenden Schäden an der Natur, wie sie durch das James Bay-Projekt am Ostufer der Bucht bereits entstanden sind, nur zu bewußt. Derweil spielen die Offiziellen von Ontario Hydro die Folgen ihrer Pläne herunter: Schließlich gebe es am Flußlauf des Moose River bereits Dämme, auch werde die Region erheblich stärker geschont als etwa der Norden Quebecs. Der 25-Jahres-Plan wird zwar bei öffentlichen Anhörungen diskutiert, doch Ontario Hydro behandelt, wie seinerzeit Hydro-Quebec, jedes der zwölf Projekte separat, die Folgewirkungen des Gesamtvorhabens sind auch hier bisher nicht untersucht worden. Die Moose-Cree gingen vor Gericht, auch sie erreichten mit einer einstweiligen Verfügung im September 1991 einen vorläufigen Baustopp. Doch das ist ihnen nicht genug, denn damit ist ihre Zukunft noch lange nicht gesichert. Sie wollen weiterkämpfen, bis der ganze Plan vom Tisch ist.

[1] Zit. nach: John Goddard, Damned if they do, Harrowsmith Sept./Okt. 1990, No. 93).
[2] Ebd.

*Literatur:*
Biegert, Claus/Wittenborn, Rainer: Der große Fluß ertrinkt im Wasser – James-Bay: Reise in einen sterbenden Teil der Erde, Reinbek 1983
Kressing, Frank: Der Cree-Report – Kanadische Indianer im Kampf gegen die Energiewirtschaft, Wyk auf Föhr 1986

Günter Wippel
# Mohawk Nation: Indianische Probleme – militärische Lösungen

In der Morgendämmerung des 11. Juli 1990 stellt die Sûreté de Quebec (Quebecer Provinzpolizei) einer Gruppe von Mohawk ein Ultimatum: Sie sollen ihre Straßenbarrikade in Kanehsatake räumen, die sie auf einem Weg in einen kleinen Fichtenwald errichtet hatten, um ihr Land, ein Wäldchen und einen kleinen indianischen Friedhof vor der Umwandlung in einen Golfplatz für die weiße Nachbargemeinde Oka zu schützen. Gegen 8 Uhr morgens beginnen Mohawk-Frauen eine traditionelle Tabakzeremonie und erbitten einen kurzen Aufschub der Räumung, was zunächst zugestanden wird. Doch plötzlich rücken Polizisten auf die Barrikade zu: Tränengas und Leuchtblendmunition werden abgeschossen, in den Bäumen postierte Scharfschützen feuern aus automatischen Waffen. Die Schüsse wurden in Brust- und Bauchhöhe abgegeben, wie Einschußlöcher in den Baumstämmen später bewiesen – entgegen den Behauptungen der Sûreté de Quebec (SQ), es sei über die Köpfe der Leute hinweggezielt worden. Die Polizisten ziehen sich Hals über Kopf zurück, als der Wind dreht und ihnen das Tränengas entgegentreibt. Im Durcheinander des überstürzten Rückzugs wird der Polizist Marcel Lemay von einer Kugel am Kopf getroffen – höchstwahrscheinlich von einem Kollegen. Er stirbt wenige Stunden später in einem Montrealer Krankenhaus.

Die Indianer müssen mit einem erneuten Angriff der Sûreté de Quebec auf ihre Barrikade in Kanehsatake rechnen. Sie erhalten Unterstützung von den Mohawk aus Kahnawake, einer Reservation auf der anderen Seite des Sankt-Lorenz-Stromes gegenüber von Montreal. Diese blockieren die Mercier-Brücke, die wichtigste Verbindung für Tausende von Pendlern aus den südlichen Vororten in die Stadt.

Damit haben in Kanada im ausgehenden 20. Jahrhundert wieder bewaffnete Auseinandersetzungen zwischen Indianern und Regierung begonnen. Zwei kleine Mohawk-Gemeinden werden von 5000 Soldaten mit automatischen Waffen, Panzerfahrzeugen und Kampfhubschraubern eingekesselt. Vermutlich verhinderte nur die internationale Öffentlichkeit das Schlimmste. Nach dem Polizeiangriff auf die Mohawk-Blockade versucht die SQ durch massive Behinderung der Lebensmittel- und der medizinischen Versorgung, die Indianer zum Einlenken zu zwingen. Jeder, der in das Gebiet hinein oder heraus will, wird mehrfach durchsucht, teilweise werden indianische Frauen von männlichen Polizisten einer Leibesvisitation unterzogen. Krankenwagen werden aufgehalten, durchsucht und ihre Weiterfahrt trotz Notfallsituationen beträchtlich verzögert. In Kahnawake kommt es zu massiven

113

Übergriffen rassistischer Ku-Klux-Klan-artig organisierter Weißer auf die Mohawk, denen die »Sicherheitskräfte« meist tatenlos zusehen. Eine Anzahl solcher Zwischenfälle sind von der Quebecer Menschenrechtsliga und einer Beobachterdelegation der Internationalen Föderation für Menschenrechte (Paris), der auch ein Mitglied der Gesellschaft für bedrohte Völker (GfbV) angehörte, dokumentiert. Die Menschenrechtsverletzungen werden auch von Repräsentanten der Mohawk bei der UN-Arbeitsgruppe für Indigene Völker vorgebracht.

Die kanadische Regierung bezeichnet die Mohawk als Terroristen. Dabei wehren sich diese nur dagegen, daß ihnen noch mehr Land genommen wird. In dem Gebiet, das das heutige Upstate New York und Teile der Provinz Quebec umfaßt, leben die Mohawk, die sich selbst Ganienkehaka nennen, seit Jahrhunderten. Gemeinsam mit vier weiteren Irokesennationen – Oneida, Onondaga, Cayuga, Seneca – schlossen sich die Mohawk im 16. Jahrhundert in der Haudenosaunee-Konföderation zusammen. 1722 wurden die Tuscarora in die Gemeinschaft aufgenommen. Die Konföderation der »Six Nations« besteht noch heute. Benjamin Franklin orientierte sich bei der Konzeptionierung der amerikanischen Verfassung 1751 am »Gaianerekowa«, dem »Großen Friedensgesetz« der Haudenosaunee: »Es ginge schon mit seltsamen Dingen zu, wenn sechs Nationen unwissender Wilder fähig sein sollten, die richtige Staatsform für eine solche Union zu finden und sie zudem in einer solchen Weise zu praktizieren, daß sie Jahrhunderte überdauert und absolut unzerstörbar erscheint – und eine solche Union nicht auch für zehn oder zwölf englische Kolonien anwendbar wäre...«[1]

Als die weißen Einwanderer in das Gebiet der Irokesenkonföderation vordrangen, schlossen sie mit den Indianern zunächst Verträge über eine friedliche Koexistenz. Im Zuge der Besiedlung wurden die »Six Nations« jedoch auf immer weniger Land zusammengedrängt. Seit Beginn dieses Jahrhunderts leben sie im wesentlichen in den zwei Reservaten Kahnawake bei Montreal und Akwesasne am Sankt-Lorenz-Strom sowie in dem Gebiet von Kahnesatake, eine »checkerboard area« ohne Reservationsstatus: Wie bei einem Schachbrett ist indianischer Landbesitz mit an Weiße seit dem 17. Jahrhundert von den Ordensbrüdern von St. Sulpice verkauften Grundstücken durchsetzt.

Akwesasne ist von mehreren umweltschädigenden Industrieanlagen umgeben. Die fluorhaltigen Abgase der Reynolds-Aluminiumfabrik ziehen über das Reservat. Aus alten Mülldeponien, auf denen in den 50er Jahren unkontrolliert Abfälle abgelagert wurden, gelangen heute hochgiftige Chemikalien und Schwermetalle in das Grundwasser und verseuchen es. In der Gemeinde mußten Brunnen geschlossen werden und die Trinkwasserversorgung zeitweise per Tankwagen erfolgen.

Highways und Straßen, Zufahrtsrampen für die Mercier-Brücke, eine Eisenbahnlinie und mehreren Hochspannungsleitungen zerschneiden das Reservat Kahnewake. Für den Bau des Sankt-Lorenz-Kanals wurde den dort lebenden Mohawk in den 50er Jahren ein Teil ihres Landes entschädigungslos abgenommen. Traditionell betrieben die Mohawk Landwirtschaft, was ihnen auf vergiftetem Boden und ohne ausreichendes Land nicht mehr möglich ist. Sie wurden zu Arbeitern im Stahlhochbau, betreiben kleine Geschäfte oder handeln mit Zigaretten.

Erst vor 30 Jahren hatte Kanada den Indianern endlich die vollen Bürgerrechte zugestanden. Bis dahin waren sie wie unmündige Kinder nicht voll geschäftsfähig, konnten die Reservatsgebiete nicht ohne weiteres verlassen und waren nicht wahlberechtigt. Doch viele Mohawk hatten nun ihrerseits kein Interesse mehr an der kanadischen Staatsbürgerschaft. Selbstbewußt benutzen sie zum Beispiel einen Haudenosaunee-Paß und reisen nicht mit dem kanadischen, auch wenn es an manchen Grenzen deswegen zu Schwierigkeiten kommt. Sie wollen damit demonstrieren, daß sie ein eigenständiges Volk mit einer eigenen Verfassung, einem eigenen gesellschaftlichen, sozialen und juristischen System sind und daß sie das Recht auf Selbstbestimmung und Souveränität haben. Das Ringen um Selbstbestimmung war letztlich auch Hintergrund der Krise vom Sommer 1990.

Ende August reist die internationale Beobachterdelegation ab, weil sie sich in ihrer Arbeit behindert fühlt. Nach mehreren Ultimaten an die Indianer, die Blockaden zu räumen, rückt die Armee in Kahnesatake mit Schützenpanzern gegen die Mohawk vor. Die Indianer ziehen sich aus dem Waldstück in ein kleines Rehabilitationszentrum zurück. Mit Stacheldraht schneiden die Soldaten den Eingeschlossenen die »Fluchtwege« ab. Die kleine Gruppe von Indianern, darunter Frauen und Kinder, aber auch einige Journalisten, soll sich »ergeben«. Erst nach 70 Tagen verlassen sie das Gebäude. Unter Bruch aller Vereinbarungen zwischen den Sicherheitskräften und den Mohawk werden einige von ihnen von der Armee und der Sûreté brutal zusammengeschlagen. Beobachtern der Kirche und Rechtsanwälten wird der Zutritt verwehrt, einige Indianer – angebliche »Rädelsführer« – werden willkürlich verhaftet und monatelang festgehalten.

Eine friedliche Lösung hat die kanadische Regierung nie gesucht. Sie wollte »kanadisches Recht« mit allen Mitteln durchsetzen. Während der Blockade hatte die Regierung zwar mit den Mohawk verhandelt, doch die dort erzielten Vereinbarungen nicht ernstgenommen. Die Zeit der Verhandlungen nutzte sie nur, um die Indianer zu zermürben. Dies bestätigt auch die Aussage einer Regierungsangestellten im Frühjahr 1991, die daraufhin ihren Arbeitsplatz verlor. Die internationale Presse wurde in ihrer Berichterstattung eingeschränkt und sollte teilweise sogar durch gezielte Desinformationskampagnen manipuliert werden. Nach dem gescheiterten Polizeiangriff wurden Photoreportern Filme aus der Kamera gerissen, die möglicherweise näheren Aufschluß über die Umstände beim Tod des Polizisten Lemay gegeben hätten. Die Behinderung der Journalisten erreichte in den letzten beiden Wochen der bewaffneten Auseinandersetzungen ihren Höhepunkt: Die Armee setzte Störsender ein, um den Betrieb der Funktelefone, mit denen die im Rehabilitationszentrum Eingeschlossenen Verbindung zur internationalen Öffentlichkeit hielten, zu behindern.

Als das Europäische Parlament auf Informationen der GfbV hin eine Resolution verabschieden wollte, die das Verhalten der kanadischen Regierung kritisierte, versuchten kanadische Botschaftsangehörige in Straßburg, die Mohawk vor Parlamentsabgeordneten als Terroristen, Verbrecher mit Vorstrafenregister und kampfeslüsterne Vietnam-Veteranen hinzustellen – allerdings ohne Erfolg.

Seit dem Abbau der Barrikaden und dem Ende des bewaffneten Konflikts im Herbst 1990 tut die kanadische Regierung so, als sei die Krise überwunden. Doch die Landrechtsfrage in Kanehsatake ist nicht gelöst. Selbstbestimmung und Souveränität haben die Mohawk wie die anderen indianischen Völker und Nationen in Kanada noch lange nicht. Die kanadische Regierung hat falsche Versprechungen gemacht: Sie übereignete den Mohawk nicht – wie zugesichert – das Golfplatzgelände, sondern ein Stück Sumpfland. Statt der Zugeständnisse der Stammespolizei der Mohawk, mit der SQ und der Royal Canadian Mounted Police (RCMP) bei schweren Delikten zusammenzuarbeiten, kommt es im Reservatsgelände zu willkürlichen Ausschreitungen der kanadischen Sicherheitskräfte gegen die Indianer. Die SQ und die RCMP kontrollieren die Highways, obwohl sie keine Polizeihoheit auf dem Reservatsgelände haben. Es kommt zu regelrechten Autojagden: Fahrzeuge mit indianischen Insassen werden ohne weiteren Grund verfolgt, gerammt oder in den Straßengraben gedrängt. Von der Polizei werden gezielt Gründe gesucht, um die Kunden von Mohawk-Geschäften zu schikanieren. Schon für Lappalien erhalten sie Strafzettel und den »Rat«, nicht mehr in der Reservation einzukaufen.

Bei Peggy Mayo, der Koordinatorin für Justizangelegenheiten des Mohawk-Council von Kahnawake, stapeln sich die Zeugenaussagen über derartige Zwischenfälle. Der für die öffentliche Sicherheit der Provinz Quebec zuständige Minister Claude Ryan ist informiert, sorgte jedoch nicht für Abhilfe. Es drängt sich die Frage auf, ob die kanadischen Behörden überhaupt noch in der Lage sind, ihre Polizeiorgane zu kontrollieren und eine Ausübung ihrer Aufgaben innerhalb der gesetzlichen Vorschriften ohne rassistische Diskriminierung zu garantieren. Offenbar sollen auch die indianische Wirtschaft im Reservat ruiniert und die Mohawk wieder zu abhängigen Sozialhilfeempfängern degradiert werden.

Die Prozesse gegen die bei der Räumung des Rehabilitationszentrums verhafteten Indianer wurden im Oktober 1991 eröffnet, kurz darauf aber bis in den Januar 1992 wieder vertagt. Die Mohawk befürchten, daß die Verfahren immer weiter verzögert und sie über drei Millionen kanadische Dollar kosten werden. Sie kritisieren auch, daß die Angeklagten den Eid auf die Bibel leisten sollen. Ihr traditionell bindendes Versprechen, die Wahrheit zu sagen, werde nicht als Ersatz anerkannt. Darüber hinaus will die Staatsanwaltschaft in französisch prozessieren, die Mohawk sprechen jedoch Englisch. Dies bricht kanadisches Recht, nach dem im Zweifel der Angeklagte zwischen Englisch und Französisch als Verhandlungssprache selbst wählen kann.

Der Vorschlag der Quebecer Menschenrechtsliga, eine unabhängige Untersuchungskommission einzusetzen, wurde weder von der Provinz- noch von der Bundesregierung berücksichtigt. Statt dessen setzte die Regierung selbst eine Untersuchungskommission ein, obwohl sie sowohl Richter als auch Partei ist. Die

Indianer haben die bittere Erfahrung gemacht, daß der Einsatz von Regierungskommissionen nur dazu dient, ihre Anliegen auf die lange Bank zu schieben.

Der Konflikt des Sommers 1990 geht nicht mehr nur um Landrechte. Es ist der Zusammenprall zweier Welten. »Die kanadische Regierung will den Geist, den Mut des Mohawk-Volkes zerschmettern. Aber wir werden nie nachgeben. Vielleicht ist es unsere Bestimmung, ein Leben lang zu kämpfen. Aber wir werden unsere Verfassung, unsere Kultur nie aufgeben!« sagte Kenneth Deer, Gesandter der Mohawk bei der UN-Arbeitsgruppe Indigene Völker. Der laute, lang anhaltende Beifall zeigte, daß er nicht nur für die Mohawk, sondern allen indigenen Vertretern aus dem Herzen gesprochen hatte.

[1] Zit. nach Claus Biegert: Seit 200 Jahren ohne Verfassung, Reinbek 1976, S. 10.

*Literatur:*
Arden, Harvey/Wall, Steve: »Hüter der Erde«, München 1982

# Monika Seiller
## Chippewa wehren sich gegen Rassisten

Die Chippewa oder auch Ojibway, die sich selbst Anishinabe nennen, leben im US-Bundesstaat Wisconsin, dessen Name von der indianischen Bezeichnung »Wee-skon-san«, was in etwa »grasgrünes Land« bedeutet, abgeleitet ist. Die Fläche Wisconsins entspricht etwa 59 Prozent der alten Bundesrepublik. Der Bundesstaat liegt im geographischen Bereich der Großen Seen und hat nach dem jüngsten US-Zensus 4,9 Millionen Einwohner, unter ihnen rund 39000 Indianer. Im Norden liegen mehrere Reservate der Chippewa in einem Gebiet mit mehr als hundert Seen, die für ihren Fischreichtum bekannt sind. Die Subsistenzwirtschaft der über 4000 Chippewa, die vor allem in den Reservaten Lac du Flambeau, Lac Courtes Oreilles und Mole Lake leben, beruht neben der Jagd und dem Wildreis im besonderen auf der Fischzucht. Allein im Reservat Lac du Flambeau befinden sich 21 Fischteiche.

Nachdem die USA die Landrechte der Chippewa 1825 im Vertrag von Prairie du Chien noch anerkannt hatten, traten die Indianer schließlich einen Großteil ihres Landes in den Verträgen von 1837 bzw. 1842 ab, wobei ihnen die weitere Nutzung ihres ursprünglichen Landes – auch außerhalb der Reservationen – zur Jagd und Fischerei garantiert wurde. In jüngsten Gerichtsurteilen, 1983 und 1987, wurde die Gültigkeit dieses Anspruches auf traditionelle Nutzung des Gebietes durch die Chippewa aufrechterhalten und bestätigt.

Der Fischfang beginnt Anfang April, sobald das Eis auf den Seen geschmolzen ist. Traditionsgemäß fahren die Chippewa nachts mit Booten auf den See hinaus und speeren die Fische im Schein von Fackeln. Die Anzahl der Fische, die »geerntet« werden dürfen, so der gebräuchliche Ausdruck, wird bereits im Januar von der »Great Lake Indian and Wildlife Commission«, einem Zusammenschluß von 13 Chippewa-Stämmen – vier aus Wisconsin, sechs aus Michigan und drei aus Minnesota –, die das Management des Fischbestandes leiten, festgelegt. In der Regel werden acht bis zwölf Prozent des Fischbestandes zur Ernte freigegeben in der Absicht, durch dieses Reglement den weiteren Fischbestand der Seen zu sichern. Meistens schöpfen die Chippewa nicht einmal dieses Potential aus, sondern fischen nur etwa drei Prozent der ihnen zustehenden Quote, denn der Fisch wird vorwiegend nicht zu kommerziellen Zwecken, sondern nur für den eigenen Bedarf gefangen. Weiße Sportfischer, die sich Fischfanglizenzen kaufen können, fischen ein Vielfaches dessen.

Die Fischfangrechte der Chippewa sind vertraglich garantiert. Doch der Fall liegt nicht so einfach, denn seit einigen Jahren sehen sie sich wieder verstärkt der Aggression erbitterter Rassisten ausgesetzt, die vorgeben, sie müßten die Rechte der weißen Amerikaner vor dem Mißbrauch der Indianer schützen.

Federführend in den Übergriffen gegen die Chippewa sind Organisationen, die – abgesehen vom Ku-Klux-Klan – in Europa weitgehend unbekannt scheinen: PARR (Protect American Rights and Resources), STA (Stop Treaty Abuse), Aryan Nation und zahlreiche weitere Neonazigruppen. Stolz verkünden sie ihren Einsatz für die Erhaltung und den Schutz der weißen Rasse. Sie argumentieren, sie müßten den Fischbestand schützen, der von den Indianern rücksichtslos geplündert werde. Doch die Zahlen belegen deutlich, daß weiße Angler wesentlich mehr Fische fangen als die Indianer. 1989 fingen Sportangler 672 000 Fische, die Chippewa jedoch nur 25 969. Immerhin konnten die Gegner der indianischen Vertragsrechte mit diesen Behauptungen selbst Umweltschützer auf ihre Seite ziehen. Es ist jedoch klar, daß es nicht um die Erhaltung des Fischbestandes geht, sondern um die Vernichtung all dessen, was diesen Gruppen nicht »arisch« genug erscheint. Dabei schrecken sie vor dem Licht der Öffentlichkeit nicht zurück, sondern zeigen sich gern in den Medien, wie etwa Tom Metzger, Führer von WAR (White Aryan Resistance). Er war sogar Gastgeber einer eigenen Fernsehshow mit dem Titel »Race and Reason« und brüstete sich stets damit, »der größte Rassist der USA« zu sein, der »dieses Pack« am liebsten längst beseitigt hätte (The Nation, 16. Juli 1990).

Viele dieser rassistischen Gruppen haben ihren Sitz in Wisconsin. Jedes Jahr zur »Spear-fishing season« rotten sie ihr Potential von bis zu tausend Leuten zusammen und eröffnen die »Jagdsaison« auf Indianer. In einer ihrer Publikationen rufen sie zu einem Wettbewerb auf, bei dem Punkte für das Erschießen von Indianern vergeben werden – für einen Indianer 10 Punkte, für einen mit Hochschulabschluß 50 Punkte. Die Rassisten bedrohen die Chippewa, die nichts weiter tun, als ihre vertraglich garantierten

Rechte wahrzunehmen. »Schade, daß Custer die Munition ausging«, »Rette einen Fisch – töte einen Indianer«, »I am Revolting against Certain Indian Special Treatment« (kurz: I am RACIST) steht auf ihren Transparenten, wenn sie sich am Landesteg treffen, um die Indianer zu bedrohen. Sie beschimpfen die Chippewa mit »Waldnigger«, »braune Bastarde« oder schreien ihnen entgegen, »wenn wir eine Bombe hätten, würden wir schnell mit euch aufräumen!« (Heartland Journal, Juli 1991). Es werden Indianerpuppen verbrannt oder man führt einen Speer mit, auf dem ein Indianerkopf aufgespießt ist. Doch bleibt es nicht nur bei verbalen Angriffen. Die Rassisten werfen mit Steinen auf die Indianer, versuchen die Boote umzustoßen oder schießen mit Gewehren auf sie. Häufig kommt es zu schweren Auseinandersetzungen. So berichtete Dorothy Thoms, führendes Mitglied der »Wa-Swa-Gon-Treaty-Association« von der Lac du Flambeau Reservation, über eine Konfrontation mit den Vertragsgegnern, die mitten auf dem See versuchten, das Boot der Indianerin zu rammen und zum Kentern zu bringen, während sie gleichzeitig in die Luft feuerten (Coyote 2/90).

Der Gouverneur von Wisconsin, Tommy Thompson, dessen Aufgabe es wäre, die Rechte der Indianer zu schützen, versucht das Thema herunterzuspielen und nimmt sogar die Vertragsgegner in Schutz: »Ich halte sie nicht für Rassisten, sie sagen nur ihre Meinung« (MTN Newsletter, 15. Februar 1991). Auch die Polizei trägt wenig zur Sicherheit der Indianer bei. Auf sich gestellt, haben die Chippewa eine andere Methode entwickelt, um sich gegen die Angriffe zu schützen.

Das »Midwest Treaty Network«, ein Zusammenschluß von rund 30 indianischen und nicht-indianischen Gruppen, organisiert jedes Jahr ein Treffen von Unterstützern der Chippewa aus aller Welt. Während der Speerfischsaison bilden sie einen gewaltfreien Schutzwall um die Fischer und begleiten die Chippewa in der ganzen Zeit als Beobachter, um so durch ihre Anwesenheit Aggressionen entgegenzuwirken. Auch sind inzwischen die Medien auf das Thema aufmerksam geworden und berichten jedes Jahr ausführlich über die Ereignisse, was dazu beigetragen hat, daß inzwischen 59 Prozent der Bevölkerung Wisconsins die Angriffe der Rassisten aufs schärfste verurteilen und die Vertragsrechte der Indianer befürworten.

Wie in allen Reservaten hängt das kulturelle Überleben der

Indianer von den sozialen Bedingungen ab, die meist durch große Arbeitslosigkeit, Alkoholismus und hohe Selbstmordraten gekennzeichnet sind. Die internationale Unterstützung ist daher für die Chippewa von entscheidender Bedeutung, denn das jährliche Speerfischen gibt ihnen die Möglichkeit, ihre überlieferten Traditionen weiterzuführen. Dies hat sich bereits im positiven Sinne bestätigt, denn immer mehr junge Stammesmitglieder wenden sich wieder ihrer Kultur und ihren Traditionen zu. So haben sie die Chance, ihre indianische Identität neu zu erfahren.

Neben den rassistischen Übergriffen sehen sich die Chippewa einer weiteren Bedrohung ausgesetzt – Minenprojekten, zu denen das »Department of Natural Resources« bereits seine Zustimmung erteilt hat. Kennecott, eine Tochtergesellschaft von Rio Tinto Zinc, hat bereits damit begonnen, in unmittelbarer Nachbarschaft der Lac Courtes Oreilles Reservation Kupfer abzubauen. Trotz des Protests der Indianer weigert sich Rio Tinto Zinc, eine umfassende Studie zu erstellen, welche die Auswirkungen des Kupferabbaus auf die Umwelt klären soll. Um so mehr bemüht sich die Gesellschaft, ebenso wie die übrigen Aspiranten Kennecott, Exxon, Noranda und Kerr-McGee, um Studien über die abbaubaren Kupfer-, Zink- und Bleivorkommen in weiten Teilen Nordwisconsins.

Außer der Kennecott-Gesellschaft, die entschlossen scheint, in Ladysmith/Rusky Country nur 140 Meter vom Flambeau River eine weitere Mine in Betrieb zu nehmen, plant auch Flambeau Mining Co., ebenfalls Tochtergesellschaft von Rio Tinto Zinc, dort Kupfer zu fördern. Ferner gibt es Pläne, nahe der Reservation Uran abzubauen.

Ebenso verheerend würden sich die Pläne des »Department of Energy« auswirken, verstärkt Endlager für Nuklearmüll in Wisconsin einzurichten. Die ersten juristischen Schritte wurden bereits unternommen, um bisherige Bestimmungen zu übergehen. Der seit 1. Juli 1991 in Kraft getretene »Metallic Mining Reclamation Act« bietet die Grundlage für Nuklearmülldeponien. Gouverneur Thompson schweigt sich gegenüber Protesten von Indianern und Umweltschützern bislang aus, scheint aber mehr als willig zu sein, die Minengesellschaften und weitere Projekte zu unterstützen.

Oswald Iten
# Der lange Ritt nach Wounded Knee –
## Aufbruch der Lakota-Sioux

In der letzten Woche des Jahres 1990 brach eine Gruppe von etwa
200 Lakota-Reitern in beißender Kälte zu einem Ritt von Fort
Yates in Norddakota auf, um in zwei Wochen Wounded Knee im
Reservat von Pine Ridge zu erreichen. Weshalb ein solcher Ritt
unter Bedingungen, die niemand ohne Not auf sich nimmt? Milo
Yellowhair, Radioreporter und einer der Initiatoren des Anlas-
ses, begründete: »Unsere Vorfahren wurden auch nicht gefragt,
ob sie bei solchem Wetter auf die Flucht gejagt und schließlich
abgeknallt werden wollten. Wir reiten in der schlimmsten Jahres-
zeit, um uns ihr Leiden und ihre Stärken zu vergegenwärtigen.
Kann ein Volk schwach sein, das durch diese unerhörte Kälte
reitet?«

Historischer Anlaß zum Gedenkritt war ein Ereignis, das hundert Jahre zuvor stattgefunden hatte. Damals lebten praktisch
alle Indianer in Reservaten, waren geschlagen, die Indianerkriege beendet. Aber aus dem Südwesten der USA griff eine
religiöse Erneuerungsbewegung auf zahlreiche Indianergemeinschaften über: der Geistertanz. Als aus dem Reservat Sitting
Bulls in Norddakota die Kunde drang, daß auch dort die ersten
Anhänger dieser indianischen Erneuerungswelle auftraten,
weckte dies Furcht vor einem neuen Indianerkrieg. Denn Sitting
Bull war der legendärste aller noch lebenden Indianerhäuptlinge.
Er hatte zusammen mit dem schlauen Oglala-Kriegshäuptling
Crazy Horse im Jahr der amerikanischen Hundertjahrfeiern
(1876) der US-Armee eine der schmählichsten Niederlagen be-
schert, als sie die siebte Kavallerie des Obersten George Arm-
strong Custer am Little Big Horn River aufrieben. 1890 ging von
Sitting Bulls Hunkpapa-Sioux keine militärische Bedrohung
mehr aus. Trotzdem sollte er verhaftet werden. Dabei erschoß
ein Indianerpolizist den großen Sioux-Führer, wodurch vor allem
die westlichen Sioux (die Stämme der Oglala, Sicangu, Hunk-
papa, Minneconjou, und andere, zusammengefaßt als Volk der
Lakota bezeichnet) schwer getroffen wurden.

Überlebende aus Sitting Bulls Camp flohen nach Süden zum

Minneconjou-Häuptling Big Foot, einem für seine friedlichen Absichten bekannten Mann. Die Kavallerie aus Fort Yates verfolgte die Flüchtenden, die sich zunächst in den zerklüfteten Badlands versteckten. Hunger und Kälte ließen die Flüchtlinge zum Reservat von Pine Ridge aufbrechen, wo sie auf Lebensmittel-Rationen der Regierung hoffen konnten. Am Wounded Knee Creek wurden der lungenkranke Big Foot und sein mehrhundertköpfiger Haufen aus Hungernden, Frauen und Kindern von der Kavallerie widerstandslos gestellt. Tags darauf wurden die Indianer entwaffnet. Bei der Durchsuchung der Zelte feuerte ein Indianer einen Schuß ab, für Custers ehemaliges Regiment das Signal, mit Kanonen und modernen Waffen auf die Wehrlosen loszuschießen. 153 Tote blieben auf dem Feld zurück, fast alle Verwundeten, wohl nochmals so viele, starben im Kältesturm der folgenden Nacht.

Wounded Knee – ein Ort von schicksalhafter Bedeutung für die Indianer Amerikas. Hier wurde, wie Dee Brown in seinem Bestseller »Begrabt mein Herz an der Biegung des Flusses« beschreibt, das Herz des ermordeten Crazy Horse heimlich bestattet. Das Massaker von Wounded Knee besiegelte damals das Ende aller indianischer Widerstandsgedanken. Es war kein Zufall, daß das Massaker an den Lakota verübt wurde, einem Volk, das stets wegen seines kämpferischen Widerstands gefürchtet war. Es war dann auch kein Zufall, daß an dieser Stelle 1973 ein Ereignis weltweit in die Schlagzeilen geriet, das den Ort berühmter machte als das seinerzeitige Massaker: Die Besetzung des Handelspostens von Wounded Knee durch 200 bewaffnete Mitglieder einer neuen, militanten Indianerbewegung, des American Indian Movement. Während der über zweimonatigen Konfrontation wurden zwei Indianer erschossen. Die Besetzer erreichten ihre Ziele nicht, aber die weltweite Publizität führte zu einem Solidarisierungseffekt und internationaler Anerkennung indianischer Forderungen. Für manche Indianer bildete Wounded Knee 1973 den Beginn für eine selbstbewußte Besinnung auf die Kraft ihrer traditionellen Werte.

Black Elk, der große Prophet der Lakota, sprach in der hoffnungslosen Zeit nach dem Massaker von Wounded Knee von der »Siebten Generation«, in der die noch vorhandenen Wurzeln des Baumes wieder Triebe hervorbringen würden. Viele Lakota sind überzeugt, daß der von Black Elk prophezeite Wendepunkt gekommen ist. Den könnten sie gebrauchen. Das Reservat Pine Ridge liefert ein düsteres Bild vom heutigen Zustand der indianischen Nation. Es ist das ärmste County der gesamten USA. Die Situation ist durchaus mit der eines Entwicklungslandes zu vergleichen. 85 Prozent seiner Bewohner sind arbeitslos. Für die etwa 20 000 Menschen existiert kein einziger industrieller Betrieb auf den 11 300 Quadratkilometern; eine Angelhakenfabrik ging pleite, später auch die Mokassinfabrik. Nur fünf Prozent der Wirtschaftsleistung wird vom privaten Sektor erzeugt. Die Kindersterblichkeit ist doppelt so hoch wie im übrigen Amerika, Dreiviertel der Reservatsbewohner haben mit Alkoholproblemen zu kämpfen. Überall liegt Unrat. Manche Häuser sind Bretterbuden. Viele Behausungen verfügen über kein fließendes Wasser, das Plumpsklosett steht im Freien. Pine Ridge Village, der Hauptort, ist stark angewachsen. Nachts treffen sich an der Ecke der Schnellimbißbude Jugendliche auf der Suche nach einem Gönner, der ein paar Drinks ausgibt oder eine Prise Kokain spendiert.

Die Abhängigkeit von Washington ist nahezu total und wirkt lähmend. Mit der Ausrottung der riesigen Büffelherden Mitte des vorigen Jahrhunderts verloren die Indianer ihre ökonomische Grundlage. Damals mußten sie in Reservate ziehen, doch die nomadisierenden Jäger fanden sich in der Seßhaftigkeit nicht zurecht. Sie konnten sich nie an die Lebensweise der Weißen anpassen. Auch mit der Viehzucht hatten sie kein Glück. Große Teile der Reservate lagen brach, wurden den Indianern entgegen den Verträgen wieder abgenommen. Ihnen wurden individuelle Landtitel ausgehändigt, durch die somit ermöglichten Landverkäufe wurden die bestehenden Reservate noch kleiner. Schließlich sah der »Große Vater« in Washington 1934 vor, daß sich die Indianer nun selbst regieren sollten, um ihr Schicksal in die eigene Hand zu nehmen.

Doch nichts brachte mehr Uneinigkeit unter die Indianer als der »Indian Reorganisation Act«, mit dem die Selbstregierung verankert wurde. Denn diese zentrale Regierungsform widerspricht der traditionellen Auffassung von Autorität. Die Weißen verlangten nach einem Stammeshäuptling, mit dem sie verhandeln konnten, und der vor allem Verträge unterschreiben sollte. Für die Indianer hingegen gibt es nicht einen Häuptling, sondern mehrere, die für verschiedene Bereiche zuständig sind, und die nicht befehlen, sondern in der Ratsversammlung gewisse Vorrechte genießen. 1934 stimmten die sogenannten Progressiven, zu denen sich vorwiegend »Mixed Bloods« zählten, für diese Stammesregierung, die sie in der Folge stets auch dominierten. Die Traditionalisten oder »Full Bloods« wehrten sich dagegen, weil die Form der Stammesregierung nicht in der Tradition verankert war. Bis heute sind diese Gegensätze unvereinbar geblieben.

Wie der Frankfurter Ethnologe Peter Bolz in seiner hervorragenden Beschreibung der Pine Ridge Reservation (»Ethnische Identität und kultureller Widerstand«, Campus Verlag) beschreibt, sind seit den 30er Jahren zwei zusätzliche Fraktionen in der Stammespolitik aufgetreten. Die »gemäßigten Pragmatiker«, welche eine gewisse Zusammenarbeit mit den Weißen suchen, und die »Neo-Traditionalisten«, welche sich in militanter Weise auf die eigenen Strukturen berufen, wobei gerade ihre Neigung zu gewalttätigen Mitteln nicht zur indianischen Tradition gehört. Zur letzteren Gruppe ist das American Indian Movement zu zählen, das seit den Ereignissen von Wounded Knee 1973 allerdings graduell von der Gewalt als Mittel abgerückt ist. Mit der Errichtung der ersten Radiostation des Reservates, KILI Radio, ist ihnen sogar eine Tat geglückt, die rundum von allen Bewohnern geschätzt wird.

Ein Anliegen, das jedem Lakota äußerst wichtig erscheint, sind die Black Hills, das einzige Gebirge, das unvermittelt aus der endlosen Prärie herausragt und das unerhört reich an Bodenschätzen ist. 1868 mußte die Regierung im Vertrag von Fort Laramie den Indianern weitgehende Zugeständnisse machen, nachdem die Sioux unter dem Oglala-Chief Red Cloud ein militärisches Patt erzwungen hatten. Fortan sollte das Gebiet westlich des Missouri ausschließlich den Indianern gehören: Die Great Sioux Reservation war geschaffen, ein genügend großer Jagdgrund. Bald wurde den Weißen klar, daß sie diesmal einen Fehler begangen hatten: Oberst Custer entdeckte nämlich auf einer illegalen Erkundungstour »Gold von den Graswurzeln an abwärts«. Zehntausende Goldsucher drangen in die Black Hills ein, die Armee stellte sich gegenüber diesem Ansturm ohnmächtig. Daraufhin wurde mit unlauteren Methoden der Vertrag von 1868 revidiert, die Black Hills davon ausgeklammert. Aus der Great Sioux Reservation wurden sechs kleine Reservate.

1980 wollten die Vereinigten Staaten das begangene Unrecht endlich korrigieren. Das Oberste Gericht sprach den Sioux eine Entschädigung von 122 Millionen Dollar zu. In seltener Einigkeit lehnten die Sioux die Auszahlung der Entschädigung ab – die Black Hills hätten nie zum Verkauf gestanden, einen Preis für das den Indianern heilige Land festzusetzen sei gleichbedeutend wie das Kopfgeld für seine eigenen Kinder. Wie allerdings weiter zu verfahren sei, darüber herrschte Uneinigkeit. Ein von Neo-Traditionalisten inspiriertes »Black Hills Steering Committee«, das zunächst auch die Unterstützung alter Stammesführer genoß, arbeitete 1985 eine Regelung aus, die vom Senator Bill Bradley (New Jersey) als Gesetzesvorlage in den Kongreß eingebracht wurde. Die sogenannte »Bradley Bill« sah die Rückgabe von 1,3 Millionen Morgen dem Bund gehörenden Landes in den Black Hills vor, wodurch die Sioux wieder in den Besitz ihrer heiligen Stätten gekommen wären.

Dann trat ein bisher unbekannter Phil Stevens auf den Plan, angeblich ein Oglala, der in Kalifornien lebt. Er verband sich mit einer Vereinigung von Traditionalisten, die sich »Grey Eagles« nennen, und die in die Bradley Bill noch eine Entschädigung von drei Milliarden Dollar einbauen wollten. Damit scheiterte die Vorlage im Kongreß, nicht nur wegen der fehlenden Budgetmittel, sondern weil einmal mehr darauf hingewiesen werden konnte, daß die Indianer in der Frage selbst uneins sind. Außerdem konnte behauptet werden, den Indianern geht es nicht um ihr heiliges Land, sondern um Geld.

Ted Hamilton, Bibliothekar am Oglala Lakota College, der als Weißer mit einer Indianerin verheiratet ist, meint: »Die Amerikaner tun sich schwer mit den Indianern. Am liebsten nehmen sie sie nicht zur Kenntnis. Unsere Auffassung von der Gesellschaft ist sehr vom protestantischen Gedankengut geprägt. Wer arm ist, ist selber daran schuld, weil er nicht ›gut‹ lebt.« Pine Ridge als amerikanisches Entwicklungsland zu bezeichnen, findet er nicht abwegig. Sogar die Nahrungsmittelspenden sind dieselben, wie sie nach Afrika geschickt werden. Und manchmal werden auch hier die falschen Nahrungsmittel geliefert, etwa unbenötigtes Milchpulver, das die Indianer dann den Schweinen verfüttern oder für die Linienziehung der Basketballfelder verwenden. »Donated by the people of the United States of America« – »Gespendet vom amerikanischen Volk«, steht auf den Packungen.

Gehören die Indianer nicht zum amerikanischen Volk? Sitting Bull und Crazy Horse wollten keine Amerikaner sein. Viele Nachfahren der alten Häuptlinge haben sich mit Weißen vermischt und kopieren mehr oder weniger den »American Way of Life«. Einzelne Elemente des amerikanischen Lebensstils haben bei den Indianern bereits Aufnahme gefunden, zum Beispiel der Gebrauch des Automobils, das ihnen jene Mobilität zurückgibt, welche die Jäger in der Prärie einst dank der Pferde besaßen. Weit verbreitet ist bei den Indianern das Gefühl, als ehemalige Herren des Landes zweitklassig behandelt zu werden. Vielen widerstrebt der in bitterer Ironie vom alten, unbesiegbaren Chief Red Cloud abgegebene Ratschlag: »Ihr müßt neu beginnen und die Wahrheit Eurer Väter vergessen. Ihr müßt nun für Euch selbst Nahrungsmittelvorräte anlegen und die Hungernden vergessen. Wenn Euer Haus gebaut und die Vorratskammer gefüllt ist, dann schaut Euch nach einem Nachbarn um, den Ihr übertölpeln und dem ihr alles wegnehmen könnt.«

*Literatur:*
Bolz, Peter: Ethnische Identität und kultureller Widerstand, Frankfurt 1986
Brown, Dee: Begrabt mein Herz an der Biegung des Flusses, Hamburg 1974
Haberland, Wolfgang: Oglala. Pine Ridge Reservation. (Wegweiser Völkerkunde, 31), Hamburg 1984
Hartmann, Horst: Die Plains- und Prärieindianer Nordamerikas (Veröffentlichungen des Museums für Völkerkunde Berlin, NF 22), Berlin 1973
Hassrick, Royal B.: Das Buch der Sioux 1982
Schulze-Thulin, Axel: Indianer der Prärien und Plains. (Linden-Museum, Bildheft 2), Stuttgart 1976

Corinna Veit
# Blackfoot: Auf heiligem Land soll Öl gefördert werden

Wenn heute von der »Blackfoot Nation« gesprochen wird, meinen Wissenschaftler drei eng verwandte Stämme: Die Piegans oder »Pikuni«, die Bloods oder »Kainah« und die Blackfoot oder »Siksi-kau«. Eine traditionelle Konföderation schloß auch die Gros Venres oder »Atsina« mit ein und die nicht verwandten »Sarsis«. Nach eigenen Angaben besteht die Nation heute aus vier Stämmen, davon leben drei in Kanada entlang der Grenze zu den USA. Im Flachland vor den Rocky Mountains in Montana/USA leben heute rund 12 000 Blackfoot-Indianer in einem Reservat. Etwa 2000 von ihnen sprechen ausschließlich oder hauptsächlich ihre eigene Sprache. Vor allem ältere Leute sind kaum des Englischen mächtig. Aber auch die Zahl der jungen Leute, die Blackfoot als erste Sprache sprechen, steigt inzwischen wieder.

Die Sprache ist ein Algonkin-Dialekt, verwandt mit den Dialekten der Cheyenne, Arapaho, Ojibway, Cree und Fox, die hauptsächlich im östlichen Waldland und in den subarktischen Regionen des Kontinents leben. Wahrscheinlich waren die Blackfoot die ersten Algonkin-sprechenden Präriebewohner. Sie waren lange vor der »Entdeckung« Amerikas im Norden der Ebenen (Plains) ansässig. Das heutige Reservat ist ein kleiner Teil ihres traditionellen Gebietes.

Die Blackfoot wurden von den Alliierten nie besiegt. Deshalb konnten sie sich zunächst relativ große Gebiete vertraglich sichern. Vielleicht ist das auch einer der Gründe, weshalb sich die ursprüngliche Tradition in einzelnen Gruppierungen bis heute unverändert erhalten hat.

Nachdem den Blackfoot 1887 das Reservat zugeteilt worden war, starben unzählige durch Hunger und Seuchen. Bis 1945 litten sie unter Repressionen. Sie durften ihre Sprache nicht mehr benutzen, ihre Religion nicht ausüben, ihre Kinder wurden ohne vorherige Einwilligung der Eltern in Internate außerhalb des Reservats gebracht, die Tradition lebte nur im Untergrund weiter. Noch heute haben ältere Leute Hemmungen, öffentlich über ihre Religion und Spiritualität zu sprechen.

Im Winter 1894/95 verhungerten fast 500 Blackfoot. Im darauffolgenden Frühjahr nahmen Vertreter der Vereinigten Staaten mit den Blackfoot Verhandlungen über Landverkauf auf. 1896 war ihre Situation so verzweifelt, daß sie dem Verkauf großer Gebiete zustimmen mußten. Die Blackfoot glauben heute, daß sie betrogen worden sind. Nach ihren mündlichen Überlieferungen war das Land nur für 50 Jahre verpachtet, ihnen sollen weit mehr Rechte zugesichert worden sein als schriftlich festgehalten. »Verkauft« wurde auch der Glacier-Park. Laut Vertrag behielten die Indianer auch dort die Rechte auf Jagd und Holzeinschlag. 1910 wurde der Glacier-Park zum Nationalpark erklärt, alle schriftlich festgelegten Rechte der Blackfoot wurden einfach gestrichen. Nur ein kleines Gebiet, die »Badger Two Medicine Area«, blieb ihnen für Jagd, Fischfang, Holzgewinnung und für die Ausübung religiöser Zeremonien.

Heute gehört diese Region offiziell zum »Lewis and Clark National Forest« und ist für viele indianische Familien als Jagdgebiet noch wichtigster Bestandteil ihrer Lebensgrundlage. Das angrenzende Reservat liegt im Flachland. Die Steppe ist fast nur als Weide nutzbar und wegen der kurzen Wachstumsperiode (weniger als 100 Tage ohne Frost) und des geringen Niederschlags (unter 500 mm) nur sehr bedingt für Ackerbau geeignet.

Ein Großteil der indianischen Bevölkerung lebt von Sozialhilfe und ist in stammeseigenen Häusern untergebracht. Die Arbeitslosenzahlen sind hoch. Es gibt kaum Industrie. Im Zuge der »Allotment-Politik« wurde kollektiver Landbesitz abgeschafft und Privatbesitz eingeführt. Heute ist 50 Prozent des Reservatlandes an weiße Amerikaner verkauft.

Im »Indian Reorganisation Act« von 1934 wurde der »Tribal Council«, eine von den USA offiziell anerkannte Stammesregierung eingesetzt. Sie entspricht nicht den traditionellen politischen Strukturen der Blackfoot und sorgt bis heute für eine Zersplitterung des Stammes, für Interessenkonflikte und gegenseitige Betrügereien.

Nach den alten Strukturen sind sechs oder sieben traditionelle Häuptlinge für verschiedene Ressorts zuständig. Das gilt trotz des Tribal Council unter den Blackfoot noch heute. Am bekanntesten ist derzeit Floyd Heavy Runner, Häuptling der »Brave Dog Society«, des Kriegerbundes. Er ist als Kriegshäuptling für den Schutz und den Erhalt der Blackfoot-Kultur und für die Durchführung des Sonnentanzes verantwortlich. Auch er hat den Tribal Coucil, der nach gültigem Blackfoot-Recht schon das erste Mal nicht legal zustande kam, nie anerkannt und kämpft für die Rechte seiner Leute. Deshalb sieht er sich heute massiven Bedrohungen ausgesetzt. Der für seinen Stamm zuständige US-Regierungsvertreter wolle ihn zugunsten des »Bureau of Indian Affairs« (BIA.) enterben, berichten Freunde. Angestellte der Hausverwaltung hätten ihn solange bedrängt, bis er mit seiner Familie das stammeseigene Haus verlassen habe und ohne jegliche finanzielle Unterstützung des Stammes auskommen müsse. Sein Sohn kam 1991 bei einem ungeklärten Brandunfall beinahe ums Leben, zwei seiner Brüder sind bei einem mysteriösen Autounfall im Winter 1990/91 tödlich verunglückt. Gerüchten zufolge sollen sogar Mörder auf Floyd Heavy Runner angesetzt worden sein, denn er sei wirtschaftlichen Interessen innerhalb und außerhalb des Stammes im Wege.

Der Kriegshäuptling kämpft um Landrechte. Er und die »Brave Dog Society« versuchen, das letzte Stück heiligen Blackfoot-Landes vor der Zerstörung durch Öl- und Gasabbau zu retten. 1992 sollen die ersten Straßen- und Bohrarbeiten in dem Badger Two Medicine-Gebiet beginnen. Dort leben laut Überlieferungen die Vorfahren der Blackfoot. Hier sind Begräbnisstätten, private und religiöse Rückzugsplätze, hier werden der Sonnentanz und die Visionssuche durchgeführt, und hier werden alle anderen heiligen Zeremonien wie Kräutersammeln sowie die heilige Jagd gelehrt und ausgeübt.

Der »Forest Service«, die Behörde, die alles öffentliche Land verwaltet, hat 1991 die erste von 22 geplanten Konzessionen für eine Ölquelle an Petrofina USA, ein Tochterunternehmen von Petrofina Belgien, vergeben. Eine zweite Konzession soll an die Firma Chevron gehen. Trotz indianischer Rechte, trotz der Einwände von Naturschützern, Naturschutzbehörden und anderer staatlicher Institutionen, unter Nichtbeachtung einiger US-Gesetze und der Argumente der betroffenen Blackfoot, soll deren letztes Stück heiliges Land, ein zentraler Bestandteil ihrer Kultur, zerstört werden. Für Heavy Runner ist das »beabsichtigter Völkermord«, den er juristisch stoppen will. Denn nach Untersuchungen des US Forest Service sei die Chance, Öl zu finden, geringer als 0,5 Prozent. Außerdem liege die zu erwartende Gesamtfördermenge unter zehn Millionen Barrel (US-Tagesbedarf liegt bei 17 Millionen Barrel). Das könne kein lohnendes Geschäft für Ölfirmen sein, vielmehr würden andere Interessen dahinterstecken. Unklar ist in diesem Zusammenhang auch die Rolle des Tribal Council. Dieser hatte 1973 Badger Two Medicine zu »Heiligem Land der Blackfoot« deklariert, so daß niemand ohne die Erlaubnis des Stammes über das Land verfügen dürfe. Offiziell erklärte sich der Rat mit den Traditionalisten und deren Ansprüchen solidarisch. Die Stammesregierung wurde allerdings oft bezichtigt, nicht die Interessen der eigenen Leute zu verfolgen, vielmehr korrupt und bestechlich zu sein. So sei es auch zu einem geheimen Treffen zwischen dem Tribal Council, dem Forest Service und einer Ölfirma gekommen, über dessen Inhalt bis heute nichts bekannt geworden ist.

Das politische Geschehen in dem Reservat wird von Mißtrauen begleitet. Die Traditionalisten versuchen, dem Forest Service und einer breiten Öffentlichkeit die Wichtigkeit unberührter, wilder Natur für das Leben ihrer Kultur zu beweisen. Badger Two Medicine, eine der wenigen Gegenden, wo es noch Grauwölfe und Grizzlybären gibt, sei als Ganzes für ihre Religion wichtig, auch ein Ölabbau in einzelnen Feldern komme daher nicht in Frage.

Inzwischen hat die oberste Gerichtsbehörde der USA, der »Supreme Court«, den Antrag der »Brave Dog Society« auf ein Gerichtsverfahren abgewiesen. Die letzte Instanz, der »Congress«, hat im Dezember 1991 ebenfalls eine Behandlung des Falles abgelehnt. Chief Heavy Runner beschreibt daraufhin in einem Brief die Wut seiner jungen Leute und deren Bereitschaft und Willen, zu den Waffen zu greifen. Dies wäre nicht der erste bewaffnete Konflikt zwischen indianischen und nicht-indianischen Amerikanern seit dem Ende der Indianerkriege. Noch immer halten die USA unverändert an ihrer Wachstumspolitik fest und sind bereit, dafür »Opfer« zu bringen. Doch Heavy Runner will nicht zulassen, daß seine jungen Leute diese Opfer werden. Er und sein Vertreter Ron West haben uns Europäer um Unterstützung und Hilfe gebeten bei dem Versuch, dieses unberührte, straßenlose Stück Natur und damit eine funktionierende alte Kultur, die »gesünder« als unsere sei, zu erhalten.

Renate Domnick
**Western Shoshone: Atombombentests
verseuchen das Land**

»Der sicherste Weg uns umzubringen ist, uns von unserem Teil der Erde zu trennen. Unser Geist wird sich ändern, wir werden fremde Lebensweisen nachahmen, fremde Sprachen sprechen, fremde Denkweisen übernehmen, unsere Identität verlieren und als Krüppel der Assimilation einer fremden Gesellschaft angehören«, sagte Haydn Burgess vom World Council of Indigenous People.

Noch in den 70er Jahren lebten die Western Shoshone in den Halbwüsten Nevadas zurückgezogener als irgendeine andere indianische Nation. Auch heute sind die kleinen Gruppen durch große Entfernungen voneinander getrennt. In dem dünn besiedelten Gebiet mit unzureichender Infrastruktur können ausgerechnet nur die Spielerstädte Reno und Las Vegas für indianische Anliegen eine politische Plattform bieten.

Die heute noch etwa 6000 Shoshone, einst Jäger und Sammler, waren dank ihrer ausgeprägt friedlichen Kultur und Tradition wenig geeignet, die Heldenepen siegreicher Pioniere und Landräuber auszuschmücken. Sie spielten weder in der Literatur noch in Wildwestfilmen eine Rolle. So konnte einer der längsten Landrechtsprozesse in den USA, bei dem es um 24 Millionen Morgen Land und 26 Millionen Dollar Entschädigung ging, unter Ausschluß der Öffentlichkeit stattfinden – ohne jedes Bemühen um Geheimhaltung. Es gab einfach niemanden, der sich dafür interessierte.

Es ging um Land, das die USA als ihr Eigentum betrachten – ohne rechtliche Grundlage, wie sich herausstellte. Aber dafür gibt es die Methode der nachträglichen Legalisierung: Seit 1946 verspricht ein Gesetz indianischen Nationen »Wiedergutmachung für geraubtes Land« – durch eine finanzielle Abfindung, die ihre Landrechte annulliert. Es ist eines der zahlreichen Gesetze, die die Indianer so charakterisieren: Der Räuber macht ein Gesetz, das den Landraub legalisiert. Wo diese Zwangsenteignung das gesamte Stammesland umfaßt, lösen sich die indianischen Gemeinschaften auf.

Um den Kontinent »erobern« zu können, waren die Vereinigten Staaten auf Friedensverträge mit indianischen Nationen angewiesen. Die Verträge reduzierten die ursprünglichen Territorien der Indianer erheblich, garantierten ihnen aber den Rest, »solange die Flüsse fließen...«. Mit den Western Shoshone schlossen sie 1863 den Vertrag von Ruby Valley, der für die Shoshone bis heute Grundlage ihrer Beziehungen zu den USA ist. Für diese jedoch ist es nur einer jener 371 alten Verträge, die sich mühelos ignorieren lassen, obwohl sie zwischen souveränen Nationen geschlossen wurden und völkerrechtlich noch gültig sind.

Hauptakteure in dem Mammutprozeß um die Landrechte der Shoshone, der einer Kriminalgeschichte gleicht, waren einflußreiche Washingtoner Anwälte, die für jede gelungene »Annullierung« zehn Prozent der Abfindungssumme erhielten. Dafür scheuten sie kein Mittel der Manipulation und des Betrugs. Indianische Nationen haben einen Status, der dem Völkerrecht widerspricht. Sie sind Mündel der USA. Ihnen wurden Anwälte zugewiesen, und sie hatten bis 1968 weder Zugang zu den Gerichten noch Einblick in die Prozeßakten.

Als die Western Shoshone merkten, daß die Anwälte gegen ihre Landrechte arbeiteten, begann für sie eine jahrzehntelange Odyssee durch alle Instanzen der Justiz – vergeblich. Die Anwälte, die sie nicht gerufen hatten, erwiesen sich als unkündbare Institution. Im letzten Urteil von Januar 1989 heißt es, daß die Landrechte aufgrund der Abfindung gelöscht seien, wohlwissend daß das Geld sich noch in der Staatskasse der USA befindet, denn die Indianer weigerten sich, die Abfindung anzunehmen. Land ist für sie keine Ware, die man kaufen oder verkaufen kann. Sie erkennen das Urteil nicht an und fordern von den USA die Einhaltung des Vertrags von Ruby Valley.

Mit diesem Vertrag war der östliche Teil Nevadas als Western Shoshone Territorium anerkannt worden. Damals waren es die Sagebrush-Wüsten, das Land, das niemand wollte. Heute sind es zwei Drittel eines Bundesstaates, der immer noch reich ist an Gold, arm an Bevölkerung und daher besonders geeignet für Atombombentests und ähnliche Übungen zur »Sicherung des Friedens« wie Bombenabwürfe und Tief- und Überschallflüge. Darüber hinaus ist in den Yucca Mountains das Endlager für den hochradioaktiven Abfall der gesamten USA geplant.

Das Atomtestgebiet wurde 1951 auf dem Territorium der Western Shoshone eingerichtet, lange bevor die Gerichte über die Frage der Landrechte entschieden hatten. Hier wurden seither über 900 Atombomben getestet – mehr als irgendwo sonst auf der Welt; bis 1962 über der Erde, nach dem begrenzten Teststopp-Vertrag auch unterirdisch.

Die Shoshone sprechen nicht von »Tests«, denn was auf ihrem Land explodiert, sind Bomben, die zerstören und töten. Jede

Bombe hinterläßt ein »nukleares Endlager« unter der Erde. Die Tests werden durchgeführt, wenn die Winde nach Osten oder Nordosten wehen. Denn im Westen liegt Kalifornien. Hier leben nicht nur zahllose Prominente, hier hat auch die über die Folgen der Tests gut informierte Atom-Lobby ihren Sitz. Die Atomwaffenlabors in Los Alamos und Livermore unterstehen der Leitung der Universität von Kalifornien. Die Bevölkerung Nevadas hat die am schnellsten wachsende Krebsrate der USA. In den offiziellen Krebsregistern der USA kommen Indianer als gesonderte Gruppe nicht vor.

Nördlich des Atomtestgebiets liegt die Shoshone Reservation Duckwater auf Land, das die höchste Plutoniumverseuchung aufweist. Hier ist Joe Sanchez aufgewachsen. In diesem Sommer sollte er die Leitung des »Native American Program« bei der Umweltschutzorganisation CITIZEN ALERT übernehmen, um deren Aktivitäten mit denen der Indianer zu koordinieren. Statt dessen mußte er mit Leukämie ins Krankenhaus. Jetzt bittet CITIZEN ALERT um Spenden für seine weitere Behandlung. Der Indianische Gesundheitsdienst – eine US-Behörde, die Ende der 70er Jahre für die Zwangssterilisation Tausender Indianerinnen verantwortlich war – kommt dafür nicht mehr auf.

Mangelhafte Gesundheitsversorgung und unterentwickelte Infrastrukturen in den Reservaten sind mitverantwortlich dafür, daß die Lebenserwartung der Indianer um 15 bis 20 Jahre niedriger ist als im Bevölkerungsdurchschnitt. Reservate sind bevorzugte Standorte für Giftmüll-Deponien oder militärische und nukleare Anlagen, gegen die sich ihre Bewohner kaum wehren können, solange ihnen beweiskräftige Fakten und Daten über die Krebsopfer oder über die Verseuchung des Landes und der Nahrungskette fehlen. Die Umweltbewegung interessiert sich zur Bereicherung der eigenen Konzepte mehr für indianisches Gedankengut als für deren realen Probleme. Um dem »Rassismus im Umweltschutz« zu begegnen, haben Indianer ihre eigenen Organisationen gegründet.

Auch die Shoshone riefen 1986 unter der Schirmherrschaft ihrer Regierung, des National Council, ein Umweltschutzkomitee ins Leben, um den Informationsmangel zu beheben und ihren Widerstand zu stärken. Seither nehmen sie bei Anhörungen teil und erheben Einspruch bei offiziellen Stellen wie dem Department of Energy (DOE), dem für Atomtests zuständigen Energie-

ministerium. Obwohl das DOE über einen PR-Etat in Millionen-
höhe verfügt, um die »Akzeptanz der Bombe« durchzusetzen, ist
es heute aufgrund seiner massiven Politik der Informationsunter-
drückung die meistgehaßte Institution in Nevada.

Es war vor allem die Militarisierung ihres Landes, die den
Widerstand der Western Shoshone mobilisierte. Land ist für sie
Quelle ihrer Spiritualität und Kultur, der Lebensmittelpunkt,
der nach einer eventuellen Zerstörung nicht mehr erneuerbar ist.
Anfangs war ihr Protest gegen Atomtests ein einsamer Ruf in der
Wüste, von dem selbst die Friedensbewegung keine Notiz nahm.
Das änderte sich, als zahlreiche Demonstranten, die bei gewalt-
freien Aktionen das Testgebiet betreten hatten, verhaftet und
wegen Landfriedensbruch angeklagt wurden.

In den Augen der Shoshone waren es nicht die Demonstranten,
die Landfriedensbruch begingen, sondern die USA. Seither erteilen sie als die eigentlichen Besitzer des Landes, das jetzt
»Nevada Test Site« heißt, schriftliche Genehmigungen an diejenigen, die ihr Land in friedlicher Absicht betreten wollen. Wer
eine solche Genehmigung erhält, erkennt gleichzeitig die Landrechte der Shoshone an. Die Gerichte ließen die Anklagen wegen
Landfriedensbruch fallen in der Hoffnung, damit der Unterstützung für die Landrechte die Grundlage zu entziehen.

Die Rechnung ging nicht auf. Das Testgebiet in Nevada ist
Mittelpunkt einer internationalen Bewegung geworden, die sich
für ein Ende der Atomtests einsetzt. Die Organisatoren von
»American Peace Test« veranstalten jedes Frühjahr internationale Aktionstage, zu denen auch Teilnehmer aus Europa, Japan,
Kasachstan und von den pazifischen Inseln kommen. Sie stellen
die Forderung zur Anerkennung der Landrechte gleichberechtigt neben die nach einem sofortigen Atomteststopp. Seither
haben Tausende unterschrieben, daß sie die Landrechte der Western Shoshone anerkennen. Damit bekunden sie, daß in ihren
Augen der Vertrag von Ruby Valley über dem Urteil der US-
Gerichte steht und gleichzeitig, daß die Shoshone als »Hüter des
Landes« glaubwürdiger sind als die Regierung in Washington.

1987 konnte das Umweltschutzkomitee der Western Shoshone
durch die Unterstützung aus Deutschland seine Repräsentantin
Pauline Esteves zur internationalen Konferenz über Radioaktivität und Gesundheit nach Amsterdam senden. Seither wurde sie
als »Botschafterin« der Shoshone im Kampf gegen Atomtests zu

zahlreichen Informationsreisen und Friedenskonferenzen in Europa, Kasachstan und auf den pazifischen Inseln eingeladen. Dies waren die Anfänge einer globalen Vernetzung von Testopfern und Ureinwohnern, deren Land die Atommächte als »Opfergebiete« mißbrauchen.

Unter den vielfältigen Aktionen am Testgebiet in Nevada sind die Zeremonien von Corbin Harney, dem »spiritual leader« der Western Shoshone, seit langem ein geistiger Mittelpunkt. Durch die wachsende Beteiligung von Ureinwohnern aus den USA und anderen Teilen der Welt sind sie zu einer inspirierenden Kraft für alle geworden, die sich in der Wüste Nevadas im Kampf gegen die todbringenden Bomben vereinigen. Ihre eigene Zukunft und die ihrer kommenden Generationen ist ungewiß. Durch den Verlust der Landrechte sind sie der Willkür militärischer und wirtschaftlicher Interessen stärker ausgesetzt denn je – es sei denn, der Kongreß geht auf ihre Forderungen nach einer Anhörung ein, um eine faire Lösung der Landrechtsfrage zu finden.

Martina Jarnuszak
## Die Apachen: Karl May-Romantik oder Überlebenskampf?

Die mit dem Namen Apachen bezeichneten Gruppen leben heute vorwiegend in Arizona und New Mexico. Nach linguistischen Kriterien – die heute rund 17 000 Apachen gehören zur athabaskischen Sprachfamilie – werden die westlichen und die östlichen Apachen unterschieden. Zu ersteren gehören die Cibecue, Tonto und White Mountain Apachen, die heute überwiegend in den Reservationen von Fort Apache und San Carlos in Arizona leben. Zu den östlichen Apachen werden die Jicarilla, Lipan, Chiricahua und Mescalero in New Mexico gerechnet. Diese Aufteilung ist umstritten, soll hier aber aus Gründen der Übersichtlichkeit beibehalten werden. Die Kiowa und Navajo zählen sprachlich ebenfalls zu den Apachen, waren aber durch geschichtliche Entwicklungen in ihrer Lebensweise so verschieden, daß hier nicht weiter auf sie eingegangen werden soll.

Um 1850 waren die Apachen hauptsächlich Jäger und Sammler: Sie jagten Hirsche, Antilopen, Vögel und Kleintiere; die pflanzliche Nahrung hingegen variierte stark, je nach den besiedelten Landstrichen. Einige Gruppen der östlichen Apachen betrieben in geringem Umfang Landwirtschaft, während bei den westlichen Apachen Bohnen, Mais und Kürbis auch intensiver angebaut wurden.

Die Apache lebten in kuppelförmigen, grasgedeckten Hütten (wickiups). Die Großfamilien wohnten in beieinanderstehenden wickiups und bildeten die wichtigste soziale und wirtschaftliche Einheit. Frauen blieben ihr Leben lang Mitglied derselben Großfamilie, während die Männer nach einer formlosen Hochzeit zur Familie der Frau umzogen. Sie waren verpflichtet, diese in Nahrungsbeschaffung und Verteidigung zu unterstützen und konnten geschieden werden, wenn sie sich unwillig zeigten, ihren Aufgaben nachzukommen. Polygynie (ein Mann ist mit mehreren Frauen verheiratet) war verbreitet, wobei ein Mann meistens Schwestern oder die Witwe eines Bruders heiratete.

Mehrere Großfamilien, die sogenannte Lokalgruppe, hatten einen Führer, der wegen seiner Fähigkeiten als Jäger und Krieger von allen Gruppenmitgliedern akzeptiert wurde und hohes Ansehen genoß. Er hatte keine Privilegien. Einen Führer größerer Verbände gab es im allgemeinen nicht. Alle Apachegruppen haben eine reiche Mythologie und ein komplexes System von Gottheiten und Geistern, die zum großen Teil Personifizierungen von Naturerscheinungen sind. Zu ihnen gehören Himmel, Erde, Sonne, Mond, das Kind des Wassers und die Geister der Berge (gan). Letzteren schreiben die Apachen schützende und heilende Funktionen zu.

Die Apachen zogen im 11. Jahrhundert aus Westkanada nach Süden. Sie erreichten wahrscheinlich zwischen 1400 und 1600 den Südwesten der heutigen USA. Im 17. Jahrhundert waren die östlichen Apachen im Besitz von Pferden und nutzten sie für Raubzüge und Büffeljagden. Hundert Jahre später wurden sie von Comanche- und Caddo-Indianern, die bereits Gewehre hatten, von den Plains vertrieben. Westliche und östliche Apachen wanderten weiter südwärts und trafen in New Mexico und Mexiko auf die Spanier, mit denen sie Handel trieben. Aus wirtschaftlichen Gründen überfielen die Apachen aber auch deren Siedlungen sowie die Pueblodörfer der mexikanischen Indianer. 1848 fiel New Mexico an die USA. Die Apachen wehrten sich jahrelang in erbitterten Kriegen gegen die Angloamerikaner, da sie nicht bereit waren, ihren Lebensraum, ihre Werte und ihre Kultur aufzugeben und die fremde Lebensweise anzunehmen. Schließlich wurde 1871 die White Mountain Reservation eingerichtet: Die westlichen Apachen waren besiegt. Als letzte versprachen ein Jahr später die Chiricahua unter Cochise, ihren Widerstand aufzugeben und in eine eigene Reservation umzuziehen. 1874 wurden sie jedoch mit verschiedenen Gruppen der westlichen Apachen in die San Carlos Reservation (ein Teil der vormaligen White Mountain Reservation) gezwungen. In der Folgezeit gab es Zwistigkeiten unter den verschiedenen Apachegruppen. Die Weißen behandelten sie brutal und ungerecht. Die Indianer durften die Reservation nicht verlassen. Wer flüchtete, wurde von der Armee verfolgt. Unter der Führung des Chiricahua Geronimo setzten sich die Flüchtlinge zur Wehr. Diese Auseinandersetzungen gingen als »Apachekriege« in die Geschichte ein. Schließlich brach der Widerstand 1886 endgültig zusammen.

Im Gegensatz zu vielen anderen eingeborenen Völkern Nordamerikas bekamen die Apachen zum großen Teil Reservationen in ihren herkömmlichen Siedlungsgebieten zugewiesen. Gegenwärtig leben sie hauptsächlich in vier Reservationen: Die westlichen Apachen in Fort Apache und San Carlos im östlichen Arizona, die Jicarilla in einer eigenen Reservation im Norden New Mexicos und die Mescalero, Lipan und Chiricahua gemeinsam in der Mescalero Reservation in Süd-New Mexico. Die Indianer leben hauptsächlich von traditionellem Handwerk wie Korbflechterei und Lederarbeiten sowie Viehzucht. Auch Tourismus trägt zu ihrem Einkommen bei. Trotz des langen Kontaktes mit Weißen und starken Einflüssen durch die katholische Kirche konnten sie ihre Sprache bewahren und Teile ihres religiösen Weltbildes überliefern. Auch die traditionelle Familienstruktur hat immer noch große wirtschaftliche und soziale Bedeutung.

In der San Carlos Reservation hat sich das Verhältnis zwischen westlichen und östlichen Apachen inzwischen entspannt. Heute kämpfen sie gemeinsam um die Rückgabe ihres heiligen Berges, des Mount Graham, der ihnen 1874 abgesprochen worden war.

Damals wurde die ursprünglich den westlichen Apachen zugesicherte White Mountain Reservation geteilt und verkleinert. Die San Carlos und Fort Apache Reservationen sind also die Reste dessen, was Ende des letzten Jahrhunderts ihr vertraglich gesicherter Lebensraum war. Bei der Teilung der White Mountain Reservation wurde unter anderem der Höhenzug der Pinaleño Mountains (auch Graham Mountains oder einfach Mount Graham genannt) von der US-Regierung einbehalten. Der Waldbestand seiner unteren Hänge war wichtig für den Eisenbahnbau und die weißen Siedler. Heute steht Mount Graham unter der Verwaltung des US Forest Service. Ein internationales Konsortium will auf dem Höhenzug eine Teleskopanlage errichten. Insgesamt sieben Observatorien mit Zufahrtsstraßen und Parkplätzen für Touristenbusse sind geplant. Bezeichnenderweise soll eines der Teleskope den Namen »Columbus« tragen – das empört viele Ureinwohner besonders.

Den Apachen ist Mount Graham heilig. Sie nennen ihn den »Großen Sitzenden Berg«, *dzil nchaa si án*. Nach ihrer Mythologie ist er von Berggeistern bewohnt, die die Apachen am Beginn der Zeit ihr medizinisches Wissen und ihre kulturellen Regeln und Gebräuche lehrten. Die Geister verschwanden nach diesen Unterweisungen im Inneren des Berges, der seitdem für die Apachen von zentraler religiöser, zeremonieller, geschichtlicher und praktischer Bedeutung ist. Zum Beispiel ist Mount Graham Begräbnisplatz von Cochise und anderen Kriegern, die gegen die weißen Eroberer kämpften. Auch viele Pflanzen, die für Zeremonien und ihre traditionelle Medizin wichtig sind, wachsen nur auf diesem Berg.

Die Indianer lehnen die Teleskopanlage ab, weil durch einen solchen Eingriff sowohl die Gräber der Vorfahren als auch die Berggeister gestört würden. Sie fürchten auch, daß der Zugang zum Berg eingeschränkt wird. Durch Absperrungen für die Observatorien würde die Arbeit und Ausbildung der Medizinleute (Männer und Frauen) und die Nutzung als Zeremonialplatz stark beeinträchtigt.

Der Konflikt um das Teleskopprojekt dauert schon Jahre. Kritiker argumentieren, daß die geplante astrophysikalische Forschung auf vielen anderen Bergen, teilweise liegen sie ganz in der Nähe, bedeutend effizienter durchgeführt werden könne, denn dort sei die Sicht viel besser. Die University of Arizona, die das

Projekt initiiert hat, behauptet, die Apachen zu Beginn der Planung informiert zu haben. Eine Antwort auf ihr Schreiben habe sie jedoch nicht erhalten. Deswegen habe man angenommen, daß die Apachen keine Einwände haben. Diese hingegen bestreiten, jemals ein solches Schreiben erhalten zu haben – wäre dies der Fall gewesen, hätten sie ihre Einwände selbstverständlich vorgebracht.

Die europäischen Projektpartner (u. a. der Vatikan und das Bonner Max-Planck-Institut für Radioastronomie) verschanzen sich hinter der University of Arizona, der sie vollstes Vertrauen schenkten. Außerdem könnten sie die Vorgänge von Europa aus selbst gar nicht beurteilen. Die Universität jedoch geht nicht auf die Forderungen der Apachen nach einer Verlegung des Projektes ein. Sie ignoriert deren notariell beglaubigte Erklärungen, daß Mount Graham eine zentrale Rolle für das Überleben ihrer Religion und der gesamten Kultur sowie für die Ausbildung ihrer Mediziner habe. Sprecher der Universität haben erklärt, diese habe sich wie jedes andere Wirtschaftsunternehmen verhalten.

Die Apachen haben Klage eingereicht, um die Teleskopanlagen auf ihrem heiligen Berg zu verhindern. Sie klagen wegen Verletzung ihres Rechtes auf freie Religionsausübung gegen die Forstverwaltung. Mehrere renommierte US-amerikanische Universitäten und das Smithsonian Institute haben sich bereits aus dem Projekt zurückgezogen. Ohne die Europäer wäre das Vorhaben längst gescheitert. Der Vatikan, der jahrhundertelang an der Kolonisation und »Entwicklung« Amerikas aktiv mitgewirkt hat, ist auch hier wieder an der Zerstörung indigener Kulturen beteiligt. Und das, obwohl Papst Johannes Paul II. die Ureinwohner Amerikas 1987 aufgefordert hat, ihre Kultur und Religion zu schützen und zu pflegen. Der Chef des vatikanischen Observatoriums, Jesuitenpater Coyne, hat den Apachen gesagt, er wolle vom Mount Graham »nach Gott Ausschau halten...«

*Literatur:*

Debo, Angie: Geronimo. The Man, his Time, his Place. Oklahoma 1977

Fergusson, Erna: Dancing Gods. Indian Ceremonials of New Mexico and Arizona. Albuquerque 1966

Forbes, Jack D.: Apache, Navaho and Spaniard. The Civilization of the American Indian Series 115. Oklahoma 1979

Opler, Morris E.: The Apachean Culture Pattern and its Origins. In: Ortiz, Alfonso (Hg.): Handbook of North American Indians; Vol. 10. Washington 1983, S. 368–386

# Uwe Peters
# Die Navajo zwischen Anpassung und Widerstand

Nach Meinung der Ethnologen sind die Navajo, die sich selber
»Dineh« (das Volk) nennen, vor Hunderten von Jahren aus dem
Norden Nordamerikas in den Südwesten eingewandert. Auf ihrem Weg wurde ihre Kultur von anderen Indianervölkern beeinflußt. Wahrscheinlich erreichten sie den Südwesten der heutigen
USA ab etwa 1300 n. Chr. Dort übernahmen sie Teile der Pueblo-
Kultur. Sie begannen, Mais anzubauen, ihre rituellen Handlungen zu erweitern. Aber auch die Spanier mit ihren Pferden,
Rindern, Schafen und Ziegen prägten die Kultur der Navajo, die
von den Europäern diese Haustiere eintauschten. Zumeist aber
stahlen sie die Tiere und entwickelten sich zu regelrechten Experten des Pferdediebstahls. Der Ruf der »raiders« (Diebe) sollte
den Navajo noch lange anhaften; kriegerisch waren sie jedoch nie.
Neben Jagen und Sammeln und der von den Pueblo übernomme-
nen Landwirtschaft wurden Tier-Diebstahl und -Zucht so zu
Grundpfeilern der Navajo-Ökonomie. Damit sicherten sie sich ihr
Überleben unter den schwierigen Umweltbedingungen der Halb-
wüste. Die Einflüsse der Weißen führten zu einem regelrechten
Wertewandel. Tierbesitz wurde für die Navajo so wichtig, daß
der soziale Status des einzelnen von der Größe seiner Herden
abhing.

Den Südwesten der heutigen USA beherrschten bis Anfang
des 19. Jahrhunderts die Spanier. 1822 übernahm das inzwischen
unabhängige Mexiko diese Rolle, mußte das Gebiet jedoch 1848 –
als Ergebnis des Krieges mit den USA – abgeben. Der Vertrag
von Guadelupe Hidalgo zwischen Mexiko und den USA bekräftigt
in Artikel 10 »die Anerkennung des Rechts auf Leben, Freiheit,
Eigentum und Religion der nomadisierenden und seßhaften Dorf-
Indianer sowie aller, die in Zukunft innerhalb der Grenzen der
Vereinigten Staaten als solche verstanden werden«.[1]

In den folgenden Jahren versuchten die USA, die Navajo zu
unterwerfen, doch zunächst erfolglos. Erst nachdem die Truppen
unter General Carleton und dessen Scout Kit Carson Häuser und
Felder der Navajo zerstört hatten, ergaben sie sich, um einer

Hungerkatastrophe zu entgehen. Nur wenige konnten entkommen. Die Gefangenen wurden im legendären »Langen Marsch« 1864 nach Osten zum Fort Sumner verschleppt. Hunderte von Indianern starben auf dem Marsch und später im Lager von Bosque Redondo in New Mexico.

Weil der Unterhalt mehrerer tausend Navajo viele Steuergelder kostete, andererseits aber kaum weiße Siedler an dem Navajo-Gebiet interessiert waren, entschloß sich die Regierung nach vier Jahren, die Indianer zurückkehren zu lassen und ihnen dort ein Reservat einzurichten. Im Vertrag vom 1. Juni 1868 verpflichteten sie sich, Frieden zu bewahren. Der Vertrag sah auch die Erziehung von Navajo-Kindern in von der Regierung eingerichteten Internatsschulen vor. Die Navajo widersetzten sich dieser Maßnahme, so daß ihre Kinder zu den weit entfernten Schulen meist von der Polizei gebracht werden mußten.

Das Reservat der Navajo wurde nach und nach erweitert, allerdings erhielten die Indianer nur kaum nutzbares Wüstenland. Trotzdem konnten sie verhältnismäßig gut von einfacher Landwirtschaft und Viehzucht leben. Die Bevölkerung nahm stetig zu. Heute leben etwa 200 000 Navajo – das zahlenmäßig stärkste Indianervolk in den USA – in dem größten Reservat der Vereinigten Staaten, das in seiner Ausdehnung den Bundesländern Schleswig-Holstein und Niedersachsen entspricht.

Mitten im Navajo-Reservat leben auch heute noch Pueblo-Indianer, die Hopi. Zunächst lebten die beiden Völker, nachdem plündernde Navajo der Vergangenheit angehörten, friedlich nebeneinander, teilweise gab es Handelsbeziehungen, Ehen zwischen Hopi und Navajo waren nicht selten. Wegen angeblicher Streitigkeiten bestimmte 1882 die US-Regierung einen Teil des Reservats zur gemeinsamen Nutzung und Besiedlung. Diese »Joint Use Area«, halb so groß wie Hessen, wurde später zum Anlaß für den »Navajo-Hopi-Landkonflikt«.

Nach den »Indianer-Kriegen«, etwa in den 70er Jahren des letzten Jahrhunderts, änderte die US-Regierung ihre Strategie gegenüber den Indianern. Den Massakern und Kriegen folgte eine Politik der Umerziehung, an der sich besonders die Kirchen beteiligten. An den Internaten in der »Joint Use Area« unterrichteten vor allem die Mormonen. Auch dieser Zwangsunterricht, in dem beispielsweise der Gebrauch der eigenen Muttersprache drastisch bestraft wurde, bewirkte, daß traditionelle Werte teilweise verloren gingen. So stimmten später einige Indianer etwa dem Abbau von Öl oder Kohle auf ihrem Land zu, ohne darin eine Verletzung von »Mutter Erde« zu sehen.

Anfang der 20er Jahre wurden auf Navajo-Land Ölvorkommen entdeckt. Die Regierung war deswegen sehr daran interessiert, juristisch einwandfreie Vertragspartner vorweisen zu können, um Pachtverträge mit Firmen zu ermöglichen, die die Bodenschätze abbauen wollten. 1922 wurde deshalb ein Navajo-Wirtschaftsrat eingerichtet, der aus drei vom Büro für Indianerangelegenheiten (BIA) willkürlich eingesetzten Personen bestand. Das Reservat wurde außerdem in lokale Verwaltungseinheiten aufgegliedert. Diese haben bis heute jedoch nur geringe Kontrolle über ihr eigenes Gebiet.

Zehn Jahre später ordnete die Bundesregierung wegen angeblich drohender Überweidung eine Reduzierung des Viehbestandes im Reservat an. Die Navajo wurden gezwungen, einen großen Teil ihrer Tiere gegen Prämien zu schlachten oder zu verkaufen. Zwischen 1934 und 1940 verloren sie so die Hälfte ihrer Herden. Das »Viehreduzierungsprogramm« schwächte die Ökonomie der Navajo erheblich und erwies sich im nachhinein sogar als ökologisch ungünstiger als die intensive Beweidung. Darüber hinaus erlitten die Navajo einen schweren psychologischen Schock.

Laut »Indian Reorganization Act« von 1934, der für alle indianischen Nationen Verfassungen und Wahlen nach US-Vorbild vorsah, sollten sich auch die Navajo politisch organisieren. Sie stimmten zunächst dagegen, denn die Navajo waren kein integrierter Stamm, vielmehr ein kaum geeintes Volk; sie hatten deshalb auch keinen höchsten Führer. Sie waren aufgesplittert in viele kleine lokale Gruppen mit jeweils eigenem Führer. Es gab jährliche Treffen dieser »headmen«, was ohne praktische Bedeutung war. Die Gruppen waren autonom und fühlten sich nicht für die anderen verantwortlich. Die wenigsten hielten sich an Verträge, die der »headmen« einer anderen Gruppe unterzeichnet hatte. Wenn die Weißen mit »local headmen«, die sie für Stammes-»Häuptlinge« hielten, Verträge schlossen, wurden diese Abmachungen von Angehörigen anderer Gruppen oft nicht ernstgenommen. Sie unterstanden der Rechtsprechung anderer Führer. Die US-amerikanischen Behörden verstanden die soziale Organisation der Navajo nicht. Sie hielten den ganzen Stamm für hoffnungslos hinterhältig. Schließlich konnten sich diejenigen Navajo, die beeinflußt von »weißer« Erziehung und Kirche dem System der Weißen näherstanden, ihre Ansichten über die politische Organisation durchsetzen. Auch bei den Navajo wurden gemäß dem »Indian Reorganization Act« Wahlen veranstaltet.

Nach dem Zweiten Weltkrieg erfroren oder verhungerten viele Navajo und Hopi im Reservat. Schwere Winter, so 1947/48, hatten katastrophale Auswirkungen. Daraufhin wurde ein Programm für die Entwicklung der Region, der »Navajo-Hopi Long Range Rehabilitation Plan«, ausgearbeitet. Neben der Unterstützung einzelner Indianer war auch die verstärkte Nutzung natürlicher Ressourcen vorgesehen. Darin wurde auch Ausbeutung der Bodenschätze – wie Öl, Kohle und Uran – einbezogen. Die Navajo-Stammesregierung stimmte zunächst gegen dieses Programm. Als Reaktion darauf verbot Präsident Truman die bis dahin erfolgte Unterstützung einzelner.

Um die Armut des Reservates zu lindern, setzten spätere Stammesregierungen der Navajo, insbesondere unter dem langjährigen Stammesrats-Vorsitzenden Peter McDonald, jetzt doch vermehrt auf die Ausbeutung der Bodenschätze. Uran und hochwertige, schwefelarme Steinkohle zogen multinationale Konzerne an. Die Auswirkungen des Abbaus waren und sind erheblich: Das Land wird auf Jahrzehnte oder Jahrhunderte zerstört, das Grundwasser sinkt, Uranabbau setzt Radioaktivität frei. Zudem sind diese Bodenschätze – wenn auch nur im Hintergrund – ein entscheidender Aspekt bei dem sogenannten Landkonflikt zwischen Navajo und Hopi: Die »Joint Use Area« von 1882 ist in etwa deckungsgleich mit dem riesigen Tafelberg »Black Mesa«, der große Mengen an Steinkohle, Erdöl, Erdgas, Grundwasser und Uran enthält.

Nachdem 1946 der »Indian Claims Commission Act« erlassen war, ein Gesetz, das indianischen Stämmen die Einstellung eines Anwaltes ermöglichte und finanzielle Entschädigung für Landverluste in Aussicht stellte, engagierte der (in der Mehrheit mormonische) Stammesrat der Hopi John Boyden, einen ehemaligen Mormonen-Bischof, und der Navajo-Stammesrat den Rechtsanwalt Norman Littell, um die Landrechtssituation zu klären. Etwa 30 Jahre lang wurde um die Landrechte auf dem gemeinsamen Gebiet der Navajo und Hopi verhandelt, wobei der Hopi-Stammesrat zunächst das gesamte gemeinsame Nutzungs-

146

gebiet nur für sein Volk beanspruchte. Hauptakteure waren die beiden Anwälte, Stammesratsvorsitzende, US-Innenminister und einzelne Politiker wie Wayne Aspinall, Harrison Loesch, Sam Steiger und Barry Goldwater. Im Hintergrund wirkten auch mächtige Energiekonzerne mit. So vertrat der Hopi-Anwalt Boyden zur gleichen Zeit die »Aztec Oil & Gas Company«. Sogar eine Werbefirma wurde beauftragt, den »Konflikt« zwischen Hopi und Navajo mediengerecht in die US-Öffentlichkeit zu bringen. Gezeichnet wurde das Bild zweier sich befehdender Indianerstämme. Die US-Regierung »mußte« eingreifen. 1974 war es endlich soweit: Das Gesetz zur Teilung des gemeinsamen Nutzungsgebietes wurde von Präsident Ford unterzeichnet. Da sich die beiden Stammesräte über eine Grenzziehung nicht einigen konnten, teilte Richter James Walsh das Gebiet 1977 mit einem Federstrich in zwei gleich Teile, über 10 000 Navajo und etwa 100 Hopi fanden sich auf der »falschen« Seite dieser neuen Grenze wieder.

Bis heute wurden Tausende Navajo von einer speziell dafür eingesetzten Kommission zwangsweise umgesiedelt. Nur wenige konnten sich der neuen Situation problemlos anpassen. Viele, insbesondere ältere Navajo, litten an der Entwurzelung so sehr, daß sie depressiv wurden, dem Alkohol verfielen oder Selbstmord begingen. Einige Dutzend Familien, gerade in dem Gebiet um »Big Mountain«, das vielleicht als das Zentrum des Widerstandes gegen die Zwangsumsiedlung bezeichnet werden kann, harren bis heute aus.

[1] Arbeitsgruppe Indianer der Gesellschaft für bedrohte Völker (Hg.), Der Völkermord geht weiter – Indianer vor dem IV. Russell-Tribunal, Reinbek 1982, S. 146

*Literatur:*
Rockpoint Community School Arizona (Hg.): Umgeben von heiligen Bergen. Navajo-Geschichten und Erfahrungen über das Land, Hannover 1985.
Bingham, Sam und Janet (Rockpoint Community School): Umgeben von heiligen Bergen, Hannover 1986.
Iverson, Peter: The Navajo Nation, Westport and London 1981.
König, René: navajo-report 1970–1980, Von der Kolonie zur Nation, Neustadt/Weinstraße 1980.
Hillerman, Tony, div. Titel (Kriminalromane, die in dem Navajo-Reservat spielen und »ganz nebenbei« einen guten Einblick in die Navajo-Kultur verschaffen.)

# 4. Mittelamerika

# Ingrid Kummels
# Mexiko: Indianische Politik gegen Indianerpolitik

»Widersprüchlich« ist wohl das treffende Wort, um die Politik zu charakterisieren, die die mexikanische Regierung heute noch gegenüber den 56 indianischen Ethnien[1], die mit neun Millionen Menschen über zehn Prozent der Gesamtbevölkerung Mexikos ausmachen, betreibt. So gilt das offizielle Ziel der Regierung, die indianischen Ethnien als wesentliche Bestandteile der multikulturellen Gesellschaft zu erhalten, international als beispielhaft. Doch gibt es eine Diskrepanz zwischen diesem propagierten Anspruch und der staatlichen indianerpolitischen Praxis. Bisweilen muß extremer Widerspruch festgestellt werden zwischen dem, was die Regierung sagt, das sie will und dem, was man als ihre tatsächliche Absicht vermuten muß.

1992 wollen die Regierungen Mexikos, der USA und Kanadas den Indianern Mexikos neue »Freiheiten« gewähren. Im Zuge eines geplanten Freihandelsabkommens sollen auch die mexikanischen Indianer künftig die Möglichkeit haben, sich das bisher vom Staat verliehene und unveräußerbare »ejido«-Land als Privateigentum anerkennen zu lassen und dieses künftig verpachten, verpfänden oder kaufen zu können. Über die Hälfte des landwirtschaftlich nutzbaren Landes Mexikos ist heute noch im »ejido«-Besitz.

Die Betroffenen befürchten jedoch, daß nicht die versprochene Teilnahme an einem wirtschaftlichen Aufschwung die Folge sein wird, sondern sich die Entwicklung aus dem vergangenen Jahrhundert wiederholt. 1856 beschloß die mexikanische Regierung mit dem liberalistischen Gesetz »Ley Lerdo« die Auflösung des kommunalen Landbesitzes indianischer Gemeinden. Als Folge hatten bis Ende des Jahrhunderts neunzig Prozent der Bauern, mehrheitlich Indianer, kein Land mehr. Sie mußten als verschuldete Tagelöhner oder Pächter für Großgrundbesitzer arbeiten, um überleben zu können.

Die daraufhin 1910 ausbrechende Mexikanische Revolution konnte nur erfolgreich sein, weil sich das mestizische Bürgertum, das sich gegen die spanischstämmige Oberschicht auflehnte, mit dem Ruf »Freiheit und Land« breite Unterstützung bei der indianischen Landbevölkerung fand. Am Ende des blutigen Kampfes, der über eine Million Menschen das Leben kostete, wurde in der Verfassung von 1917 eine Agrarreform verankert, das Land aber zunächst nicht entsprechend verteilt. Die Lage der indianischen Bevölkerung besserte sich deshalb nicht wesentlich.

Das veranlaßte indianische Bauern, sich auch mit Gegnern der Regierung, so mit Vertretern der katholischen Kirche, zu verbünden. Bessere Lebensbedingungen versprachen sich zahlreiche Indianer durch den Anschluß an den Aufstand der »Cristeros« in den 20er und 30er Jahren. Doch auch die konservativen, rechtsgerichteten Cristeros erwiesen sich als unzuverlässige und egoistische Bündnispartner. Deshalb kam es unter den Angehörigen indianischer Ethnien zu keiner einheitlichen Haltung. Während die Mehrheit sich aus den Auseinandersetzungen auf nationaler Ebene heraushielt, kämpfte eine Minderheit je nach Interessenlage oder Erfolgsaussichten entweder auf der Seite der katholischen Kirche oder der Regierung.

Die mestizischen Machthaber hatten mit dieser uneinheitlichen, eigenwilligen indianischen Bevölkerung von Anfang an ein ganz spezielles Problem: Als Teil ihrer eigenen Identität zollten sie den vergangenen indianischen Hochkulturen Bewunderung – auf die zeitgenössische indianische Landbevölkerung blickten sie dagegen herab. Sie empfanden sie als arm, ungebildet und rückständig. Und in sie projizierten sie die Gründe dafür, daß Mexiko keine moderne homogene und fortschrittliche Industrienation »westlicher« Prägung darstellte. Aus dieser Wahrnehmung des »Indianerproblems« erwuchs die mestizische Ideologie und Indianerpolitik des »Indigenismo«. Die Rückständigkeit der Indianer wurde unter anderem auf ihre Sprache und Kultur zurückgeführt bzw. auf ihren »Mangel« an spanischen Sprachkenntnissen und mestizischer Kultur. Durch Einwirkungen in diesen Bereichen hofften mestizische Politiker, die Rückständigkeit aufzuheben und die Indianer in die mexikanische Gesellschaft und Wirtschaft »integrieren« bzw. sie »mestizieren« zu können. Der langjährige Direktor des staatlichen Indianerinstituts INI, Alfonso Caso, brachte die damaligen Wunschvorstellungen auf einen Punkt: »Bis 1970 wird es keinen Indianer mehr geben.«

Seine wesentliche Prägung erfuhr die heutige mestizische Indianerpolitik während der Präsidentschaft von Lázaro Cárdenas

(1934–1940). Er genießt aufgrund seiner Umsetzung wesentlicher revolutionärer Forderungen in Mexiko heute noch großes Ansehen. Er setzte sich verstärkt für die Landreform ein. Nach der Verfassung von 1917 ist die mexikanische Bundesregierung Eigentümer des gesamten Landes auf nationaler Ebene. Sie hat das Recht, privaten Großgrundbesitz zu enteignen und an Individuen oder Gemeinschaften zu verteilen, die das Land bearbeiten. Sie haben ein Nutzungs-, jedoch kein Eigentumsrecht an dem »ejido«-Land. Während der Regierungszeit von Cárdenas fand die größte Zuteilung von »ejido«-Land statt. Zur Unterstützung seiner Agrarpolitik schuf Cárdenas regionale indianische Organisationen, die »consejos supremos«, und gliederte sie in die staatliche Agrargewerkschaft ein. Diese integrierte er wiederum in die Partei, die seit Ende der 20er Jahre ununterbrochen regiert, die Partei der »Institutionalisierten Revolution« (PRI). Die von der Landverteilung erhoffte Steigerung der landwirtschaftlichen Produktion mit dem Ziel der nationalen Selbstversorgung traf nur vorübergehend Ende der 40er Jahre ein. Heute muß Mexiko für fast zwei Milliarden Dollar Grundnahrungsmittel importieren.

Cárdenas gründete die erste indianerpolitische Regierungsinstitution Mexikos. Deren Nachfolgeorganisation ist das bis heute wirkende »Instituto Nacional Indigenista« (INI). Die Arbeit des INI konzentrierte sich bis in die 80er Jahre auf den Bereich der Schulerziehung und richtete sich an die überwältigende Mehrheit der Indianer, die kein Spanisch sprach, sondern nur ihre Muttersprache, eine von 56 indianischen Sprachen. INI-Vertreter instrumentalisierten das in der Verfassung von 1917 verankerte Recht aller Mexikaner auf kostenlose staatliche Schulbildung für die Ziele der mestizischen Indianerpolitik. Der bis dahin von mestizischen Lehrern gehaltene Unterricht in spanischer Sprache hatte sich als unzulänglich erwiesen, um indianische Schulkinder zu hispanisieren. Daher setzten Regierungsanthropologen des INI auf die neue »progressive« Methode der zweisprachigen Erziehung. Indianische Schüler sollten während einer Übergangsphase in ihrer jeweiligen Muttersprache lesen und schreiben lernen, um anschließend rascher Spanisch erlernen zu können.

Die Pfeiler dieser neuen Erziehungspolitik stellten indianische Lehrer, die »promoteres culturales«, dar. Die Regierungsanthropologen des INI glaubten, daß Individuen aus den indianischen Ethnien selbst dank ihrer Herkunft für die Rolle von »Entwicklungshelfern« am besten geeignet waren, hatten sie doch die für diese Aufgabe notwendigen Sprachkenntnisse, das Einfühlungsvermögen und genossen weithin das Vertrauen ihrer Leute. Die nach diesen Kriterien ausgesuchten und ausgebildeten indianischen Lehrer erfüllten weitgehend die Hoffnungen, die die Indianerpolitiker in sie setzten. Sie stellten sich während einer ersten Phase als außerordentlich nützlich heraus, um die ablehnende Haltung der indianischen Gemeinden zu überwinden. Diese Ablehnung richtete sich nicht nur gegen das Schulprogramm, sondern auch gegen andere mit den Schulgründungen einhergehende Maßnahmen wie den Straßenbau, der eine wirtschaftliche Vereinnahmung indianischer Wohngebiete durch Mestizen begünstigte.

In anderer Hinsicht ging die Rechnung der mestizischen Indianerpolitiker nicht auf. Nicht alle promoteres culturales identifizierten sich mit den Zielen ihrer Auftraggeber. Sie entwickelten vielmehr eine kritische Haltung gegenüber der staatlichen Erziehungspolitik und distanzierten sich von der ihnen zugedachten Rolle. Sie bildeten Mitte der 70er Jahre eigene berufständische Organisationen und forderten eine »indianergerechte« Schulerziehung. Die indianischen Lehrer drängten auf eine »wirklich« zweisprachige Schulerziehung, die den indianischen Sprachen einen gleichberechtigten Platz im Schulunterricht zuwies und die zudem neben Inhalten der mestizischen Kultur auch Inhalte der indianischen Kulturen vermittelte. Die Integrationspolitik wurde daraufhin, zumindest nach offiziellen Verlautbarungen, durch eine Politik ersetzt, die die kulturelle Heterogenität Mexikos anerkannte und die indianischen Ethnien als erhaltungs- und förderungswürdige Bestandteile der nationalen Identität erachtete.

Doch an der indianerpolitischen Praxis auf dem Land änderte dies wenig. Bis heute wird außer an wenigen Vorzeigeschulen keine zweisprachig-bikulturelle Schulerziehung praktiziert. Die Herstellung von didaktischem Material, das für eine Schulerziehung neuer Prägung notwendig ist, wird von der Regierung ungenügend finanziert. Einige Vertreter der auf regionaler und nationaler Ebene organisierten indianischen Lehrer sind mittlerweile von der Regierung mit leitenden Stellungen in den indianischen Erziehungsprogrammen betraut worden. So können sie ihre Forderungen nicht mehr mit der früheren Vehemenz verfolgen. Die indianischen Lehrer auf dem Land nehmen zudem nicht selten einen gegensätzlichen Standpunkt zu ihrer Organisationsspitze ein und bejahen den direkten Spanischunterricht, weil es die einzige Art des Unterrichts ist, die sie kennen.

Ein Teil der indianischen Bevölkerung auf dem Land nimmt eine ähnliche Haltung ein, wenn auch aus anderen Gründen. Er glaubt, die indianische Sprache besser fördern zu können, wenn deren Verwendung auf den außerschulischen Bereich beschränkt bleibt. Für die Vermittlung indianischer Sprachkenntnisse vertrauen viele Eltern auf ihre »traditionelle« Sozialisation und Erziehung. Parallel hierzu haben indianische Bevölkerungsgruppen in der Auseinandersetzung mit der staatlichen Schulpraxis, die gegen ihre Sprachen und Kulturen gerichtet ist, eine eigene »Schulpolitik« entwickelt. Sie zeichnet sich durch eigenständige Konzepte und Strategien gegenüber den Schulen und ihren Vertretern aus, um sie für die jeweiligen indianischen Interessen umfunktionieren zu können. Diese »Schulpolitik« indianischer Bevölkerungsgruppen wird jedoch, im Gegensatz zu der der Organisationen indianischer Lehrer, die sich in ihrer Argumentationsweise und Organisationsform mehr an »westlichen« Vorbildern orientieren, von Außenstehenden wenig wahrgenommen.

Als Beispiel sei im folgenden kurz auf die Schulerziehungsstrategien der Tarahumara oder Rarámuri, wie sie sich selbst nennen, eingegangen. Zusammen mit 250 000 Mestizen wohnen 70 000 Rarámuri im westlichen Viertel des nordmexikanischen Staates Chihuahua. Sie haben seit Beginn dieses Jahrhunderts Erfahrungen mit verschiedenen Schulerziehungsansätzen der katholischen Missionen und der mexikanischen Regierungen machen können. Beide Institutionen versuchen, die verstreut siedelnden Rarámuri mit Internaten zu erfassen. An den staatlichen Schulen unterrichten heute Rarámuri- und Mestizenlehrer ausschließlich auf Spanisch. An den Missionsinternaten wird lediglich in den ersten beiden Schuljahren Unterricht in Rarámuri erteilt, danach wird er ausschließlich in Spanisch gehalten. In Internaten beider Institutionen werden den Schülern neben Spanischsprechen, Lesen, Schreiben und Rechnen relativ intensiv praktische Arbeiten wie Kochen, Waschen und Putzen vermittelt. Die Ausbildung zielt in der Praxis auf eine spätere Lohnarbeit in den Städten ab. Diese Perspektive ist für die meisten Rarámuri-Eltern und -Kinder nicht attraktiv. Bei einer Rarámuri-Gruppe konnte ich feststellen, daß ein Drittel der Kinder gänzlich auf den Schulbesuch verzichtet. Ein weiteres Drittel besucht die Internate nur periodisch und nutzt sie vor allem während der maisarmen Vorerntezeit für eine kostenlose Essensversorgung. Nur ein Drittel der Kinder geht, wie von Mission und Regierung vorgesehen, langfristig und regelmäßig in die Schule. Sie sind hauptsächlich die Kinder schulerfahrener Eltern, die Schulkenntnisse erfolgreich in die Rarámuri-Lebensweise integriert und sich auf das Dolmetschen und Schreiben spezialisiert haben. Sie treten als Mittler zwischen Rarámuri und Mestizen auf und helfen den Indianern dabei, ihren Landbesitz gegenüber Mestizen zu verteidigen. Sie schreiben Beschwerdebriefe an die zuständigen Regierungsbeamten und suchen städtische Behörden auf. Solche Spezialisten nehmen anderen Rarámuri die Notwendigkeit ab, selbst die Schule besuchen, Spanisch sprechen und mit Mestizen verkehren zu müssen.

Die schreibkundigen Spezialisten der Rarámuri haben sich neuerdings eines weiteren Problems annehmen müssen. Das Wohngebiet der Rarámuri beherbergte eines der größten Kiefernvorkommen Mexikos und ist seit einiger Zeit von der neoliberalen Wirtschaftspolitik der Regierung Salinas de Gortaris im besonderen Maße betroffen. Im Rahmen des geplanten Freihandelsabkommens werden seit 1988 Vorstudien für ein Weltbankprojekt durchgeführt. Dessen Ziel ist es, mit Hilfe von 100 Millionen US-Dollar die Rentabilität der Holzausbeutung in der Region zu erhöhen. Von der Holzausbeutung profitieren bereits fast nur Mestizen. Nun sollen sie künftig in der Form von Krediten zusätzlich unterstützt werden. Diese Maßnahme würden das schon vorhandene Ungleichgewicht zwischen Rarámuri und Mestizen, die einige kollektive »ejidos« gemeinsam bewohnen und bewirtschaften, verschärfen.

Mit Skepsis haben es Rarámuri registriert, daß das INI nun einerseits theoretisch eine »indianische Autonomie« fordert und zugleich in der Praxis das Weltbankprojekt und die »ejido«-Auflösung unterstützt. Ein Teil der Rarámuri hat sich deswegen im vergangenen Jahr mit regionalen Vertretern der jesuitischen Mission und ökologischen Gruppen aus den USA zusammengetan. Gemeinsam haben sie, wegen der ökologischen Folgen, die von der zu erwartenden Zunahme der Waldrodung befürchtet werden, eine Veränderung des Projekts bewirken können.

Wenngleich fraglich ist, ob sie das geplante Weltbankprojekt verhindern können, so haben die Rarámuri mit ihrem Widerspruch deutlich gemacht, daß über sie nicht hinwegbestimmt werden kann. Die Regierungen der USA, Kanadas und Mexikos werden sich auch künftig mit den jeweils auf eigenständigen Positionen beruhenden Strategien und Politiken indianischer Bevölkerungsgruppen auseinandersetzen müssen.

[1] Größtes Indianervolk Mexikos sind die Nahua mit rund 1,5 Millionen, gefolgt von den Maya mit etwa 830 000 und den Zapoteken mit etwa 422 000 Angehörigen.

*Literatur:*
Beck, Barbara: Mais und Zucker. Zur Geschichte eines mexikanischen Konflikts, Berlin 1986
Deimel, Claus: Tarahumara. Indianer im Norden Mexikos, Franf./M. 1980
Maihold, Günther: Identitätssuche in Lateinamerika: das indigenistische Denken in Mexiko, Saarbrücken 1986
Münzel, Mark (Hg): Die indianische Verweigerung – Lateinamerikas Ureinwohner zwischen Ausrottung und Selbstbestimmung, Reinbek 1978

Ulrich Delius
# Alltag in Guatemala: Todesschwadrone gegen Indianer

Neun Angehörige einer indianischen Familie wurden am 18. Oktober 1991 in dem entlegenen Dorf Volcancillo von ehemaligen Mitarbeitern des Geheimdienstes der Armee ermordet. Drei weitere Indianer wurden bei dem Überfall schwer verletzt.

Meldungen über Gewalttaten gehören zum Alltag in dem mittelamerikanischen Staat. Kein Monat vergeht, ohne daß Soldaten oder ehemalige Militärangehörige Massaker an der indianischen Landbevölkerung begehen. 547 Morde wurden in den ersten sechs Monaten des Jahres 1991 verübt, ein Drittel war politisch motiviert. Paramilitärische Verbände und Todesschwadrone morden ungehindert weiter. Nur zu oft kennen die Angehörigen der Opfer die Täter, sehen jedoch keine Möglichkeit einer Strafverfolgung und eines wirksamen Schutzes vor weiteren Übergriffen. 80 Personen wurden im ersten Halbjahr 1991 gewaltsam verschleppt. Die Behörden verfolgten jedoch nur 26 Entführungsfälle. Im September 1991 kritisierte die US-Menschenrechtsorganisation »America's Watch«, daß die Verantwortlichen für ein Massaker an 13 Indianern im Dezember 1990 noch immer nicht vor Gericht gestellt worden waren, obwohl es mehrere hundert Zeugen für das Blutbad gibt.

Die Maya-Indianer stellen heute etwa 60 Prozent der fast 10 Millionen Einwohner Guatemalas. 23 ethnische Gruppen, deren Bräuche und Traditionen sich unterscheiden, werden der indigenen Bevölkerung zugerechnet. Die Mam, Kekchi, Quiché und Chakchiquel zählen zu den größten indianischen Bevölkerungsgruppen.

Die Verfolgung der Urbevölkerung hat in Guatemala eine lange Tradition, die von der Eroberung durch die Spanier bis in heutige Zeiten reicht. Im 16. Jahrhundert unterwarf Pedro de Alvarado in einem blutigen Krieg die Maya. Indianer wurden fortan als dumme, minderwertige Geschöpfe angesehen. Dieser tiefsitzende Rassismus ist auch heute noch zu spüren. »Indios« gelten als Bürger dritter Klasse. Im Alltagsleben sind sie unzähligen Diskriminierungen ausgesetzt. So wundert es kaum, daß besonders die Indianer Opfer der blutigen Unterdrückungsmethoden sind, die die Regierung Guatemalas gegen die Zivilbevölkerung anwendet.

Mit beispielloser Gewalt gehen die Militärs unter dem Vorwand der Aufstandsbekämpfung gegen die Kleinbauern und Tagelöhner vor. Vergeblich hatten die verarmten Indianer zu Beginn der 50er Jahre auf eine wirksame Landreform und soziale Gerechtigkeit gehofft. Militärs stürzten 1954 mit Hilfe des US-Geheimdienstes CIA den reformwilligen Präsidenten Jacobo Arbenz. Die neuen Machthaber ließen unter Präsident Carlos Castillo Armas alle Reformen rückgängig machen und stärkten die Macht der Großgrundbesitzer. Noch immer gehören zwei Prozent der Bürger nahezu 70 Prozent des Landes. Der Putsch verfestigte nicht nur die alten Machtverhältnisse, sondern förderte auch den Einfluß des Militärs, das sich immer mehr zur unkontrollierbaren Macht im Staat entwickelte. Mit blutiger Repression antworteten die Streitkräfte auf die Entstehung von Guerillagruppen, deren relativ geringe militärische Bedeutung in keinem Verhältnis zur Aufstandsbekämpfung der Armee stand. Zahllose Kleinbauern wurden tagtäglich erschossen oder verschleppt. In den 60er Jahren entstanden auch die paramilitärischen Todesschwadrone, denen oft Mitglieder der Polizei oder der Armee angehören und die für unzählige politisch motivierte Morde verantwortlich sind.

Erst in den 70er Jahren begannen die Ureinwohner sich zusammenzuschließen, da sie immer mehr verelendeten und unter der Aufstandsbekämpfung litten. 1978 gründeten die Indianer des westlichen und nördlichen Hochlandes das Komitee der Einheit der Landarbeiter (CUC). Zugleich verstärkten die Militärs ihren Druck auf indianische Kooperativen und versuchten mit allen Mitteln, die Entstehung einer Landarbeiterbewegung zu verhindern. Wer Mitglied in solch einer Organisation war, erhielt Todesdrohungen. Zahllose Kleinbauern wurden ermordet. Die Guerillagruppen, die sich Ende der 70er Jahre zu einem gemeinsamen Kommando, der »Unidad Revolucionaria Nacional Guatemalteca« (URNG) zusammenschlossen, konnten die Stellung der von den USA vorzüglich ausgerüsteten Armee jedoch niemals ernsthaft gefährden.

Trotz der Schwäche der Aufständischen führten die Streitkräfte in verschiedenen Gebieten des Hochlandes mit unerbittlicher Härte einen Vernichtungskrieg gegen vermeintliche indianische Unterstützer der Guerilla. Zu Beginn der 80er Jahre arbeitete die Regierung einen »Nationalplan für Sicherheit und Entwicklung« aus, der in mehreren Phasen die Zerstörung des traditionellen Lebensraumes der Indianer vorsah. In einer ersten Phase sollten ihre Dörfer zerstört, ihre Ernten vernichtet und mißliebige Kritiker ermordet werden. Daraufhin sollte die überlebende Bevölkerung in von der Armee kontrollierten »Modelldörfern« zwangsangesiedelt werden. Die Männer sollten für eine »Selbstverteidigungsstreitmacht« zwangsrekrutiert werden.

Mehr als 400 indianische Siedlungen wurden seit 1978 dem Erdboden gleichgemacht. Soldaten überfielen Dörfer, die zuvor bombardiert worden waren, vergewaltigten Frauen und erschossen selbst Kinder. Mit allen Mitteln versuchte die Armee, die Kleinbauern zu vertreiben und in die »Modelldörfer« zu zwingen. So wurde die Ernte vieler Bauern vernichtet, indianische Gemeinschaften wurden durch Überfälle, willkürliche Verhaftungen und Folter eingeschüchtert. 15 000 Ureinwohner fielen Morden, Massakern und Bombardements zum Opfer. Eine Million Menschen wurde durch diese völkermordartige Politik der verbrannten Erde aus ihrer Heimat vertrieben. 150 000 Menschen suchten im benachbarten Mexiko Zuflucht. Auch heute leben dort noch viele Guatemalteken in Flüchtlingslagern.

Die in Guatemala zurückgebliebenen Kleinbauern wurden aus ihren traditionellen Streusiedlungen in provisorisch errichtete Militärcamps oder Umerziehungslager deportiert. Flüchtlinge wurden zum Ausbau der Militärlager zwangsverpflichtet. Für ihre Arbeit wurden sie mit Nahrungsmitteln entlohnt, die unter anderem von den EG-Staaten als Soforthilfe für die Wiedereingliederung der Flüchtlinge bestimmt waren. Später mußten sie die neuen »Modelldörfer« errichten, in denen sie heute unter unmittelbarer militärischer Kontrolle leben. Mehr als eine Million männliche Ureinwohner wurden für sogenannte Selbstverteidigungspatrouillen zwangsrekrutiert. Sie sollen die Umgebung ihrer Siedlungen überwachen und alle Bewegungen der Bevölkerung kontrollieren.

Nach Aussagen von Beobachtern erinnern diese Siedlungen, die alle im gleichen Baustil errichtet werden, an Gefangenenlager. Europaparlamentarier, die im März 1986 »Modelldörfer« besuchten, beschrieben ihre Eindrücke so: »Überall sind Soldaten in Kampfausrüstung. Leere Wege zwischen den aufgereihten Hütten, ängstliche Gesichter. Die Menschen ziehen sich, sobald wir uns nähern, in ihre kahlen Behausungen zurück.« Wenn die Indianer das Dorf verlassen wollen, benötigen sie einen Passierschein. Systematisch zerstört die Militarisierung der ländlichen Regionen die in Generationen gewachsenen Dorfstrukturen der Indianer.

Militarisierung und Menschenrechtsverletzungen dauern auch nach dem Amtsantritt der demokratisch gewählten Regierung Vinicio Cerezo 1986 an. Noch immer werden jedes Jahr hunderte politisch motivierter Morde begangen. Entführungen sind an der Tagesordnung. Opfer der Menschenrechtsverletzungen sind die indianische Landbevölkerung, Journalisten sowie Mitarbeiter von Kirchen, Gewerkschaften und Gemeindeverwaltungen. Besonders gefährdet sind die Mitarbeiter von Menschenrechtsorganisationen. Seit dem Amtsantritt Cerezos wurden 23 Mitglieder von Menschenrechtsorganisationen entführt. Von den Übergriffen sind sowohl Mitarbeiter der Gruppe der Familienangehörigen Verschwundener (Grupo de Apoyo Mutuo, GAM) als auch Angehörige der Witwenorganisation CONAVIGUA und des 1988 von den Indianern gegründeten Rates der Ethnischen Gemeinschaften Runujel Junam (CERJ) betroffen. Mindestens 76 Mitglieder oder Sympathisanten dieser Selbsthilfeorganisation der indigenen Völker wurden bislang mit dem Tode bedroht, vier Personen wurden entführt und drei ermordet. Nur in seltenen Fällen werden die verantwortlichen Polizisten und Soldaten für die Straftaten zur Rechenschaft gezogen. Noch vor dem Amtsantritt Präsident Cerezos hatten die Militärs eine Amnestie für alle Beteiligten an Menschenrechtsverletzungen verfügt, die zwischen dem 23. März 1982 und dem 14. Januar 1986 begangen wurden.

Die Maya beklagen nicht nur die Militarisierung Guatemalas, sondern protestieren auch gegen die Diskriminierung ihrer Kultur und Sprachen. Eine kleine Spanisch sprechende Oberschicht regiert den mittelamerikanischen Staat und bestimmt Wirtschaft und Politik. Sie leugnet den indianischen Charakter des Landes, solange sich dieser nicht touristisch »vermarkten« läßt. So wird im Rahmen der Alphabetisierung (70 Prozent der Bevölkerung sind Analphabeten) auch in indianischen Siedlungsgebieten ausschließlich in Spanisch unterrichtet. Angestrebt wird die Assimilation der indianischen Urbevölkerung und die Auslöschung ihrer jahrtausendealten Kultur.

Besonders Indianer leiden unter der zunehmenden Verarmung der Bevölkerung und den wachsenden Problemen (Unterernährung, Obdachlosigkeit, Analphabetismus). Immer mehr Kleinbauern, die früher mit dem Anbau von Nahrungsmitteln ihren Eigenbedarf decken konnten, können ihre größer werdenden Familien heute nicht mehr ernähren. Um zu überleben, müssen sie Kredite aufnehmen. Ihre zunehmende Verschuldung zwingt die Hochlandindianer nach einigen Jahren, sich als Wanderarbeiter im Tiefland auf den Plantagen der Großgrundbesitzer zu verdingen. Bei mörderischer Hitze müssen sie oft zwölf Stunden am Tag in den Plantagen arbeiten und bekommen dafür nur einen Hungerlohn. Die viermonatige Erntesaison verbringen sie in Massenunterkünften mit bis zu 1000 Menschen.

Ein Indianer-Vertreter zeichnete vor den Vereinten Nationen

160

ein drastisches Bild von der Lage der indigenen Völker in Guatemala: »In dem Maße, in dem wir Gleichheit fordern und unsere Rechte verteidigen, bedroht man uns, tötet man uns. Darüber hinaus diskriminiert man uns wie Tiere, als ob wir nicht Menschen wären, die auch ein Recht darauf haben, in Freiheit zu leben und sich zu entwickeln.«

## Ulrich Delius
## Belize: Auf der Suche nach kultureller Identität

Kein anderer Staat Mittelamerikas dürfte in Europa so unbekannt sein wie Belize. Erst 1981 erhielt die ehemalige britische Kolonie die Unabhängigkeit. Der Vielvölkerstaat, der nicht größer als Hessen ist, zählt nur 180 000 Einwohner. Mehr als zehn Prozent der Gesamtbevölkerung sind Indianer, die zur Maya-Kultur gehören. 5000 Yucatec (Tiefland-Maya) leben im Norden des Landes an der Grenze zu Mexiko. Die bedeutendsten Siedlungsgebiete der Maya in Belize befinden sich jedoch im Toledo-Distrikt im Südwesten. Viele der dort lebenden 8000 Mopan und Kekchi sind noch heute in Reservationen ansässig. Diese Gebiete wurden den Indianern in den 20er Jahren von den britischen Kolonialherren zugewiesen, nachdem Mahagoni-Firmen ihre Kontrolle über immer größere Teile des Landes ausdehnten. Willkürlich konnten die Kolonialbehörden die Grenzen der Reservationen verändern, deren Rechtsstatus nicht gesichert war.

Heute ist der Staat der größte Landeigentümer im Toledo-Distrikt. Dieses sogenannte Land der Krone – die britische Königin ist noch immer Staatsoberhaupt von Belize – wird zumeist verpachtet und nur selten verkauft. Die Indianer haben neben ihren Reservationen, die auf ihren Druck zum Teil erweitert wurden, auch Grund und Boden gepachtet. Sie bauen vor allem Reis, Bohnen und Getreide an. Diese Produkte verkaufen sie auch auf den Märkten an Kreolen und Mestizen.

Mit Landbesetzungen unterstreichen die Indianer immer wieder ihre Forderungen nach Rückgabe ihres Grund und Bodens. Während sich die Maya dafür einsetzen, ihr Land gemeinschaftlich bewirtschaften und selbst verwalten zu können, versucht die Regierung, die Assimilation der Ureinwohner durch die Einführung individuellen Landeigentums voranzutreiben.

Enge Kontakte unterhalten die in den letzten 15 Jahren entstandenen Maya-Organisationen zu den Garifuna, die zu Beginn des 19. Jahrhunderts von den Antillen eingewandert sind. Auch dieser afro-indianischen Bevölkerungsgruppe wurden Reservationen zugewiesen. Heute haben viele der 11 000 Garifuna diese Gebiete verlassen und sich in Dörfern und Städten an der Küste als Kleinbauern und Fischer niedergelassen.

Die ethnische Zugehörigkeit ist in den letzten anderthalb Jahrzehnten immer mehr zum Thema in Belize geworden. Auf der Suche nach ihrer Identität gründeten Maya und Garifuna Vereine, die sich um die Förderung ihrer Kultur, Sprachen und Traditionen bemühen. So entstand Mitte der 80er Jahre der Nationale Rat der Garifuna (National Garifuna Council). Nicht nur die Garifuna, sondern auch die Maya beherrschen noch immer ihre seit alters her überlieferten Sprachen. 1987 gründeten Maya, Garifuna und andere Ureinwohner aus der Karibik die Karibische Organisation Indigener Völker (Caribbean Organization of Indigenous Peoples, COIP), die die Verständigung und die Kultur der Urbevölkerung fördern will. Die bedeutendste Vertretung indigener Völker ist der Kulturrat der Maya in Toledo (Toledo Maya Cultural Council, TMCC). Der Maya Prim Coc, der seit Jahren in führender Stellung für den TMCC arbeitet, erläutert im folgenden Interview die Lage der Indianer und die Arbeit seiner Organisation.

*Herr Coc, wie ist der TMCC entstanden?*

Der TMCC ist die Selbstorganisation der Maya in Belize, die uns national wie international vertritt. Als wir 1978 mit unserer Arbeit begannen, wußte kaum jemand in Belize, daß es uns Maya überhaupt gibt. Und wir hatten anfangs auch Probleme, Kontakt zu anderen indianischen Völkern in unseren Nachbarstaaten zu finden, weil Belize das einzige englischsprachige Land Mittelamerikas ist.

*Wie schätzen Sie die Arbeit des Rates ein, welche Erfolge hat er bislang gehabt?*

Nun, bis zu einem gewissen Grad sind wir inzwischen anerkannt. Die meisten Bürger Belizes wissen zwar auch heute nichts von uns; andererseits wirbt die Tourismusindustrie aber mit den Ruinen der alten Maya-Kulturen. Für uns selbst tut die Regierung wenig, aber 1985 hatten wir einen ersten Erfolg: Indianische Schüler bekommen jetzt den Besuch der Oberstufe finanziert. Der war ihnen früher kaum möglich, denn wir haben nicht das Geld, um Bücher, Stifte und solche Dinge zu kaufen. Jetzt gehen 97 Kinder in die Oberstufe – ein hoffnungsvoller Anfang.

*Kehren die Jugendlichen denn nach dem Schulbesuch in ihre Dörfer zurück?*

Einige studieren oder gehen zum Militär. Die meisten kehren aber zurück und werden Lehrer.

*An privaten oder öffentlichen Schulen?*

Das Schulsystem in Belize ist staatlich oder kirchlich organisiert, also öffentlich. Dabei wird unsere Sprache an den Schulen toleriert, obwohl Englisch die offizielle Landessprache ist. Die Maya-Sprache ist noch sehr lebendig und keineswegs in Gefahr zu verschwinden.

*Wenn der Kulturrat mit der Regierung verhandelt, spielen dann auch Landrechte eine Rolle?*

Ja, wir haben 1985 eine Vorlage an die Regierung erarbeitet, in der wir 500 000 Morgen Land fordern. Soviel brauchen wir, um in Frieden und Sicherheit leben zu können. Die Regierung entschloß sich dann auch zu einem Referendum, aber die Bevölkerung war der Meinung, uns stünden keine Sonderrechte zu. Deshalb hat die Regierung die Vorlage zurückgestellt und schweigt bis heute dazu. Sie hat uns aber als Vertreter der Maya anerkannt und uns auch eine gewisse Verantwortung bei Entscheidungen übertragen, die das Land in unserer Gegend betreffen. So sind in Abstimmung mit uns Übergriffe von Privatleuten auf unser Land gestoppt worden. Jetzt aber brauchen wir ein Wirtschaftsprogramm, das wir mit Hilfe von Spezialisten entwickeln wollen. Es soll die Nutzung des Landes unter ökologischen Gesichtspunkten planen; aber weil wir keine eigenen Fachleute haben, benötigen wir die Hilfe – und auch das Geld – anderer Spezialisten. Wir hoffen, daß die Regierung uns das Land überlassen wird, wenn wir ein eigenes Programm vorlegen können.

*Zur Kultur der Maya: Ist die Religion noch lebendig?*
Oh ja. Wir feiern zum Beispiel jedes Jahr am 15. Februar die Sonnenzeremonie, im Juni das Fest des Regengottes und im August das Erntefest. An diesen Festen nehmen in allen Dörfern viele Menschen teil, obwohl die Fundamentalisten (evangelikale Missionare; die Red.) uns dafür als Heiden verdammen. Auch viele Heilungszeremonien sind bei uns noch lebendig, denn in unseren Gemeinschaften leben noch viele Medizinmänner.

*Kommen die Maya dadurch in Konflikte mit den Missionaren?*
Direkte Auseinandersetzungen gab es noch nicht, wohl aber indirekte Konflikte. Die Missionare erziehen die Maya, gegen ihre Religion zu sein, sagen ihnen, indianische Kultur sei minderwertig und soll nicht weiterleben, durch die westliche Kultur ersetzt werden. Konflikte mit den Missionaren entstehen immer dann, wenn sie in einzelne Dorfgemeinschaften gehen, die Leute bekehren und ihr Land aufkaufen.

*Inwiefern hat denn der Einfluß der Moderne bei den Maya schon Fuß gefaßt?*
Nun, wir leben noch in relativ festgefügten Gemeinschaften. Aber die Jugendlichen bringen neue Einflüsse mit, wenn sie etwa zum Militär gehen, um Geld zu verdienen, und dann zurückkommen. Nach einer Militärzeit von mindestens drei Jahren sind sie an Alkohol und Drogen gewöhnt, und das führt oft zu gewaltsamen Auseinandersetzungen – eine große Belastung für unsere Lebensweise...

*... der sich sicherlich auch der Maya-Rat stellen muß. Was tun Sie in solchen Fällen?*
Sofortlösungen können wir nicht anbieten. Wir können den Jugendlichen nur raten, ihre Zeit beim Militär und das Geld, das sie da verdienen, zu nutzen, indem sie sich danach eine Ausbildung finanzieren. Aber die meisten geben ihr Geld für unnützes Zeug aus.
(Das Gespräch führte Ralf Eilers)

# Inse Geismar
# UNESCO-Projekt in Honduras
# fehlgeschlagen

Von den 150 000 Indianern in Honduras, die die Kolonisierung, den Landraub und die Vertreibung überlebten, haben nur noch winzige Splittergruppen eine geringe Chance auf ein freies Leben. Die 50 000 Lenca-Indianer im Westen des Landes und die 2000 Chortí an der Grenze zu Guatemala haben sich am stärksten assimiliert. Nur wenige Kulturmerkmale wie bestimmte Trachten oder Bruchstücke ihrer früheren Religionen haben sie beibehalten. Die meisten Indianer sind landlose Tagelöhner oder verarmte Bauern und haben sich der Lebensweise der spanischsprachigen Mehrheitsbevölkerung angepaßt.

Von den etwa vier Millionen Einwohnern von Honduras sind mehr als 90 Prozent Mestizen oder Ladinos, Nachfahren der spanischen Eroberer. Etwa fünf Prozent der Bevölkerung bezeichnen sich als »Weiße altspanischer Herkunft«. In einigen Quellen wird der indianische Bevölkerungsanteil mit bis zu 220 000 angegeben. Diese Schätzungen beziehen jedoch die zehntausenden Miskito- und Sumu-Indianer aus Nicaragua mit ein, die während des seit 1984 eskalierenden Bürgerkrieges zwischen den von den USA unterstützten »Contras« und den sozialistischen »Sandinistas« in den Nachbarstaat flohen. Nach Beendigung der bewaffneten Auseinandersetzungen und der Wahlniederlage der Sandinistas 1990 sind die meisten aus dem Exil nach Nicaragua zurückgekehrt, so daß Ende 1991 neben den genannten Gruppen wieder von etwa 25 000 in Honduras ansässigen Miskito ausgegangen werden kann.

Für kleine Gruppen des Miskito-Volkes und der afro-indianischen Garifuna, von denen an der Karibikküste insgesamt 70 000 leben, sowie für wenige der nur noch 1500 Pesch-Indianer gab es 1980 einen Hoffnungsschimmer auf eine Verbesserung ihrer Situation. Die honduranische Regierung hatte in Übereinstimmung mit der UNESCO eine 390 000 Hektar umfassende Region am Río Plátano zum Biosphärenreservat erklärt. Zwei Jahre später erhielt das Gebiet den Status eines »Welt-Kultur-Erbes«. Nicht nur der tropische Regenwald mit seiner vielfältigen Tier- und Pflan-

165

zenwelt sowie die dort im Einklang mit der Natur lebenden Ureinwohner sollten geschützt werden. Darüber hinaus liegen in dieser Region archäologisch kaum erforschte, vom Urwald überwucherte Bauten aus der Maya-Zeit. Etliche internationale Organisationen wie der »World Wide Fund for Nature« und die »US AID« finanzierten das Projekt.

Die Pesch – in der ethnologischen Literatur auch als Paya bezeichnet – sind zwar christianisiert, tragen »westliche« Kleidung und haben ihre traditionellen Blasrohre gegen Gewehre eingetauscht. Doch betreiben sie teilweise noch heute Subsistenzwirtschaft und benutzen ihre eigene Sprache (Chibcha). Am Rande des Reservates vermischten sie sich mit den Miskito, in den letzten Jahrzehnten zunehmend auch mit der Ladinobevölkerung.

Isoliert und ungestört lebten bis vor wenigen Jahren nur einige Dutzend Pesch- und Miskito-Indianer in der kleinen Ortschaft Las Marias mitten im unzugänglichen Regenwald. Entlang der Flußufer ernähren sie sich wie ihre Vorfahren vom Wanderhackbau, pflanzen Reis, Bohnen und Kassava auf kleinen Flächen. Sie machen Jagd auf Tapire, Affen, wilde Truthähne und Schweine oder Leguane, die mit der Hand gefangen werden. Wichtige Nahrungsergänzung ist Fisch, den die Ureinwohner entweder vom Boot aus speeren oder unter Wasser mit Harpunen jagen.

Ende der 80er Jahre mehrten sich in der honduranischen Hauptstadt Tegucigalpa die Gerüchte über einen bemerkenswerten Bevölkerungszuwachs im dünn besiedelten Nordosten des Landes. Tausende von Kleinbauern aus dem verarmten Süden von Honduras eroberten angeblich über bisher nicht bekannte Pisten das »jungfräuliche« Land im Naturpark Río Plátano. Im Jahr 1988 entsandte die regierungsunabhängige Organisation »Mopawi«, die Selbsthilfeprojekte der Indianer und Garifuna unterstützt, eine Delegation in das Gebiet, um diese beunruhigenden Nachrichten zu überprüfen. Was sie vorfand, übertraf alle Befürchtungen: Wo im Jahr zuvor noch dichter Primärwald wuchs, säumten notdürftig zusammengezimmerte Hütten die unbefestigte Straße ins Herzland des Reservates. Lastwagen transportierten unter Bewachung riesige Mahagoni-Stämme aus dem Regenwald, große Flächen waren für Gärten und Felder niedergebrannt, berichtete Leon Kolankiewicz.[1]

Die »Mopawi«-Repräsentanten erfuhren, daß die meisten der

rund 8000 Neusiedler erst vor ein, zwei Jahren in das Gebiet eingewandert waren. Viele beklagten, daß es kaum noch jagdbares Wild gäbe, auch Fischfang lohne sich kaum mehr. Über Jahrtausende hatten die Indianer den seltenen, in Honduras nur noch hier vorkommenden Speisefisch »cuyamel« gefangen. Die in das Land der Ureinwohner drängenden Kleinbauern hatten mit Dynamit Fischfang betrieben und so binnen kürzester Zeit nicht nur die Gewässer nahezu leergefischt, sondern auch durch den Lärm die scheuen Waldtiere vertrieben. Pionierarbeit zur »Erschließung« des Biosphärenreservates hatte der einflußreichste Ladino-Clan des Departamento Olancho, die Familie Zelaya, geleistet. In ihrem Auftrag war vor fünf Jahren die Piste in den Urwald geschlagen worden, um die wertvollen tropischen Edelhölzer abtransportieren zu können. Dabei drangen die Holzfäller immer tiefer in den Regenwald bis kurz vor die Siedlungen der Indianer vor. Die honduranische Regierung unternahm weder etwas gegen die illegale Besiedlung noch ging sie gegen den profitablen Holzeinschlag vor. Die Regierungsbeamten steckten vermutlich nur die Bestechungsgelder ein. Massive wirtschaftliche Interessen hatten nicht einmal vor dem international anerkannten Schutzgebiet Río Plátano haltgemacht.

Im Jahr 1971 forderten Vertreter der Pesch- und Jicaque-Indianer von der Regierungsbehörde »Instituto Nacional Agraria« die Durchsetzung ihrer Besitzansprüche und Schutz vor der Landnahme durch die Ladinos, wie es ihnen bereits 1864 offiziell in Landrechtstiteln zugesichert worden war. Doch tatsächlich verdrängten Großgrundbesitzer die Ureinwohner in immer unwirtlichere Gegenden, eine versprochene Landreform zugunsten der verelendeten Kleinbauern sowie der Indianer als zumeist rechtmäßige Besitzer des Landes blieb aus. Mehrere Indianerorganisationen schlossen sich 1978 zur »National Federation of Tribes for the Liberation of the Honduran Indian« (Fenatrilih) zusammen. Seit der Zeit kämpft diese Organisation für die Rückgabe illegal besetzten Landes und versucht, durch technische Beratung sowie Vergabe günstiger Kredite die soziale, ökonomische und politische Situation der Ureinwohner zu verbessern. Fenatrilih hat kaum Aussicht auf Erfolg.

Über Jahrhunderte wurden die Rechte der Indianer auch in Honduras mit Füßen getreten. Sie wurden nicht nur einfach übersehen, sondern auch mit Gewalt unterdrückt oder vertrieben. Die bittere Erfahrung der »Mopawi«-Delegation im Río Plátano-Schutzgebiet zeigt, daß es nicht ausreicht, sich mit einem Landrechtstitel auf dem Papier zufrieden zu geben. In einem armen Land wie Honduras ist er keine Garantie dafür, daß die rechtmäßigen Landbesitzer ihr Eigentum vor Raub, Ausbeutung und Zerstörung schützen können. Nicht nur die reichen Familien, die die Technik finanzieren können, über große Entfernung die letzten Regenwälder auszubeuten, sondern auch die verelendete Bevölkerung aus dem dicht besiedelten Süden werden zu Feinden der Indianer.

[1] Leon Kolankiewicz: The Pesch of Honduras Face Uncertain Prospects; in: Cultural Survival Quarterty 13(3), 1989

Inse Geismar
## Indianer in El Salvador: Unerkannt im Land

Selbst Ethnologen fällt es schwer, in El Salvador noch Indianer zu entdecken. Ihre Zeit in dem nur etwa 21 000 Quadratkilometer großen Staat sei längst Geschichte. Die Einheimischen haben sich seit der Ankunft der Spanier zu Beginn des 16. Jahrhunderts mit den weißen Eroberern vermischt, so daß noch 1989 die über fünf Millionen Salvadorianer zu 90 Prozent als Ladinos klassifiziert wurden. Der Rest seien Weiße. Doch es gibt viele Indianer in El Salvador, und ihre Anzahl steigt. Eine halbe Million sollen es mindestens sein, wenn nicht schon doppelt soviel. Fast niemand nimmt sie zur Kenntnis, denn sie lassen sich kaum noch von den »campesinos«, verarmten Kleinbauern und Tagelöhnern, unterscheiden. Die Indianer sind die elendsten unter ihnen. Sie haben alles verloren: Ihr Land, ihre Tradition und Religion, ihre Sprache und ihr Selbstwertgefühl. Im Oktober 1988 beschrieb ein Indianer dem Menschenrechtler Mac Chapin von Survival International sein Volk: »Wir Indianer haben keinen Wert... Ein Indianer ist unterwürfig und erbärmlich... Wir haben keine Zivilisation und keine Kraft, uns selbst zu zivilisieren... Die

Indianer sind die schlechtesten. Sie sind diejenigen, die ihr ganzes Leben mit Arbeiten verbringen... Wir Indianer sind niemand, wir sind kein gutes Volk, wir sind nur Arbeiter.«[1] Über Jahrhunderte hatten die Kolonisatoren den Indianern dieses Selbstbildnis eingeimpft. Diese sahen sie als stumpf, faul, unehrenhaft, trunksüchtig und diebisch an und stellten sie den Tieren gleich.

Auf den ersten Blick erkennen Ladinos einen Indianer an seiner von harter Arbeit im Freien dunkleren Hautfarbe, an seiner Sprache, seiner ärmlichen Kleidung und schließlich an seiner Körperhaltung, die oft Unsicherheit ausdrückt. Auch für Außenstehende sei es nicht schwer, Indianer von den Ladinos zu unterscheiden, meint der Ethnologe Alejandro Marroquín, sie seien stets die »Verhungertsten«, man könne bei jedem die Rippen zählen.[2] Die tiefe Armut ist das wichtigste gemeinsame Merkmal der Indianer El Salvadors. Nur wenige Indianerkinder können eine Schule besuchen, denn Uniform, Schuhe und Schreibhefte sind teuer. Diejenigen, die schließlich doch einen Beruf wie Lehrer oder Verkäufer ergreifen können, werden zu Außenseitern der indianischen Gemeinschaft. Wie die Ladinos können sie sich »gewählt« ausdrücken, sich modernes Geschirr aus Aluminium oder Plastik kaufen, sich modisch kleiden und müssen nicht mehr in strohgedeckten Hütten leben oder harte Feldarbeit leisten.

Der soziale Abstieg in hoffnungsloses Elend begann für die Indianer mit der Kolonisation. Die Eroberer trafen im Westen von El Salvador auf die Pípil-Indianer, die einige Jahrhunderte zuvor aus Zentralmexiko eingewandert waren und die Maya verdrängt hatten. Wie die kleineren Volksgruppen der Lenca-, Jinca-, Pokomám-, Chortí- und Matagalpa-Indianer im Osten an der Grenze zum heutigen Honduras wurden auch die Pípil in wenigen Jahrzehnten unterworfen.

Bereits Ende des 16. Jahrhunderts hatten die Europäer den Kakaogenuß so weit schätzen gelernt, daß immer neue Plantagen im Westen von El Salvador angelegt wurden. Der unter den Schatten spendenden Balsambäumen angebaute Kakao wurde 200 Jahre lang in Hunderten von Schiffsfrachten in die Alte Welt transportiert. El Salvador galt als der größte Kakaoexporteur Amerikas. Wegen des ebenfalls begehrten Balsams wurde die Pazifikküste in der Region auch die »Balsamküste« genannt. In die Indianerkultur griff die Plantagenwirtschaft noch nicht so stark ein. Die Pflanzer erlaubten den auf den Kakaoplantagen arbeitenden Indianern, an ihrem Sozial- und Kulturgefüge festzuhalten. Auch das eigene landwirtschaftliche System der Indianer blieb weitgehend intakt.

Ganz anders erging es den Indianern im Norden, Osten und in den küstennahen Ebenen von El Salvador. Dort wurde auf Indianerland in großem Umfang Indigo angebaut sowie Rinderzucht eingeführt. Die spanischen Großgrundbesitzer zwangen die einheimische Bevölkerung zur Fronarbeit auf den Indigofeldern. In den Mühlen, in denen der blaue Farbstoff aus den Pflanzen gewonnen wurde, herrschten unsägliche hygienische Verhältnisse. Die dort zwischen verrottenden Pflanzenteilen arbeitenden Indianer starben zu Tausenden an Fieber und Erschöpfung. Bisher unbekannte Krankheiten breiteten sich epidemieartig unter den Dorfbewohnern aus. Ende des 18. Jahrhunderts gab es hier kein intaktes indianisches Dorf mehr. Entwurzelt und vertrieben zogen viele Indianer auf der Suche nach Saisonarbeit durchs Land.

Nur auf den Hochplateaus in den heutigen Departamentos Sonsonata, Ahuachapán und San Salvador hatten die Indianer noch Kontrolle über ihr Land, das größtenteils der Gemeinschaft gehörte. Doch auch hier verloren sie ihre Felder wenige Jahrzehnte nach der Unabhängigkeit El Salvadors 1841. Die neue Regierung forcierte den Anbau von Kaffee für den Weltmarkt, denn Kakao und Indigo hatten an Bedeutung verloren. Unter dem Vorwand, die Entwicklung der ländlichen Regionen zu fördern, wurde indianisches Gemeinschaftsland in den für Kaffeeplantagen besonders geeigneten Hochlagen dem zugesprochen, der es tatsächlich bewirtschaftete. Gemäß Regierungsprogramm erhielten einzelne Bauern, die Exportfrüchte wie Kaffee und Kakao oder Gummibäume pflanzten, Landrechtstitel. Alle anderen gingen leer aus. Zehntausende von Indianern wurden von ihrem Land vertrieben und mußten sich als rechtlose Tagelöhner verdingen.

In den 30er Jahren war El Salvador fast völlig vom Kaffeexport abhängig. Während der damaligen Weltwirtschaftskrise wurden die Plantagen nicht mehr gepflegt, die Ernte verdarb, Tagelöhner erhielten keine Arbeit und hungerten. Die Regierung schickte Polizeitruppen in die ländlichen Gebiete, in denen die Unruhe unter der Bevölkerung wuchs. Im Januar 1932 eskalierte die Situation im Departement Sonsonata. Eine Gruppe von ausgemergelten Indianern griff, aufgestachelt von militanten Kommunisten und Arbeiterführern, die Ladino-Landbesitzer mit Macheten an und plünderte Geschäfte. Einige Tausend Indianer verwüsteten innerhalb von drei Tagen die Plantagen. Mindestens 30 Ladinos wurden getötet. Dann griff die Armee ein. Truppen umzingelten die revoltierenden Indianer, entwaffneten sie und erschossen die Gefangenen an Ort und Stelle. Die Toten wurden in Massengräbern verscharrt. Die Soldaten ermordeten jeden, der wie ein Indianer aussah oder »indianisch« gekleidet war – selbst Frauen und Kinder. Zwischen 15 000 und 50 000 Menschen fielen dem Massaker zum Opfer.

Der blutige Ausgang der »Revolte von Sonsonata« hatte für alle Indianer in El Salvador fatale Konsequenzen. Die Feindschaft zwischen Ladino- und Indianerbevölkerung vertiefte sich. Die Indianer wurden zu »Kommunisten« und Staatsfeinden abgestempelt und noch mehr mißachtet. Jahrzehntelang mußten sie ihre Identität verleugnen, um überhaupt noch Arbeit zu finden.

Nahe der Hauptstadt San Salvador, in den Departamentos Sonsonata, La Libertad, Ahuachapán, in La Paz, Morazán und La Unión leben Tausende von Indianern, doch weiß kaum ein Stadtbewohner, daß diese verelendeten »campesinos« Indianer sind. Nur Beamte müssen sie inzwischen zur Kenntnis nehmen, denn offizielle Statistiken räumen den Indianern neuerdings einen Bevölkerungsanteil von 10 bis 15 Prozent ein. Auf dem Land hat sich das Verhältnis zwischen Ladinos und Indianern wieder entspannt. Die gesamte Bevölkerung leidet seit Oktober 1979 unter einem Bürgerkrieg, der sich an der ungerechten Landverteilung entzündete. Zwei Prozent der Einwohner besitzen 50 Prozent der Anbaufläche. Im Januar 1992 haben sich die linksgerichtete Opposition und die Regierung auf eine Waffenruhe geeinigt, nachdem in den zwölfjährigen blutigen Auseinandersetzungen über 80 000 Menschen ums Leben gekommen waren.

[1] zit. nach Mac Chapin: The 500,000 Invisible Indians of El Salvador, in: Cultural Survival Quarterly 13 (3), 1989
[2] Marroquín, Alejandro, El problema indígena en El Salvador, in: América Indígena Vol XXXV (4), 1975, S. 747–771

Ulrich Delius
# Rückkehr aus dem Exil – Ungewisse Zukunft in Nicaragua

Militärs, rechtsextreme Diktatoren, Großgrundbesitzer und Großunternehmen sind wenig geneigt, sich mit indianischen Werten, Traditionen und Forderungen auseinanderzusetzen und sie zu respektieren. Aber auch radikale Reformer tun sich damit gelegentlich schwer, wie die Indianerpolitik der Sandinisten deutlich zeigte. Weltweites Aufsehen erregte in den 80er Jahren der Konflikt zwischen der sandinistischen Regierung und der Urbevölkerung Nicaraguas. Leidtragende waren vor allem die Miskito-, Sumu- und Rama-Indianer.

Die mehr als 130 000 Miskito, 9000 Sumu und 800 Rama (andere Schätzungen gehen von einer Viertelmillion Indianer aus) leben gemeinsam mit den Kreolen und Garifuna, eine afro-indianische Bevölkerungsgruppe, an der Atlantikküste des mittelamerikanischen Kleinstaates, der insgesamt rund 4 Millionen Einwohner hat. Die Küstenregion unterscheidet sich nicht nur in ihrer ethnischen Struktur, sondern auch in ihrer Geschichte tiefgreifend von den anderen Landesteilen. Jahrhundertelang gehörte dieses Gebiet zum Einflußbereich Englands, das sich mit den Miskito verbündete. Die Allianz mit den Engländern sicherte den Indianern 250 Jahre die Kontrolle über ihr Land, das sie zum Königreich erklärten. Währenddessen schritt die im 16. Jahrhundert begonnene Kolonisierung der Pazifikküste durch die Spanier weiter voran. Katholische Orden begannen mit der Missionierung der von den Spaniern kontrollierten Gebiete, während evangelische Missionare die Urbevölkerung der Atlantikregion christianisierten. 1821 erklärte sich Nicaragua für unabhängig, der Staat wurde 1838 schließlich anerkannt. Die Atlantikküste wurde erst Ende des 19. Jahrhunderts von Regierungstruppen besetzt.

Die verschiedenen Regierungen Nicaraguas haben die Bewohner der Atlantikregion lange Zeit ihrem Schicksal überlassen. Diktaturen, wie das bis 1979 herrschende Somoza-Regime, beschränkten sich darauf, mit dem Land der Indianer Profit zu machen, und vergaben Rechte zur Nutzung der natürlichen Ressourcen (Fischfang, Goldbergbau, Rodung von Pinien- und Tropenwäldern) meistbietend an ausländische Konzerne. Um die Urbevölkerung und die Nachfahren der Sklaven kümmerten sie sich nicht. Bedrängt wurden die Indianer jedoch von landlosen Mestizen, die sich indianisches Land aneigneten, nachdem sie von Großgrundbesitzern aus ihrer Heimat an der Pazifikküste vertrieben worden waren. Der Kampf der Sandinisten gegen Diktator Somoza stieß bei den meisten Ureinwohnern nur auf begrenztes Interesse, spielte er sich doch vor allem in dem von Spanisch sprechenden Nicaraguensern bewohnten Westen des Landes ab.

Trotzdem gab es nicht wenige Miskito, die mit der Revolution der Sandinisten große Hoffnungen auf eine Selbstbestimmung der Indianer verbanden und sich schon frühzeitig um eine Zusammenarbeit mit den Guerillakommandanten bemühten. Sie gründeten Ende 1979 die Indianerorganisation MISURASATA (MIskito, SUmu, RAma, SAndinista, AslaTAkanka [vereint]). Die jungen sandinistischen Revolutionäre wollten die indianischen Völker »in die Revolution integrieren«, doch sie wußten nur wenig über die Bevölkerung an der Atlantikküste. Mit den Kulturen, Religionen und Traditionen der Ureinwohner und der schwarzen englischsprachigen Kreolen waren die Sandinisten nicht vertraut. Erste Konflikte entstanden, als die Sandinisten im Sommer 1980 eine Alphabetisierungskampagne in der offiziellen spanischen Landessprache ankündigten. Indianer und Kreolen boykottierten das Projekt. Schließlich gaben die Sandinisten dem Druck der MISURASATA nach und bezogen die indianischen Muttersprachen und Englisch (für Rama und Kreolen) in die Kampagne mit ein.

Konflikte um Land und die Nutzung der natürlichen Ressourcen belasteten immer wieder das Verhältnis zwischen Sandinisten und Indianern. So forderten die Ureinwohner eine angemessene Beteiligung an den Gewinnen aus dem Holzeinschlag in ihren Tropenwäldern. Statt die Landrechte jedoch anzuerkennen, ließen die Sandinisten den größten Teil des indianischen Landes verstaatlichen, obwohl die Urbevölkerung niemals privates Landeigentum besessen hatte.

Als der sandinistische Staatssicherheitsdienst im Februar 1981 alle wichtigen Indianerführer unter dem Vorwurf des »Separatismus« verhaften ließ, eskalierten die Auseinandersetzungen. Dabei hatte die MISURASATA auf Wunsch der Sandinisten nur eine Landkarte und ein Rechtsgutachten erstellt, in dem Land-

173

rechte der Miskito an 38 Prozent der Fläche des Departamento Zelaya und eine indianische Kontrolle der dortigen Natur- und Bodenschätze gefordert wurden. Nach wochenlangen Protesten der Urbevölkerung wurden ihre Führer wieder freigelassen. Doch das Vertrauen der Miskito, Sumu und Rama in die Sandinisten war tief erschüttert. 3000 Indianer suchten im benachbarten Honduras Zuflucht, unter ihnen der indianische Parlamentsabgeordnete Steadman Fagoth. Der Indianerführer nahm mit der neugegründeten Organisation MISURASATA von Honduras aus den Guerillakampf gegen die Sandinisten auf. Als immer mehr Indianer nach Honduras flohen, verboten die Sandinisten im Juli 1981 MISURASATA. Soldaten durchsuchten alle Indianerdörfer nach Mitarbeitern der Organisation. Angesichts der Verfolgung ging auch der gemäßigtere Flügel der Indianerorganisation unter Brooklyn Rivera ins Exil und nahm von Costa Rica aus den Guerillakampf auf.

Im Februar 1982 zerstörten nicaraguanische Soldaten 39 Indianerdörfer entlang des Río Coco an der honduranischen Grenze, vernichteten Ernte und Vieh und versuchten, 30 000 Miskito zwangsweise bis zu 60 Kilometer in das Landesinnere umzusiedeln. Die Regierung rechtfertigte ihr Vorgehen mit dem Schutz der Bevölkerung vor Überfällen der »Contra-Rebellen«. Die Miskito sahen darin aber nur einen Vorwand, um der Regierung den Zugriff auf das rohstoffreiche indianische Land zu sichern und die Kontrolle über die Urbevölkerung zu verstärken. Weitere 110 indianische Dörfer wurden zerstört, 40 000 Indianer flohen in die Nachbarstaaten und 50 000 ins Landesinnere. Viele wurden gezwungen, sich in neuen Großsiedlungen niederzulassen, in denen Schulen und Gesundheitsversorgung keinen ausreichenden Ersatz für die zerschlagenen traditionellen Dorfstrukturen und die indianische Kultur boten.

Die Inhaftierung Hunderter Miskito und das Verschwinden von Dutzenden Indianern sowie Massaker an der indianischen Zivilbevölkerung riefen weltweit Kritik an der sandinistischen Indianerpolitik hervor. Auch die Gesellschaft für bedrohte Völker (GfbV) protestierte immer wieder mit Presseerklärungen und Menschenrechtsaktionen gegen die Verletzung der Rechte der Urbevölkerung. Heftig wurde die Menschenrechtsorganisation dafür von der Nicaragua-Solidaritätsbewegung angegriffen, die der GfbV vorwarf, die »Contra-Rebellen« zu unterstützen.

Dabei hatte die GfbV nur konsequent von den Sandinisten verlangt, was sie auch von allen anderen demokratischen und diktatorischen Regimes in den Staaten Amerikas fordert: Die Existenz der indianischen Völker muß anerkannt werden, ihre Landrechte, ihr Recht auf Nutzung der natürlichen Ressourcen sowie ihre Kultur und Traditionen müssen respektiert werden. Daß es den Menschenrechtlern nicht um die Unterstützung der Contra ging, mußte spätestens im Juni 1984 deutlich werden, als die GfbV öffentlich Presseberichten widersprach, in denen den Sandinisten Völkermord an den Miskito vorgeworfen wurde.

Die Sandinisten räumten später selber ein, daß sie zu Beginn der 80er Jahre »schwerwiegende Fehler« in der Indianerpolitik begangen hatten. 1984/85 erlaubten sie indianischen Flüchtlingen die Rückkehr in ihr Land. Viele indianische Widerstandskämpfer legten ihre Waffen nieder, Gefangene wurden ausgetauscht. 1987 schlossen sich verschiedene indianische Organisationen zum Dachverband YATAMA zusammen, um Rechte der Indianer wirksamer durchzusetzen. Die Sandinisten bemühten sich weiterhin um eine Spaltung der Indianerbewegung, in dem sie separate Waffenstillstandsvereinbarungen mit einzelnen Führern schlossen. Vergeblich warteten die Indianer auf die erhoffte Selbstbestimmung. Zwar verkündeten die Sandinisten im September 1987 eine Autonomie der Atlantikküste, doch viele Indianer sahen darin nur eine Dezentralisierung der Verwaltung und sprachen von einer Scheinautonomie. Die historisch gewachsene soziale Einheit der Atlantikküste wurde zerstört und das Gebiet in zwei autonome Regionen aufgeteilt, die entsprechend der nationalen Politik, Planung und Zielsetzung verwaltet werden sollten. Von einer Anerkennung der Landrechte und einer Selbstbestimmung der Indianer konnte keine Rede sein.

Erst kurz vor Ablauf der Einschreibungsfristen für die ersten demokratischen Wahlen im sandinistischen Nicaragua erlaubte die Regierung aufgrund internationalen Drucks der Yatama-Führung im Herbst 1989 die Rückkehr aus dem Exil in ihre Heimat. Wenige Wochen vor der Parlamentswahl im Februar 1990 schloß sich die Yatama dem Nationalen Oppositionsbündnis UNO an, das den Indianern eine umfassende Autonomie versprach. Nach der deutlichen Niederlage der Sandinisten ernannte Nicaraguas neue Präsidentin Violeta Chamorro den Yatama-Führer Brooklyn Rivera zum Minister und Direktor des

175

neugegründeten Instituts für die Entwicklung der autonomen Regionen.

Anderthalb Jahre nach dem Machtwechsel in Managua blicken die Indianer Nicaraguas in eine ungewisse Zukunft. Die Situation der Urbevölkerung hat sich nicht spürbar verbessert. Der Wiederaufbau ihrer zerstörten Dörfer kommt nur schleppend voran, da es an Geld und Werkzeugen mangelt. Die Reintegration der aus dem Exil zurückgekehrten 50 000 Indianer erweist sich als sehr schwierig, da sich für viele der jüngeren während des zehnjährigen Zwangsaufenthaltes im Ausland die Beziehung zu ihrer Tradition und Kultur gelockert hat. Im verarmten Nicaragua stehen nicht genug Mittel zur Verfügung, um die dringend erforderliche kulturelle Betreuung der Rückkehrer sicherzustellen. Der traditionelle Rassismus vieler Pazifikbewohner gegenüber der Urbevölkerung am Atlantik besteht weiter fort. Viele Indianer fürchten, daß sie noch lange auf die versprochene Selbstbestimmung warten müssen, da auch die neue Zentralregierung nicht auf den unmittelbaren Zugriff auf ihr rohstoffreiches Land verzichten will. Auch in sozialer Hinsicht sind die Zukunftsperspektiven der Miskito, Sumu und Rama düster. Sie leiden wie die gesamte Bevölkerung unter Inflation und wachsender Arbeitslosigkeit. Die Initiativen der Regierung Chamorro für die indianische Region an der Atlantikküste sind bisher völlig unzureichend.

Werner H. T. Fuhrmann
**Naturpark in Costa Rica –**
**Indianer verkauften Reservatsflächen**

In Costa Rica und grenzübergreifend in Panama soll mit Unterstützung der US-Regierung, der Weltbank und der Interamerikanischen Entwicklungsbank ein über eine Million Hektar großes Gebiet im Talamanca-Gebirge als Naturreservat geschützt werden. In der von der UNESCO zum »Kulturerbe der Menschheit« erklärten Zone leben in Costa Rica 65 Prozent der 25 000 Indianer des Landes. Das Reservatsgebiet in Costa Rica soll 612 715 Hektar groß werden. Die Hälfte des Trinkwassers kommt von dort. Aber auch 90 Prozent der Flora und 80 Prozent der Pilzarten sind in dem Höhenzug heimisch. Von allen in Costa Rica lebenden Tierarten werden 70 Prozent beobachtet.

Rund 40 Millionen Dollar sollen in den kommenden zehn Jahren für das Projekt ausgegeben werden. Der costaricanische Vizeminister für Rohstoffe, Energie und Bergbau, Mario Boza, erhofft sich dadurch für die dort hauptsächlich lebenden Indianer, die Cabéca und Bribri, eine Verbesserung ihrer Verhältnisse. Mit Alphabetisierungskampagnen, dem Wiederbeleben der Kultur und des traditionellen Handwerks, medizinischer Versorgung und der Schaffung von Arbeitsplätzen müßten Änderungen eintreten, meint er. »Die Indianer sind die wirklichen Herren in dem Gebiet«, wirbt der Vizeminister mit dem Projekt. Die Schirmherrschaft hat die Organisation Amerikanischer Staaten (OAS) übernommen. Zu den Unterstützern zählt auch die private Organisation »Conservación Internacional«, die sich weltweit für die Erhaltung von Waldgebieten einsetzt. Die gemeinnützige Organisation glaubt, »eines der prächtigsten und abwechslungsreichsten Ökosysteme Lateinamerikas« könne so dauerhaft geschützt werden. Auch der Vorsitzende der Indianervereinigung der Region Talamanca, Hernán Segura García, hegt Hoffnung. Er erwartet, daß die Indianer ihr ehemaliges Land zurückbekommen, das sie den Weißen verkauften. Die Weißen, so warnte er vor einer internationalen Expertengruppe in Washington, würden die reiche Fauna und Flora in wenigen Jahren zerstören.

Ebenfalls im Südosten des Landes in der Region um die Stadt Buenos Aires hoffen jetzt auch viele auf eine Änderung der für die dort lebenden Boruca-Indianer deprimierend schlechten Lebensbedingungen. Es begann am 7. Juni 1986 auf dem Hauptplatz der Stadt und war so etwas wie ein Massenprotest oder eine Demonstration, auch wenn es eher so aussah wie ein Karnevalsfest, berichtete der Ethnologe Robert M. Carmack.[1] Anlaß war der Besuch eines vierköpfigen Sonderausschusses für Indianerangelegenheiten der Regierung. Die Nationalversammlung hatte sie beauftragt, gesetzliche Möglichkeiten zur Schaffung besserer Lebensverhältnisse zu ergründen. Dazu stiegen die vier Herren erst einmal auf einen Hügel am Stadtrand, sahen sich die geographische Situation des Reservates in Relation zur Stadtregion an und stellten sich gleich anschließend Rundfunkreportern zu einer Livediskussion. Mit dem, was dann kam, konnte keiner rechnen. Während der Sendung strömten Tausende von indianischen Kleinbauern, weißen Landwirten und uniformierten Schulkindern in das Stadtzentrum. Viele trugen Transparente gegen oder für diskutierte Gesetzesänderungen. Der Rechtsdezernent der Stadtverwaltung, ein Experte für indianisches Recht, und vier Indianer erläuterten die Probleme aus indianischer Sicht. Auch vier Weiße stellten ihre Position dar. Drei Indianer, die Partei für die Weißen ergriffen, kamen ebenfalls zu Wort.

Doch dann sprach José Isabel Rojas, ein in Costa Rica anerkannter Indianerführer. Er lobte und tadelte. So wies er die indianischen Wortführer für die Weißen als Verräter zurecht. Es sei traurig, daß es Indianer gäbe, die sich und ihre Brüder aus persönlicher Gewinnsucht und Schwäche opferten. Das, was sie mit dem Verleugnen ihrer eigenen Wurzeln täten, grenze an Selbstmord. Es sei auch beschämend, »noble weiße Bauern« zu sehen, die zwischen sich und den Indianern eine Mauer zögen, die Ureinwohner noch immer erniedrigten und ihnen, den Ungebildeten, Rechtlosen, die letzten Ressourcen raubten. Er versprach »unbequeme Gegenreaktionen« zum Nachteil der Weißen. Ein wohlhabender weißer Sägewerksbesitzer sagte, ihm sei bekannt, daß Kauf und Verkauf von Indianerland verboten sei. Den vier Regierungsmitgliedern machte er klar, die Indianer selbst hätten nicht aufgehört, ihr Land an die Weißen zu veräußern, um nicht mehr arbeiten zu müssen. »Wir kauften es auf, denn wir müssen unsere hungrigen Kinder ernähren. Das ist wichtiger als das Gesetz.«

Zum Teil schon in vorspanischer Epoche waren die neun Völker, darunter als größte die Guaymi, Bribri, Boruca und Cabécar, die alle eine Chibcha-Sprache sprechen, auf dem heutigen Territorium Costa Ricas Kleinbauern. Während der Eroberung durch die Spanier flüchteten die Indianer aus dem Norden des Landes in die Region Buenos Aires. Einwandernde Siedler aus Panama zogen in das Land und begannen intensive Landnutzung. Den Indianern wurde das Land genommen, Wälder wurden abgeholzt, Plantagen angelegt. Großgrundbesitz schuf Verelendung der Landbevölkerung. Viehzucht verdrängte Nahrungsmittelanbau. Die Region war am Rande des Ruins, als 1975 die Regierung zaghafte Entwicklungsprogramme begann. Doch diese sahen vor allem Infrastrukturmaßnahmen vor, was von den Indianerorganisationen kritisiert wurde, weil sie nicht Erschließung, sondern Entwicklung erwartet hatten: Sozial- und Bildungsprogramme statt Asphaltstraßen.

Ein Drittel der Bewohner der Region um Buenos Aires sind Indianer. 1986 hatten sie bereits zwei Drittel ihres Reservatslandes an die Weißen verkauft. Die Weißen, zumeist Investoren aus anderen Regionen, tragen jedoch mit ihrer exportorientierten Landwirtschaft nicht zur Verbesserung der Lebensbedingungen der Indianer bei. Mit 40 000 Rindern ist der Viehbesatz in der kleinen Region überdurchschnittlich hoch. Land wird immer knapper. Die Folge: Abhängige indianische Landarbeiter verdingen sich im Ananas-Anbau oder auf den Bananen- und Kaffeeplantagen.

So sind mehr als 90 Prozent der arbeitsfähigen Indianer jetzt arme Landarbeiter. In öffentlichen Ämtern sind sie nicht vertreten. Es gibt nur ein paar Lehrer. Berufsausbildung ist für Indianer ebenfalls selten. Ihre Bezahlung liegt weit unter den Mindestlöhnen, was damit begründet wird, sie seien angeblich nicht fähig, richtig zu arbeiten. Doch nur noch jeder dritte Indianer um Buenos Aires besitzt soviel Land, daß er sich – wie vor der Besiedlung durch die Weißen – noch selbst ernähren kann.

1949 wurde in Costa Rica per Gesetz das erste Reservat bei Buenos Aires eingerichtet. Da es keine Verkaufssperren gab, begannen die Indianer, das ihnen zugeteilte Land an weiße Siedler zu veräußern. Die Regierung hatte versäumt, den Kollektivbesitz gesetzlich zu verankern, so daß einzelne den Angeboten Weißer nach Landverkauf nachgeben konnten. Zu Beginn der 70er Jahre demonstrierten die Indianer jedoch erstmals für die Rückgabe des Reservatlandes. Einzelne hätten nicht das Recht gehabt, daraus Land zu verkaufen. Die Reservate seien Gemeinschaftseigentum. Die Verkäufe seien deshalb ungültig und rückgängig zu machen.

Die 1973 gegründete Nationale Kommission für Indianerangelegenheiten (CONAI) versuchte 1984, die Reservatsgrenzen neu zu bestimmen, die weißen Bewohner auszuweisen und von der Nutzung auszuschließen. Zur Hilfe kam der CONAI dabei ein 1977 unter Präsident Daniel Oduber geschaffenes neues Indianergesetz, das legale Rechte von Nichtindianern auf Reservatsland ausschloß. Doch der Ausverkauf ging weiter; das Gesetz wurde umgangen. Erst bei der Radiodiskussion schlug die Regierung auf den Rat der CONAI ein neues verbessertes Gesetz vor. Doch natürlich gab sie dabei den Forderungen der Weißen nach, den Indianern zwar Rechtstitel auf den Rest ihres Landes zu geben, gleichzeitig aber die Verkäufe von inzwischen zwei Dritteln der Reservatsfläche zu legalisieren. Die staatliche Indianerbehörde CONAI gab sich damit zufrieden. In dem Reservatsgebiet bei Buenos Aires leben jetzt 60 Prozent Weiße. Besonders die Nachkommen von Indianern und Weißen, ein nicht unbedeutender Anteil der Reservatsbewohner, nimmt dies gleichgültig allenfalls zur Kenntnis. Geändert hat sich in dieser Region des 2,5 Millionen Einwohner zählenden Staates, der sich für den demokratischsten Lateinamerikas hält, bisher nichts.

[1] Robert N. Carmack: Indians in Buenos Aires, Costa Rica; in: Cultural Survival Quarterly 13 (3), 1989

## Gundula Zeitz
## »Geschenkt bekommen wir nichts« – Indianer in Panama

Gervasio Arias ist ein zurückhaltender Mann. Leise, aber bestimmt und unmißverständlich erklärt der katholische Priester vom Volk der Kuna aus Panama den Journalisten, daß die Ureinwohner in dem mittelamerikanischen Staat auch nach 1992 weiterkämpfen werden: »Unser Widerstand gegen Eliminierung, Unterdrückung und Zwang hat seine Wurzeln in unserer Geschichte. Er hat es einigen von uns erlaubt, als Indianer zu überleben. Wir protestieren nicht nur. Wir zeigen, daß es uns gibt, und wir wollen Räume, in denen wir uns entwickeln können, nach unseren Vorstellungen.«
    Der Kuna besuchte im August 1991 die Gesellschaft für bedrohte Völker und schilderte die Lebensbedingungen seines Volkes in der Republik Panama, die kaum größer als Bayern ist und mit etwa 2,2 Millionen etwas mehr Einwohner als Hamburg mit

seinen Trabantenstädten hat. Die Kuna in der Comarca de San Blás an der Karibikküste sind mit rund 40 000 Personen das zweitgrößte Indianervolk des Landes. Zu den Bewohnern Panamas zählen außerdem mehr als 80 000 Guaymi und 1500 Teribe im Westen in den Provinzen Veraguas, Chiriquí und Bocas del Toro sowie rund 12 000 Emberá im Darién, dem tropischen Grenzgebiet zu Kolumbien. Alle indianischen Gruppen erwirtschaften ihre Nahrungsgrundlage mit Brandrodungsfeldbau und bauen Kochbananen, Mais, Reis, Bohnen, Maniok und eine Vielzahl von Früchten an. Sie halten Hühner, zuweilen auch andere Haustiere, manche jagen und fischen. Aber alle sind in das Marktsystem eingebunden, verkaufen entweder landwirtschaftliche Produkte oder ihre Arbeitskraft.

Obwohl die Ureinwohner Panamas teilweise relativ abgeschieden in unzugänglichen Gegenden leben, sind ihre traditionelle Lebensweise und Kultur bedroht. Wie überall »erschließen« kapitalkräftige Unternehmen die letzten Siedlungsgebiete der Indianer. Bergbau und Wasserkraftwerke entstehen in kürzester Zeit, Zufahrtsstraßen und Flugplätze schlagen breite Schneisen in vormals unberührte Natur, Siedler kommen nach – und niemand fragt die Indianer oder beteiligt sie an den Planungen. Soziale und ökologische Folgen werden von den Verantwortlichen selten bedacht.

Den Kuna geht es verglichen mit den meisten anderen Ureinwohnern Panamas besser, denn ihnen wurde ein eigenes Territorium zuerkannt: Die Comarca de San Blás, ein schmaler Landstreifen von 100 Kilometern Länge mit rund 365 vorgelagerten Inseln, manche nicht größer als ein Fußballfeld.

Erst seit etwa 200 Jahren leben die Kuna an der Karibikküste. Ihr ursprüngliches Siedlungsgebiet waren die Urwälder am Golf von Darién, wo sie im 16. Jahrhundert mit spanischen Konquistadoren zusammentrafen, die die Indianer mit unglaublicher Grausamkeit verfolgten. »Unsere traditionellen Lieder sprechen von Bergen und Flüssen, das Meer und die Inseln kommen nicht darin vor«, erzählt Gervasio Arias. »Das beweist, daß wir früher in einer anderen Gegend gelebt haben.« Die Kuna zogen sich nach und nach immer weiter in die Atlantikregion zurück, von wo sie einen zähen Guerillakrieg gegen die Spanier führten. Mit den englischen und französischen Seeräubern hingegen, die ab dem 16. Jahrhundert die Karibik unsicher machten, pflegten sie freundschaftliche Beziehungen. Auch sollen schottische Siedler, die sich im 17. Jahrhundert im Darién niederließen, gut nachbarschaftliche Kontakte zu den Kuna gehabt haben. Obwohl die Schotten von der spanischen Krone bald gezwungen wurden, das Land zu verlassen, haben sie die Kultur der Kuna nachhaltig beeinflußt. So soll die prächtige Kleidung der Kuna-Frauen auf diese Begegnung zurückgehen.

Heute ist die insgesamt etwa 3700 Quadratkilometer umfassende Comarca de San Blás als verfassungsmäßig garantiertes Kuna-Land weitgehend autonom. Diesen Rechtsstatus, um den die Kuna oft beneidet werden, haben sie sich hart erkämpft. Nach der Gründung des unabhängigen Staates Panama 1903 versuchte die Regierung, die Lebensweise der Kuna gewaltsam zu ändern. Um 1925 wurden auf den San Blás-Inseln Polizeistationen errichtet, man verbot den Frauen, ihre alte Tracht zu tragen, und verbrannte die heiligen Geisterfiguren der Medizinmänner. Die Kuna riefen daraufhin die Revolution aus, besetzten die Regierungsposten und schlugen die Eindringlinge mit Waffengewalt in die Flucht. Sie riefen die »Republik Tule« aus und hißten eine eigene Flagge mit dem altindianischen Hakenkreuz. Als ein Sonderkommando der Regierung eingreifen wollte, verhinderte dies ausgerechnet ein US-amerikanisches Kriegsschiff: Der »selbständige Staat Tule« hatte die Vereinigten Staaten um Hilfe gebeten. Washington kam das gerade recht, denn die USA lagen zu der Zeit mit der panamaischen Regierung wegen der ungeklärten Rechtssituation in der Zone um den 1914 fertiggestellten Panamakanal im Streit. Die Präsenz der Navy veranlaßte die Regierung schnellstens zum Einlenken. Sie bot den Kuna einen dauerhaften Vertrag an unter der Bedingung, daß sie die Flagge der Republik Tule wieder einzögen.

1957 erhielten die Kuna endlich Rechtstitel auf das Territorium um San Blás. Auch ihre lokale Regierung wurde von Panama anerkannt. Schließlich wurden durch die neue Verfassung von 1983 zwei Sitze im panamaischen Parlament für Vertreter indianischer Völker reserviert. Gervasio Arias allerdings sieht das, was auf den ersten Blick ein großer Erfolg für die Ureinwohner zu sein scheint, heute eher kritisch. Die indianischen Parlamentarier würden ihrer Aufgabe inzwischen nicht mehr gerecht, denn sie hätten die Wertvorstellungen der nationalen Gesellschaft übernommen. Hinzu käme, daß die indianischen Abgeordneten über relativ viel Geld verfügten und dem entsprechenden Lebensstil verfielen: »Sie vergessen, als Indianer zu denken und zu empfinden.« Streitigkeiten darüber, in welche politische Richtung die Kuna sich entwickeln sollten, seien inzwischen an der Tagesordnung. Damit nicht genug, versucht die panamaische Regierung ständig, die Comarca de San Blás in drei Verwaltungsbezirke aufzuteilen, was für weitere Unstimmigkeiten unter den Kuna gesorgt hat. Die Mehrheit der Indianer hält jedoch an der Einheit fest.

Streng bemühen sich die Kuna, Einflüsse von außen abzuschirmen und sich nicht in ihre Regierungsform hineinreden zu lassen. Alle Dorfgemeinschaften sind autonom. Jährlich findet eine Vollversammlung aller 52 Gemeinschaften statt. Sie ist das oberste Entscheidungsorgan. An der Spitze des jeweiligen Dorfparlaments steht der von der männlichen Bevölkerung gewählte Häuptling. In einem Versammlungshaus trifft man sich täglich, um die anstehenden Probleme, Streitigkeiten und Entscheidungen zu diskutieren. Für jeden Bereich im Dorf gibt es einen Repräsentanten: Einer ist für die Kokosplantagen zuständig, ein anderer für den Hausbau. Mit dem eigenen Land hätten die Kuna wie kaum eine andere ethnische Gruppe in Amerika ihre eigene Kultur bewahren können, meint Gervasio Arias. »Doch noch immer müssen wir energisch auftreten und kämpfen. Geschenkt bekommen wir nichts«, betont der Kuna. Bis heute sei das Land nicht vermessen. Häufig gibt es Auseinandersetzungen um die Grenzen, allerdings weniger mit Großgrundbesitzern, die das Kuna-Territorium für unproduktiv halten und wenig Interesse an dem schmalen Küstenstreifen zeigen. Doch die Großgrundbesitzer verweisen die von ihnen vertriebenen Kleinbauern auf Kuna-Land, das ihrer Ansicht nach brach liegt. Konflikte mit den kleinbäuerlichen Siedlern versuchen die Kuna selbst zu lösen: »Wir sprechen mit ihnen. Wir geben ihnen eine Frist, damit sie ihre Ernte einbringen können. Wir gehen aber sehr konsequent vor, um keine Präzedenzfälle zu schaffen«, erzählt Arias.

Ein weiteres Problem ist der Tourismus. Schon vor Jahren hatten US-amerikanische Investoren Interesse an den schön gelegenen Karibikinseln der Kuna gezeigt, und es war ihnen auch gelungen, einige Inseln zu pachten – doch Vertragspartner war die panamaische Regierung. Die Kuna sollten nicht nur als billige Handlanger in der Tourismusbranche arbeiten, sie wurden auch an der Ernte von Kokosnüssen oder am Fischfang vor den gepachteten Inseln gehindert. Nachdem mehrere Beschwerden nichts nützten, vertrieben die Kuna die Investoren, ohne daß die Regierung eingriff. Doch Gervasio Arias erzählt von einigen Buchten nahe der Stadt Colón, in der mehrere Male pro Monat Kreuzfahrtschiffe und Luxusjachten vor Anker gehen. Hier beschränken sich die Dorfgemeinschaften auf den Verkauf von bestickten Blusen und Tüchern, den »molas«, und anderer handwerklicher Gegenstände. »Einer der Leitsätze unserer Kultur, die Erde bebauen, um zu überleben, verliert langsam seine Bedeutung. Alle warten schon Tage vorher auf die Schiffe. Legt ein Boot an, liegt das ganze Leben in der Gemeinschaft brach. Die Bewohner posieren für Fotos. Das ist unwürdig. Die jährliche Vollversammlung will diesen Eingriff in unsere Lebensweise unterbinden – zumindest aber kontrollieren, auch wenn es ein einträgliches Geschäft ist.«

Während die Kuna ihre Kultur und Identität auf eigenem Land bisher recht gut bewahren konnten, haben die Guaymi ihren Anspruch auf ein eigenes Territorium noch nicht durchsetzen können. Auch sie beginnen sich seit einigen Jahren zu organisieren, fordern Selbstverwaltung und beanspruchen inzwischen ein etwa 10 000 Quadratkilometer großes Gebiet in den östlichen Provinzen Panamas. Zwar legt die Verfassung von 1983 eine »besondere Aufmerksamkeit des Staates gegenüber den Dörfern... der Indianer« fest, um so »ihre Partizipation am nationalen Leben« zu fördern (Artikel 113) und garantiert den indianischen Dorfgemeinschaften »den kollektiven Besitz einer ausreichend großen Landfläche zur Sicherung ihres wirtschaftlichen und sozialen Wohlergehens« (Artikel 116). Doch sieht sich der Staat als Besitzer allen Landes, das nicht in privater Hand ist, um sich die Rechte an Wasser- und Rohstoffvorkommen zu sichern. Die Guaymi fordern Beteiligung an den Gewinnen, die durch den Abbau von Bodenschätzen auf ihrem Gebiet erzielt werden, so wie es den Emberá und Kuna bereits zugestanden wurde. Die Regierung verzögert jedoch alle Verhandlungen mit den Guaymi immer weiter.

Die Kuna wollen das, was sie erreicht haben, auf keinen Fall wieder aufgeben, sagt Gervasio Arias. Ob sie es schaffen werden, ihre Kultur angesichts der wachsenden Schwierigkeiten zu erhalten, fragt einer der Journalisten. Der Kuna zögert nicht: »Wir wollen uns mit unserer Kultur nicht abschotten. Ich glaube, wir haben kulturelle Elemente, die insgesamt zu einer humaneren Entwicklung der Menschen beitragen können.«

*Literatur*
Bökemeier, Rolf/Friedel, Michael: Sie hassen die Fremden und lieben einander nicht mehr; in: dies. (Hg.), Naturvölker. Begegnungen mit Menschen, die es morgen nicht mehr gibt, Hamburg 1991, S. 55–95.
Trupp, Fritz: Die Cuna. In: ders., Die letzten Indianer. Kulturen Südamerikas, Wörgl 1981, S. 44–69.

# Werner H. T. Fuhrmann
## Kuba: Heilpflanzen führen zu den Ureinwohnern

Wer im Innenministerium in der kubanischen Hauptstadt Havanna nach Indianern fragt, wird ans Gesundheitsministerium verwiesen. Dort sieht man erstaunte Gesichter, erntet Kopfschütteln. Nein, bekommt man zu hören, die indianische Bevölkerung auf Kuba sei bereits in der Zeit zwischen der Entdeckung der Insel durch Kolumbus und dem Jahr 1550 vollständig ausgelöscht worden. Die Existenz von Indianern wird, wie zu jeder Zeit dieses Jahrhunderts, vehement bestritten. Und genau an der Stelle der Argumentation des Gesundheitsministeriums offenbaren sich die ersten Widersprüche. In der sozialistischen Republik Kuba gäbe es keine Indianer, nur Kubaner, wird behauptet, und gleichzeitig schwärmen doch immer mehr Wissenschaftler im Auftrag der Gesundheitsverwalter von Regierungschef Fidel Castro in die Randregionen der Insel aus. Ihre Spurensuche gilt der »grünen Medizin«, wie die traditionellen Heilmethoden der Indianer heute genannt werden. Das Land mit der unbestritten besten Krankenversorgung Südamerikas betreibt gerade in Laboratorien in Santiago und Havanna einige große Versuchsreihen mit indianischen Heilpflanzen. Diese werden noch immer mit den indianischen Namen benannt. Auch wenn es offiziell keine Ureinwohner mehr gibt, finden die Forscher doch genau die Indianer und Indianerinnen heraus, die die jahrhundertealte Kenntnis über heilende Pflanzen von ihren Vorfahren überliefert bekamen. Castro will die Volksweisheiten für seine zehn Millionen Einwohner einsetzen, besonders nachdem er aus der ehemaligen Sowjetunion keine Medikamente mehr geliefert bekommt.

Verstreut – westlich von Los Ardos an Kubas Südküste bis zum höchsten Berg des Landes, dem Pico Turquino, und an der Ostküste – gibt es tatsächlich einen großen »Taino-Arawak-Clan«, wie der Mitarbeiter des »International Indian Treaty Council«, José Barreiro, berichtet. Diese Taino-Arawak-Familien mit oft mehr als tausend Menschen sind unzweifelhaft indianischer Herkunft, Nachfahren der angestammten Taino oder amazonensischer Einwanderer vom Arawak-Volk. Sie legen großen Wert auf ihren indianischen Ursprung. Ihre Art, die Häuser mit Wedeln der Kaiserpalme zu decken, ihre Yucca-Felder anzulegen und das Yucca-Brot zu backen sowie die traditionelle Taino-Suppe sind Reste ihrer – schon von den Beschreibern im Troß der Eroberer geschilderten – Kultur, auch wenn die Indianer heute untereinander Spanisch sprechen. An anderen Stellen im Land, etwa in Baracoa, gibt es ebenfalls große indianische Familien. Sie tanzen einen Gemeinschaftstanz, den Quiriba, der von untereinander verwandten Familien von Jahrhundert zu Jahrhundert überliefert wurde. 1990 forschten Wissenschaftler aus Belgien, der Tschechoslowakei, der Sowjetunion und Mitarbeiter der Universität Havanna bei den indianischen Nachfahren. Über ihr Forschungsergebnis bewahrten sie bis heute Stillschweigen. Von der Universität Havanna wurden seit Mitte der 60er Jahre physische und anthropologische Messungen an Indianern vorgenommen. Besonders die Körper- und Schädelvermessungen wurden von den 300 Versuchspersonen aus dem Bezirk Yateras als sehr deprimierend empfunden. Die Forscher glauben, die Urbevölkerung identifiziert zu haben, auch wenn die Untersuchungsmethoden in der westlichen Welt als zwar zuverlässig, so doch völlig veraltet zurückgewiesen werden. Was nicht herauskam, war eine eindeutige Antwort auf die Frage: Sind die kubanischen Indianer tatsächlich Nachfahren der von Kolumbus als Westinder beschriebenen Taino-Indianer oder gehören sie zum Zweig der Arawak?

In den vergangenen Jahrhunderten hatte kein Wissenschaftler

und Forscher, der die Insel besuchte, an der Existenz von Indianern gezweifelt. Der spanische Forschungsreisende Miguel Rodríguez Ferrer schrieb nach seiner Reise 1847, wie er von den Taino eingeladen worden sei, um mit ihnen »Reigen« zu tanzen. Der Dichter und Revolutionär für die kubanische Unabhängigkeit José Martí schrieb kurz vor seinem Tod durch spanische Soldaten 1895, die Indianer hätten für die spanischen Truppen Scout-Dienste geleistet, deshalb hätten es die Aufständischen so schwer. 1922 schilderte der französische Arzt Henri Dumont, der 40 Jahre im Land gelebt hat, in den zentralen Provinzen Kubas »wimmelt es nur so von Indianern«. Der spanische Historiker Felipe Pichardo Moya meinte, daß es hundert Jahre früher »ein leichtes gewesen ist, einige Hundert reinblütige Krieger aufzubieten«. Aus den Gerichtsakten des 19. Jahrhunderts schließlich geht hervor, daß die indianischen Ländereien und Siedlungen Stück für Stück enteignet wurden. Die letzten Beweise großartiger indianischer Kunst auf der Insel, plastische Statuen aus den Stalagmiten in Tropfsteinhöhlen, waren 1950 von dem amerikanischen Archäologen Mark Harrington abgeschlagen und nach New York mitgenommen worden.

Es gibt die Indianer auf Kuba also noch. Doch die Regierung sagt: Selbst wenn diese »Kubaner« indianischen Ursprungs sind, so sind es doch keine echten Indianer mehr, weil sie »die westliche Kultur und deren Methoden bis hin zu Werkzeugen« übernommen haben. Dadurch sei die indianische Kultur »unauftaubar eingefroren«.

Tilman Zülch
# Die Kariben von Dominica und St. Vincent

Mindestens 500 000 indianische Einwohner lebten allein auf der großen Insel Hispaniola, die heute in Haiti und die Dominikanische Republik geteilt ist, zur Zeit der weißen Eroberung. Auf den Inseln der Karibik haben Spanier, Franzosen und Briten die Urbevölkerung nahezu ausgerottet und sie meist durch dorthin verschleppte Sklaven ersetzt. Unbeschreiblich waren die Verbrechen der Eroberer. Noch 1930 richtete die britische Kolonialmacht ihre Gewehre auf die winzige Gruppe der letzten Kariben Dominicas.

Ob auf Kuba Ureinwohner überlebt haben, ist unter Ethnologen umstritten. Nur auf den von schwarzen Mehrheiten regierten Inselstaaten Dominica und St. Vincent können sich heute noch 5000 bzw. 6000 der Bürger auf indianische Vorfahren berufen.[1] 1987 trafen sich Sprecher der Vereinigung der Kariben-Indianer der beiden Inseln mit Repräsentanten der Garifuna von Belize sowie der Kariben von Guyana (auch auf dem Festland in Nicaragua, Honduras und in Surinam sind bis heute Kariben ansässig). Es ging um den Status der letzten karibischen Indianer, um das Landproblem, wirtschaftliche Fragen und die Zukunftsperspektiven der kleinen Minderheiten. Schon 1977 hatte sich der Welteingeborenenrat für deren Probleme mit einer Erklärung eingesetzt und die Respektierung des Karibenreservates auf Dominica gefordert.

Georg Sütterlin schreibt am 12./13. 5. 1991 in der Neuen Zürcher Zeitung über die Geschichte der Kariben Dominicas: »1492 landete Kolumbus auf einer der Bahama-Inseln, auf seinen späteren Reisen entdeckte er weitere Inseln in der Karibik, so 1493 auch Dominica. Es dauerte nicht lange, bis die Eingeborenen der Antillen durch Krankheiten und kriegerische Auseinandersetzungen, durch Zwangsarbeit und Selbstmord ausgerottet waren. Die Kariben allerdings wehrten sich länger als andere Indios. Mit Pfeil und Bogen, Kriegskeulen und der festen Entschlossenheit, keine Eindringlinge auf ihrem Territorium zu dulden, schlugen sie die weißen Siedler auf Dominica, St. Lucia und St. Vincent wiederholt in die Flucht. Mit ihren bis 40 Personen fassenden Kanus gingen sie gar in die Offensive, griffen andere Inseln an und machten Weiße und deren schwarze Sklaven zu ihren eigenen Sklaven. Derart entschlossen war ihr Widerstand, daß 1686 die Engländer und Franzosen Dominica zu neutralem Territorium erklärten und die Insel den Kariben überließen.« Gleiches geschah zunächst auch mit St. Vincent.

Doch schon Ende des 18. Jahrhunderts hatten Briten und Franzosen die Indianer zunächst in die Berge gedrängt und im Jahre 1797 5080 Kariben von St. Vincent auf die Insel Roatán an der Küste von Honduras deportiert. Die Garifuna von Honduras,

Nicaragua und Belize sind die Nachkommen dieser zwangsumge-
siedelten Indianer und entflohener afrikanischer Sklaven. Die
wenigen auf St. Vincent Zurückgebliebenen erhielten 233 acres
von der britischen Regierung für ihr Überleben, das sind 0,942
Quadratkilometer. Den nichtdeportierten Kariben von Dominica
überließ die Kolonialmacht zunächst 232 acres an der Küste, die
sie dann 1903 auf 3700 acres erweiterte und zum offiziellen Reservat der Kariben erklärte. Auf diesem knapp 15 Quadratkilometer
großen Land, zwei Prozent der Fläche von Dominica, leben heute
etwa 3000 Kariben, deren Zahl doppelt so schnell wächst wie die
der Mehrheitsbevölkerung. Das Reservat ist kollektiver Besitz
der Indianer.

Nach fünfhundertjährigem Kampf um ihr Überleben haben die
Kariben von Dominica und St. Vincent ihre Sprache, ihre Religi-
onen und viele ihrer Traditionen verloren. Aus Fischern wurden
Subsistenzbauern, die aber weiter Einbaumkanus nach uralten
Methoden herstellen. Sie flechten Körbe so engmaschig, daß sie
Flüssigkeit halten und kennen sich in der Heilkräuterkunde aus,
berichten Crispin Gregoire und Natalia Kanem, die beide für
Hilfswerke an Partnerschaftsprojekten im Kariben-Territorium
arbeiten.[2] Doch was die Kariben vor allem zusammenhält ist das
Land, das allen gemeinsam gehört, das niemand kaufen oder
verkaufen kann. Jeder bebaut so viel Boden, wie er benötigt.

Bereits im 16. Jahrhundert hatten die Kariben begonnen, afrikanische Sklaven in ihre Reihen aufzunehmen, nach der Sklavenbefreiung 1834 nahmen diese Verbindungen zu. Bisher konnten
fremde Frauen ohne weiteres in die karibische Volksgruppe ein-
heiraten, während Männer nicht willkommen waren. So gilt
heute als Ureinwohner auf Dominica, wer als solcher lebt und sich
als Karibe versteht.

Unter der schwarzen Mehrheitsbevölkerung herrschen vielfach noch Vorurteile gegenüber den Ureinwohnern. Man betrachtet diese als wild, arm, ungebildet und nicht anpassungsfä-
hig. Die neue karibische Bewegung Dominicas will die Landfrage
lösen und die Anerkennung der Selbstverwaltung des Kariben-
Territoriums, das bisher im Prinzip nicht mehr Rechte besitzt als
jede andere Ortschaft im Lande, durchsetzen. Die Regierung
reagiert noch immer ablehnend auf entsprechende Forderungen,
spricht von Apartheid, womit sie aber nicht etwa die Verweigerung von Minderheitenrechten durch die Regierung, sondern die

Forderung der Ureinwohner nach solchen meint. Durch Teilnahme an den nationalen Wahlen wurden Auseinandersetzungen der beiden großen Parteien in die Mitte der indianischen Gemeinschaft getragen. Die karibische Bewegung, geführt von dem 1989 gewählten siebenundzwanzigjährigen Chief Irvince Auguiste, wendet sich gegen diesen polarisierenden Einfluß von außen, verlangt die Berücksichtigung karibischer Identität und wirtschaftliche Reformen. Als im Januar 1988 die indianische Bewegung der Karibik ins Leben gerufen wurde, die Caribbean Organization of Indigenous Peoples (COIP), nahmen auch Karibenvertreter aus Dominica und St. Vincent an der Gründung teil.

Auf St. Vincent gibt es heute noch zwei Siedlungsschwerpunkte der Kariben: Sandy Bay und das Dorf Greggs. Die Einwohner von Greggs sind Nachkommen der geschlagenen Kariben, die die Briten bei ihrer Deportation 1797 »aus Versehen« zurückließen. Diese letzten Ureinwohner von St. Vincent und die Mehrheitsbevölkerung sind heute wirtschaftlich und kulturell einander sehr ähnlich. Sie haben noch mehr schwarze Vorfahren als ihre Landsleute in Dominica. Von einer ethnischen Minderheit sind sie heute zu einer sozial an den Rand gedrängten Gruppe geworden. Die Kariben von Sandy Bay gehören zu den verelendetsten Bewohnern der Insel. Diese Situation geht auf die Niederschlagung ihres Aufstandes durch die Briten in den Karibischen Kriegen zurück. Es bleibt abzuwarten, ob die Regierung von St. Vincent, die den legendären karibischen Helden Joseph Chatoyer zum Nationalhelden erklärt hat, ihre Zusage wahr macht, an der Sandy Bay ein 3500 acres (etwa 14,2 Quadratkilometer) großes Reservat für die Ureinwohner einzurichten. Es ist historische Ironie, daß ausgerechnet schwarze Regierungen, die ihre Unabhängigkeit gegen die Kolonialmacht Großbritannien durchsetzten, deren Politik gegenüber den Ureinwohnern fortsetzen.

[1] Joseph O. Palacio: Caribbean Indigenous Peoples – Journey Toward Self-Discovery; in: Cultural Survival Quarterly 13 (3) 1988, S. 49–51
[2] Crispin Gregoire/Natalia Kanem: The Caribs of Dominica: Land Rights and Ethnic Consciousness; in: Cultural Survival Quarterly 13 (3) 1988, S. 52–55

# 5. Südamerika

# Ulrich Delius
## Ekuadors Indianer wehren sich gegen Diskriminierung und Landraub

Mit spektakulären Hungerstreiks, Land- und Kirchenbesetzungen, Straßenblockaden und Streiks der Landarbeiter machten Hunderttausende Indianer im Mai 1990 auf ihre katastrophale Lage aufmerksam. In vielen Teilen Ekuadors kam die Nahrungsmittelversorgung zum Erliegen, und ganze Provinzen waren tagelang von der Außenwelt abgeschnitten. Viele Indianer meinten, daß das Land seit dem 18. Jahrhundert nicht mehr einen so gewaltigen Aufstand der Urbevölkerung erlebt habe.

Mit der friedlichen Massenerhebung wollte die Konföderation der indianischen Nationalitäten Ekuadors (CONAIE) die Regierung nachdrücklich dazu auffordern, endlich über einen Katalog von 16 Forderungen der Ureinwohner zu verhandeln. Der sozialdemokratische Staatspräsident Rodrigo Borja hatte zuvor jegliche Diskussionen über die Anliegen der Indianer kategorisch abgelehnt. In dem Forderungskatalog verlangte die indianische Dachorganisation unter anderem eine Autonomie für die Urbevölkerung im Rahmen des bestehenden Staates, eine Rückgabe des ihnen traditionell zustehenden Landes, ein Verfügungsrecht über die darunter liegenden Rohstoffe (Erdöl, Uran etc.) und die Beilegung von mehr als 100 Landkonflikten. Außerdem sollte Ekuador zum Vielvölkerstaat erklärt und indianische Sprache, Kultur und Medizin endlich gefördert werden. Vergeblich versuchte die Polizei, die Rebellion mit Gewalt niederzuschlagen. Der Aufstand endete erst, als die Regierung nach sechs Tagen Verhandlungsbereitschaft signalisierte.

Seit Jahrhunderten leidet die Urbevölkerung in Ekuador unter Landraub und Diskriminierung. Die vom Staat geförderte Ansiedlung von Mestizen auf indianischem Land, der Abbau von Bodenschätzen sowie die Einrichtung von Ölpalm- und Teeplantagen verringerten seit den 50er Jahren nochmals erheblich das traditionelle Siedlungsgebiet der 3,7 Millionen Indianer, die heute etwa 40 Prozent der Gesamtbevölkerung ausmachen. Mehr als die Hälfte des fruchtbaren Bodens wird von Großgrundbesitzern kontrolliert, die Ureinwohner allenfalls als Tagelöhner be-

schäftigen. Die Gesundheitsversorgung der Indianer ist katastrophal, so daß Tuberkulose, Durchfallerkrankungen und Bron-
chitis weit verbreitet sind. Auch tragen Mangelernährung und
Alkoholismus mit dazu bei, daß die Lebenserwartung der Indianer gering ist. Obwohl sie 40 Prozent der Bevölkerung stellen,
sind sie in Wirtschaft, Politik und Verwaltung nicht vertreten.
Von den politischen Parteien wurden sie bislang nicht ernstgenommen und nur unmittelbar vor Wahlen mit leeren Versprechungen gelockt. Die Ureinwohner bilden auch heute noch die
ärmste Bevölkerungsschicht. Immer mehr Indianer fliehen vor
Armut und Ausbeutung in die Großstädte, in deren Slums ihre
weitere Verelendung und kulturelle Entwurzelung kaum mehr
aufzuhalten ist. Systematisch wird die Urbevölkerung im Alltagsleben von Europäern und Mestizen benachteiligt. Noch immer ist der Begriff »Indio« ein Schimpfwort in Ekuador.

Das größte indianische Volk Ekuadors sind die vor allem im
Hochland lebenden 2,3 Millionen Quechua. Ähnlich wie die Mestizen sind sie zumeist Kleinbauern. Doch im Unterschied zu ihnen
waren sie lange kaum daran interessiert, ihre Anbauprodukte mit
möglichst großem finanziellen Gewinn weiterzuverkaufen. Ihre
traditionelle Wirtschaftsform war darauf ausgerichtet, den Eigenbedarf zu decken. Später nutzten sie Überschüsse, die sie auf
ihren individuellen und Gemeinschaftsparzellen erwirtschafte-
ten, um neu geweckte Bedürfnisse nach Grundnahrungsmitteln
wie Fett, Reis, Teigwaren, Salz und Zucker befriedigen oder
Dienstleistungen bezahlen zu können. Inzwischen müssen die
Indianer immer mehr ihrer Produkte auf den Märkten verkaufen,
um ihr Überleben zu sichern. Erschwert wird diese Aufgabe
durch die schlechte Bodenqualität des ihnen verbliebenen Landes, das nicht selten an steilen Berghängen liegt. Dort ist die
Bodenerosion besonders gravierend. So werden die Rufe nach
einer umfassenden Agrarreform immer lauter. Den Indianern
mangelt es heute nicht nur an fruchtbaren Böden, sondern auch
an der erforderlichen Infrastruktur zur Bewirtschaftung ihrer
Felder und an Transportmöglichkeiten zu den weit entfernten
Märkten. Oft erhalten sie keine gerechten Preise für ihre Produkte, da sie von Zwischenhändlern übervorteilt werden.

Der Widerstand der Quechua gegen die »weißen« Eroberer
und Unterdrücker hat eine lange Tradition. Dutzende Male lehnten sich die rechtlosen Kleinbauern seit Beginn dieses Jahrhun-

derts gegen Landraub und Ausbeutung durch Mestizen und Europäer auf. Der gemeinsame Widerstand der Indianer trug mit dazu bei, daß sich traditionelle Werte und Strukturen der indianischen Gesellschaft behaupten konnten. Der Indianer-Aufstand von 1990 wäre schon in den Ansätzen gescheitert, hätten die Indianer nicht in den letzten zwei Jahrzehnten wirksame Interessenvertretungen auf lokaler, regionaler und nationaler Ebene geschaffen.

Der Aufbau indianischer Selbsthilfeorganisationen begann im Juni 1972, als 200 Delegierte indianischer Völker aus den Anden die Bruderschaft indigener Völker Ekuadors (Ecuador Runacunapac Riccharimui, auch unter der Abkürzung Ecuarunari bekannt) gründeten. Die Organisation setzte sich für die Förderung von Bildung und Entwicklung indianischer Gemeinschaften, für die Vergabe von Krediten an die Ureinwohner sowie für die Rückgabe des ihnen geraubten Landes und für die Einführung eines Mindestlohns für Landarbeiter ein. 1980 schlossen sich sechs im Amazonas-Tiefland lebende indianische Völker zur Konföderation der Amazonasvölker Ekuadors (CONFENIAE) zusammen. Die CONFENIAE forderte Landrechtstitel für Tausende Hektar Regenwald, die im Unterschied zum Hochland niemals von weißen Siedlern beansprucht worden waren. Schließlich wurde 1986 die indianische Dachorganisation Conaie, die Konföderation der indianischen Nationalitäten Ecuadors, gebildet. Mit dramatischen Aktionen wie dem Indianer-Aufstand von 1990, macht die CONAIE auf die unbefriedigende Situation der Ureinwohner aufmerksam, erhebt klare politische Forderungen und entwickelt Zukunftsperspektiven für ein Überleben indianischer Völker und Kulturen. Angesichts der jahrzehntelangen leeren Versprechungen der Politiker setzt CONAIE mehr auf Konfrontation als auf Kooperation mit der Regierung. Nur die Föderation der Shuara will diesen Kurs nicht mittragen. Von der Regierung wurde das Entgegenkommen reich belohnt: den Shuara wurden Landrechtstitel über mehr als 500 000 Hektar zuerkannt.

Wie dringend eine schlagkräftige indianische Interessenvertretung benötigt wird, macht vor allem der Überlebenskampf der Urbevölkerung im Amazonas-Tiefland deutlich. Mehr als 40 000 Ureinwohner leben im Regenwald Ekuadors. Die Shuara, Achuara und Huaorani sind neben den Quechua die größten indianischen Völker des Tieflandes. Sie leiden besonders unter der rapide fortschreitenden Zerstörung des tropischen Regenwaldes. Im Namen des Fortschritts und der Entwicklung dringen ausländische Erdöl- und Bergbauunternehmen, Holzkonzerne und Großfarmer in ihren Lebensraum ein und zerstören nicht nur in Jahrhunderten gewachsene Ökosysteme, sondern vernichten auch unwiederbringlich die letzten Rückzugsgebiete der Urbevölkerung. Die Rodung von 340 000 Hektar Regenwald beschleunigte die Bodenerosion und verursachte eine drastische Verminderung der Bodenqualität. Unter dem Schutz der Armee errichteten die Konzerne immer neue Camps, Pipelines, Nachschubbasen und Straßen, auf denen Tausende Siedler in das Gebiet der Indianer einfallen. Mehr als 150 000 Siedler leben bereits in der Provinz Napo im nördlichen Amazonasgebiet. Nicht wenige unter ihnen gehören zu den ärmsten Bevölkerungsschichten. Sie wurden im Hochland Opfer der ungerechten Landverteilung und suchen nun ihr Glück im Regenwald. Einige besetzen immer neues Land, roden es und verkaufen die Parzellen an Bodenspekulanten.

Besonders bedrohlich sind für die Indianer die Folgen der Erdölförderung. Die Behörden Ekuadors vergaben inzwischen für 90 Prozent der Fläche Amazoniens Bohrkonzessionen. Der mit zwölf Milliarden US-Dollar im Ausland verschuldete südamerikanische Staat bezieht die Hälfte seiner Einnahmen aus dem Erdölverkauf. Doch die 30 im ekuadorianischen Regenwald tätigen internationalen Erdölunternehmen verursachen auch gigantische Umweltschäden. So sprudelt aus 400 Bohrlöchern Erdöl in Flüsse, Seen und auf den Waldboden. Immer wieder treten Lecks an den Pipelines auf, mehr als 74 Millionen Liter Erdöl verseuchten Flüsse und Böden. Die Fische sterben, für die Menschen und ihr Vieh wird das Wasser ungenießbar. Nach dem Genuß vergifteter Fische und verseuchten Trinkwassers erlitten zahllose Indianer Erkrankungen der Haut und Atemwege sowie von Magen und Darm.

Wegbereiter der Großunternehmen waren oft Missionare des Sommerinstituts für Linguistik (SIL/ILV) aus den USA. So stellten Erdölfirmen den Missionaren zum Beispiel Hubschrauber und Kerosin zur Verfügung, um die wegen ihres Widerstandes unter Europäern und Mestizen gefürchteten Huaorani-Indianer zum christlichen Glauben »zu bekehren«. Die Missionare nutzten ungewöhnliche Methoden für die Christianisierung. Dank der großzügigen technischen Unterstützung durch die Konzerne warfen sie Radiogeräte über den Siedlungen der Ureinwohner ab, die auch aus Flugzeugen beschallt wurden, die über dem Dorf kreisten. Schnell schritt die Christianisierung voran, und das letzte Hindernis für eine Ausbeutung der Rohstoffe war beseitigt. Zwar wurden die evangelischen Bibelübersetzer offiziell 1981 des Landes verwiesen, doch ihre Missionierung der Urbevölkerung Ekuadors haben sie nicht aufgegeben. Seit Jahren fordern die indianischen Organisationen, daß die Missionare nun endlich auch tatsächlich ausgewiesen werden.

Nicht selten haben die indianischen Dachverbände mit ihrem Protest Erfolg. So wurden den Huaorani 1990 nach jahrelangen Protesten der Confeniae weitere 620 000 Hektar Land überschrieben. Die 1969 eingerichtete »Protektoratszone« hatte mit 169 000 Hektar nur sieben Prozent des ursprünglichen Territoriums der Huaorani umfaßt. Doch nun gibt es neuen Streit. Erdölunternehmen wurde gestattet, Förderstätten im Yasuni-Nationalpark zu bauen, in dem viele der noch 1500 Huaorani leben. Als Umweltschützer vor dem Verfassungsgericht gegen den Rohstoffabbau in dem von der UNESCO als Reserve der Biosphäre anerkannten Park klagten, verlegte das zuständige Ministerium die Grenzen des Nationalparks. Zwar zog sich inzwischen das US-Erdölunternehmen Conoco nicht zuletzt aufgrund der Proteste von Indianern und Umweltschützern aus dem Projekt zurück, doch will die US-Firma Maxus die Förderrechte von Conoco übernehmen.

Der Streit macht deutlich, wie gering noch immer die Lobby der Indianer in der ekuadorianischen Politik ist. So endeten auch die Verhandlungen nach dem Aufstand 1990 ergebnislos, da die Regierungsvertreter dem Druck des Viehzüchterverbandes und der Landwirtschaftskammer nachgaben, die an einer gerechten Landverteilung nicht interessiert sind. Eine Eskalation der Konflikte scheint kaum abwendbar, da Viehzüchter mit der Aufstellung paramilitärischer Truppen auf die Forderungen der immer selbstbewußter auftretenden Indianer reagieren.

# Lioba Rossbach
## Kolumbien: Indianervertreter im Senat

In Kolumbien gibt es eine Vielzahl indianischer Völker. Doch gemessen an der Gesamtbevölkerung machen die ursprünglichen Einwohner des Landes nach Schätzungen der oppositionellen Indianerorganisationen nur noch zwei Prozent der Gesamtbevölkerung aus. Bei 30 Millionen Einwohnern im Jahr 1991 wären das 600 000 Indianer. Während die Regierung lediglich von 450 000 Ureinwohnern spricht, ohne jedoch genaue Zahlen vorlegen zu können, sind die Indianerorganisationen optimistischer: Nach Jahrhunderten der Dezimierung wachse die Anzahl der Indianer wieder im Gleichklang mit der übrigen Bevölkerung. Allerdings gilt dies nicht für alle indianischen Völker. Noch 1990 dezimierte eine eingeschleppte Virusgrippe eine Untergruppe der Nukak-Indianer in der Provinz Guaviare, die der Staat der Kontrolle der umstrittenen nordamerikanischen Sekte »New Tribes Mission« überlassen hat, so sehr, daß sie kurz vor dem Aussterben stand. Dagegen besinnen sich im Gebiet des oberen Río Magdalena, dem längsten Fluß Kolumbiens, die 70 000 Coyaima- und Natagaima-Indianer zunehmend wieder auf ihre Identität. Sie haben zwar ihre indianische Sprache verloren, und einige Gemeinden drohten bereits in der mestizischen Bauernbevölkerung aufzugehen. Diese Rückbesinnung ist Indiz dafür, daß das Indianersein in weiten Teilen Kolumbiens seine negativen Vorzeichen verloren hat und daß ein neues politisches und kulturelles Selbstbewußtsein entstanden ist.

In mehr als 80 ethnischen Gruppen leben die Indianer Kolumbiens in so unterschiedlichen Landschaften wie dem Amazonasgebiet, dem feuchttropischen Pazifiktiefland, der Savannenlandschaft der »Llanos Orientales«, der wüstenartigen Halbinsel Guajira und den drei Bergketten der Anden mit ihren innerandinen Tälern. In Kolumbien finden sich große Indianervölker, wie die fast 100 000 bäuerlichen Andenindianer Páez. Aber es gibt auch kleine Gemeinschaften, wie die Bari oder »wilden Motilones«, die im Grenzgebiet zu Venezuela leben und in Kolumbien nur 500 Menschen zählen. Die Bari mußten ihre halbnomadische Lebensweise unter dem Einfluß der Missionare aufgeben und sind heute seßhaft. Eines der früher größten Völker in der östlichen Savannenlandschaft Kolumbiens, die Achuagua, hat heute nur noch hundert Angehörige.

Vielleicht haben die kolumbianischen Indianergemeinschaften gerade durch ihre Vielfalt leichter den Weg zur politischen Einheit gefunden. Die Unterschiede zwischen ihnen sind zu ausgeprägt, als daß mehrere große und rivalisierende Interessenverbände hätten entstehen können. Anders als in Ekuador, Peru oder Bolivien, wo zwischen den andinen Hochlandindianern und den Tieflandindianern des Amazonasgebietes eine große Trennlinie verläuft, die eine Annäherung zwischen beiden Gruppen erschwerte, kann die 1982 gegründete »Nationale Indianerorganisation Kolumbiens« (ONIC) auf einen stetigen Prozeß der Konsolidierung zurückblicken. Sie umfaßt heute 40 lokale und regionale Unterorganisationen und nimmt für sich in Anspruch, 80 Prozent der kolumbianischen Indianer zu vertreten. Andere Indianerorganisationen, die um Distanz zu ONIC bemüht sind, wie die »Indianischen Autoritäten des kolumbianischen Südwestens« (AISO) oder das von Regierungsseite geschaffene »Nationale Indianerkomitee« (CONI), sind von geringerer Bedeutung. Dennoch bemüht sich die ONIC um Absprachen und Zusammenarbeit.

Innerhalb der ONIC gibt es unterschiedlich Fraktionen. Im Zentrum der sogenannten »andinen Zone« der ONIC steht eine der ältesten und größten Indianervereinigungen des Landes, der »Regionale Indianerrat des Cauca« (CRIC). Diese 1971 unter den Páez-, Guambiano- und Coconuco-Indianern der Provinz Cauca entstandene Organisation war Vorbild für die ONIC. Der CRIC hat mit seinem Kampf erst dazu beigetragen, daß ein weitgehend mißachtetes Gesetz aus dem letzten Jahrhundert wieder in Kraft gesetzt wurde. In dem Gesetz 89 von 1890 lebt die Tradition der spanischen Indianerschutzgesetzgebung aus der Kolonialzeit weiter. Es wies den Indianern zwar einen fragwürdigen Rechtsstatus als Minderjährige zu, gewährte ihnen aber andererseits gemeinschaftliche Ländereien (»resguardos«), ein hohes Maß an innerer Selbstverwaltung unter eigenen Dorfgemeinschaftsräten (»cabildos«) und eine eigene Gerichtsbarkeit. Der CRIC konzentrierte sich nach Konflikten mit der Bauernorganisation ANUC ganz auf indianische Anliegen, auch wenn er weiterhin partiell Bündnisse mit nicht-indianischen Organisationen einging. Es gelang ihm, die in der Provinz Cauca bis noch vor wenigen Jahrzehnten herrschenden halbfeudalen Pachtverhältnisse aufzulösen, resguardos wiedereinzurichten und 50 000 Hektar indianischen Landes zurückzugewinnen, das sich Großgrundbesitzer angeeignet hatten. Der CRIC hat Kooperativen und zweisprachige Schulen geschaffen und unterhält ein indianisches Radioprogramm. Seine Erfolge haben allerdings zahlreiche Menschenleben gekostet. Von den insgesamt 700 Indianerführern, die in den letzten 20 Jahren in Kolumbien von gedungenen Mördern oder Militärs ermordet wurden, gehörten viele dem CRIC an. Dazu zählte auch Alvaro Ulcúe, einer der wenigen indianischen Priester des Landes. Seine Ermordung im Jahre 1984 bildete u. a. den Anlaß, daß sich in der Provinz Cauca zur Verteidigung der Gemeinschaft eine Indianerguerilla formierte. Sie benannte sich nach Quintin Lamé, einem legendären Indianerführer aus der ersten Hälfte des Jahrhunderts. Erst im Verlauf des Jahres 1991 hat diese Guerilla die Waffen niedergelegt, um sich in das politische Leben des Landes zu integrieren.

Der CRIC hat zudem bei anderen Indianerorganisationen Aufbauhilfe geleistet. Er unterstützte den benachbarten »Regionalen Indianerrat von Tolima« (CRIT), in dem viele Coyaima- und Natagaima-Indianer organisiert sind und der sich gerade einer neuen Welle der Verfolgung ausgesetzt sieht. Und er hat seine Erfahrungen der »Regionalorganisation der Emberá- und Waunana-Indianer« (OREWA) aus der Provinz Chocó zur Verfügung gestellt. Nicht zuletzt aufgrund dieser Zusammenarbeit zählt sich die OREWA heute politisch zur »andinen Zone«, obwohl die von ihr vertretenen Indianer kulturell den Tieflandindianern näher stehen. Gegenwärtig versuchen die Chocó-Indianer einen gigantischen Entwicklungsplan zu stoppen, mit dem die Regierung ihre weithin unzugängliche Heimat erschließen will. Gemeinsam mit den im Chocó ansässigen Afroamerikanern (Nachfahren von afrikanischen Sklaven) versuchen sie, neben ihren Landrechten auch das zweitgrößte Regenwaldgebiet Kolumbiens zu schützen, das unweigerlich zerstört werden würde, wenn die Regierung ihre Pläne wahr machte, die den Bau von Wasserkraftwerken, Landstraßen, Eisenbahnlinien sowie eine interozeanische Landverbindung und Hochseehäfen vorsehen.

Die Unterorganisationen der ONIC aus dem Amazonasgebiet oder der östlichen Savannenlandschaft, die sich nicht zur »andinen Zone« rechnen, entstanden aus anderen Zusammenhängen.

Sie sind weniger mit der Bauern- und andinen Indianerbewegung verbunden. Probleme wie der Kulturzerstörung, die aus den Missionsbestrebungen der verschiedensten Ordensgemeinschaften oder Sekten folgte, maßen sie oftmals größere Bedeutung bei als der Landfrage, die erst mit dem Zustrom weißer Siedler in ihre Gebiete akut wurde. Mit ihren eher verwandtschaftlich als dorfgemeinschaftlich geprägten Sozialstrukturen fiel es ihnen schwer, dem Beispiel der Andenindianer und ihrem politischen Vorbild der Dorfgemeinschaftsräte zu folgen. Dies hätte eine Abwertung ihrer meist erblichen Häuptlingsämter bedeutet. Daß sich andererseits die Kultur selbst noch in der Politik durchsetzen kann, machen die Arhuaco-Indianer aus dem an die Karibik grenzenden Gebirgszug der Sierra Nevada de Santa Marta deutlich. Auch innerhalb moderner politischer Organisationsstrukturen konnten sie die Stellung ihrer religiösen Führer bewahren. Es gibt kaum ein eindrücklicheres Beispiel für die Bedeutung dieser »mamos« als ihre Reaktion auf die Ermordung von drei anerkannten Arhuaco-Führern im November 1990 durch Angehörige des Militärs. Noch bevor der Tod dieser Führer definitiv feststand, hatten sich die Mamos in Konsultationen mit den Geistern über das Massaker und die Hintermänner Klarheit verschafft.

Bisher hat es die ONIC verstanden, die politische Einheit in der kulturellen Vielfalt der von ihr vertretenen Indianergemeinschaften aufrechtzuerhalten. Aufgrund ihrer Erfolge genießt sie breites Ansehen in der kolumbianischen Öffentlichkeit. Heute ist die politische Bedeutung der ONIC so groß, daß sie auf die Ausarbeitung der neuen kolumbianischen Verfassung, die im Juli 1991 in Kraft trat, Einfluß nehmen konnte. Sie hat wichtige Rechte durchsetzen können, was gerade am Vorabend des 500. Jahrestages der sogenannten »Entdeckung Amerikas« als Erfolg zu werten ist. Die Verfassung erkennt nun den multiethnischen Charakter der kolumbianischen Nation an, gibt den indianischen Landrechten der Indianer, ihrer Selbstverwaltung und ihrer eigenen Gerichtsbarkeit einen verfassungsrechtlich verbürgten Status. Auch wenn sich der Staat die Kontrolle über die Bodenschätze auf Indianerterritorium vorbehält, darf er sie doch nur in Abstimmung mit den betroffenen Gemeinschaften ausbeuten lassen. Die Verfassung schreibt außerdem eine zweisprachige Schulerziehung vor, erhebt die Sprachen der Indianer innerhalb ihrer Wohngebiete neben dem Spanischen zu Amtssprachen und eröffnet den Indianern, deren Territorium von den Grenzen zu den kolumbianischen Nachbarländern zweigeteilt ist, die Möglichkeit einer doppelten Staatsbürgerschaft.

Offen ist noch der Ausgang der Differenzen, die in der ONIC aufgrund der neuen Verfassung entstanden. Denn zu den Parlamentswahlen, in denen den Indianern verfassungsrechtlich nun erstmalig Sitze in beiden Kammern des Kongresses zugesichert sind, traten aus dem Kreis der ONIC zwei Listen an. Während die »andine Zone« ein Wahlbündnis mit Bauern, Armenviertelbewohnern und der ehemaligen Indianerguerilla Quintin Lamé einging, hat die offizielle ONIC-Liste die politische Autonomie vor ein Bündnis mit nichtindianischen Organisationen gestellt. Die Spitzenkandidaten beider Listen wurden in den kolumbianischen Senat gewählt, ein dritter indianischer Abgeordneter gehört nicht der ONIC an. Damit hoffen Kolumbiens Indianer, erstmals an höchster Stelle auf Politik und Gesetzgebung des Landes Einfluß nehmen zu können. Dennoch wird sich erweisen müssen, ob die Einheit in der Vielfalt auch diesmal die Oberhand behält, oder ob mögliche Differenzen zwischen den indianischen Senatoren die Nationale Indianerorganisation Kolumbiens vor eine Zerreißprobe stellen werden.

*Literatur:*
Faust, Franz Xaver: Medizin und Weltbild. Zur Ethnographie der Coyaima- und Natagaima-Indianer Kolumbiens; München 1989
Henman, Anthony: Mama Koka; Bremen 1981
Meschkat, Klaus/Rohde, Petra/Töpper, Barbara (Hg.): Kolumbien – Geschichte und Gegenwart eines Landes im Ausnahmezustand; Berlin 1980

# Werner H. T. Fuhrmann
## Venezuela: Zwanzig Regierungsstellen »verwalten« die Indianer

»Wenn man sagt, der Wilde müßte wie das Kind unter strenger Zucht gehalten werden, so ist das ein falscher Vergleich. Die

Indianer am Orinoko sind keineswegs große Kinder, so wenig als die armen Bauern im östlichen Europa, die in der Barbarei des Feudalsystems sich der tiefsten Verkommenheit nicht entringen können.« Dies schrieb Alexander von Humboldt am 10. April 1800 in Venezuela. Der Appell des Humanisten blieb bis heute ungehört. 1992 vertreten viele der einflußreichen venezolanischen Wirtschaftsführer noch immer die Meinung, die Entwicklung des Landes könne nicht wegen einer Handvoll Indianer aufgehalten werden.

Nach bisherigen archäologischen Befunden gibt es seit mindestens 10 000 Jahren Indianer in Venezuela. 150 000 leben heute noch dort, 90 Prozent von ihnen in den von Missionen beherrschten Gebieten. Die Zahl der Indianer bei der Ankunft der Spanier in Venezuela 1499 wird unterschiedlich zwischen 350 000 und einer Million angegeben.

Unter Kaiser Karl V. wurde Venezuela 1528 bis 1546 teilweise an das Augsburger Handels- und Bankhaus Welser verpfändet. Schon damals sind die Besatzungen der Handelsschiffe nicht gerade zimperlich mit den »Wilden, Nacketen und grimmigen Menschenfressern« umgegangen. 1556 fällt Venezuela an die spanische Krone. Nach dem Unabhängigkeitskrieg 1811 bis 1821 gründet Simón Bolívar die Republik Großkolumbien. 1830 wird Venezuela selbständige Republik. Es werden Gesetze verabschiedet, die die Sonderrechte für Indianer aufheben. Ihr Land wird zu »ungenutztem Niemandsland« erklärt. 1915 wird katholischen, 1946 auch evangelischen Missionaren die »Erziehung und Zivilisierung« der Indianer per Vollmacht überlassen.

Der Indianerführer und Präsident der Yukpa-Gemeinschaften ACIPY, Javier Armato, appellierte 1986 »an die Völker der Welt«: »Wir stehen unter der Gewalt der Eroberer, die unter der Soutane des Missionars versteckt sind, und welche uns mit ihren Waffen beherrschen, welche nicht das Bajonett und das Gewehr sind, sondern die Gewalt des Kreuzes, mit denen sie uns als Sklaven auf ihren Missionszentren halten.«

Organisierten Gruppenmord an Indianern gibt es seit den 50er Jahren nicht mehr in Venezuela. Doch wird ihre demographische Stabilität durch fortdauernde Diskriminierung, Ausbeutung, die fast an Sklaverei grenzt, die Verweigerung von Rechtstiteln für Landbesitz und persönlicher Dokumente sowie die Verelendung großer Indianergemeinschaften untergraben. Es wird alles ge-

tan, um in Eingeborenen einen kollektiven Minderwertigkeits-
komplex zu schaffen. Sie sollen ethnische Scham und tiefen
Schmerz darüber empfinden, daß sie als Indianer geboren wurden. Frustration, Trauer und fehlende ärztliche Betreuung führen noch immer zu einer hohen Krankheits- und Sterblichkeits-
rate unter ihnen, zumal ihre Widerstandskraft gegen von Weißen
eingeschleppte Krankheiten nicht ausreicht oder durch Hunger
und Elend geschwächt ist.

Die indianische Restbevölkerung teilt sich heute in etwa 30
Völker auf. Aufgesplittert werden die Sprachen in 170 Dialekte.
Zur karibischen Sprachfamilie zählen neun Völker. Dazu gehören
die noch etwa 1000 Acahuayo-Indianer an der Grenze zu Guyana
und die noch rund 4000 Landwirtschaft betreibenden, sehr an
weiße Lebensgewohnheiten angepaßten Karina. Auch die wenig
bekannten Mapoyo und die nur noch 1200 Maquiritare an den
Flußufern im Osten des Territoriums Amazonas gehören dazu.
Die wenigen Hundert Panare im Nordwesten werden von den
kreolischen Siedlern und Missionaren ganz besonders bedrängt.
Die gut organisierten, unter katholischem Einfluß stehenden Pemon im Zentrum und Südosten der Provinz Bolívar sprechen
ebenfalls eine karibische Sprache. Dies gilt auch für den auf 50
Angehörige zusammengeschrumpften Yarabana-Stamm bei San
Juan de Manapiare sowie die Yukpa an der kolumbianisch-vene-
zolanischen Grenze und die Yecuana am oberen Venturi.

Eine Arawak-Sprache sprechen die etwa 100 Arahuac vom
Delta Amacuro. Sie haben ihre eigene Kultur fast aufgegeben,
ebenso wie die mehreren Tausend Arahuac vom Río Negro an der
Grenze zu Kolumbien. Die in Venezuela fast 10 000 (in Kolumbien
etwa 45 000) Guajiro, die hauptsächlich als Lohnarbeiter in der
Landwirtschaft tätig sind und sich durch einen starken ethnischen Zusammenhalt auszeichnen, und die fast 2000 stark akkul-
turierten Paraujano im Norden des Staates Zulia gehören auch
zur Arawak-Sprachfamilie.

Die Tunebo in den Urwäldern von San Camilo und im Westen
des Staates Apure zählen zur Chibcha-Sprachfamilie wie die Bari
in der Sierra von Perija an der Grenze zu Kolumbien. Von Kapuzi-
nermönchen im 18. Jahrhundert reduziert, kämpfte der Rest bis
1960 gegen die kreolischen Großgrundbesitzer gewaltsam um ihr
Land. Die Arutani und die Sape im Staat Bolívar sind zwei fast
ausgestorbene Völker unbekannter Herkunft. Die 4000 Gayqueri

auf der Insel Margarita haben keine eigene Sprache mehr. Sie sprechen Spanisch.

Der Guajibo-Stamm, der ursprünglich in der Savanne ansässig war und heute unter miserabelsten Bedingungen im Süden des Staates Apure in der Nähe der urbanen Zentren weitgehend von Prostitution und Bettelei lebt, hat wie die folgenden indianischen Volksgruppen eine eigene Sprache. Andere Guajibo, die im Nordwesten des Amazonas siedeln, sind dagegen gut organisiert. Sie haben sogar Zugang zu den öffentlichen Schulen. Die über 10 000 Guarao (Warao) im Delta des Orinoco leiden unter fanatischen Missionaren, die Kinder entführen und in Internaten und Bibelhäusern der Gemeinschaft entfremden. Zudem werden die ehemaligen Wildbeuter und Brandrodungsbauern von Sägemühlenbesitzern und auf Reisplantagen entlang der Flußarme als billige Arbeitskräfte mißbraucht. Evangelische Missionare im Südosten des Staates Bolívar beeinflussen die noch intakte Kultur der bäuerlichen Piaroa, die durch eingeschleppte Krankheiten in den 60er Jahren auf eine Gruppe von nur noch 3000 Menschen zusammenschmolz. Heute sollen es nach Angaben ihrer Vertreter wieder 7000 sein. Auch die Yaruro, die zur Jahrhundertwende als beinahe ausgestorben galten, zählen wieder 3000 Angehörige. Sie konnten ihre wirtschaftliche Unabhängigkeit weitgehend erhalten und behielten ein starkes ethnisches Selbstbewußtsein. Dazu gehören auch ihre eigene soziale Organisation und die Bewahrung ihrer Religion. Die wenigen Hundert Puinabe in der Nähe von San Fernand und die Yanomami im Amazonasgebiet sprechen ebenfalls selbständige Sprachen.

Die Yanomami Venezuelas – nach neuesten Schätzungen 12 500 – können bis heute im Gegensatz zu den vor allem von Goldwäschern bedrohten Yanomami in Brasilien relativ unbehelligt ihre Kultur und Lebensweise im tropischen Regenwald aufrechterhalten. Doch erste Alarmzeichen gibt es: Der venezolanische Yanomami-Repräsentant Casar Timanawe berichtete auf einer internationalen Konferenz 1990 in Caracas, sein in 360 Dörfern lebendes Volk sei nur zu retten, wenn man ihm genug Land zur Affenjagd, zum Vogelfang, Früchtesammeln und Gartenbau lasse. Erz und Edelmetall suchende Brasilianer drängten bereits illegal über die Grenze in das Gebiet.

Die Kirche, die seit Jahrhunderten durch die »Umerziehung der Wilden« an deren Kultur und Identitätsverlust beteiligt ist, verweigerte bis vor kurzem Selbstkritik. In der Vollversammlung der venezolanischen Bischöfe im Frühjahr 1990 wurde von ihnen eine aktuelle Stellungnahme veröffentlicht, in der sie ihre »Betroffenheit über ihre historische und aktuelle Schuld« bekennen. Die Bischöfe verurteilten in der Schrift auch die zahlreichen Sekten und deren rücksichtslosen Missionseifer. Die Sekten, von der nordamerikanischen New Tribes Mission über die »Kirche von Korea« bis zu den Adventisten, richteten sich gegen die Freiheit und die Tradition der Indianer. In einer ihrer Forderungen verlangten die Oberhirten von der Regierung Landtitel für die Indianergemeinschaften.

Neben kirchlichen Fürsprechern gibt es inzwischen zahlreiche staatliche und private Organisationen und Verbände, die sich für die Belange der Indianer einsetzen. Zahlreiche indianische Völker haben sich selbst organisiert und äußern sich in stammesübergreifenden Gremien gegen Umweltzerstörung, Landraub sowie die Erziehungspolitik durch Staat und Kirche. Bei ihren Landforderungen berufen sich die Gruppen auf das Agrarreformgesetz von 1960. Es sichert ihnen Kollektivland zu. Doch über 80 Prozent der indianischen Gemeinden besitzen noch immer keine Dokumente über Besitz- und Nutzungsrechte ihrer Siedlungsgebiete. Das zentrale Indianerbüro O.C.A.I. und andere staatliche Organisationen und Ministerien machen auch keine Anstalten, eine missionsunabhängige Indianerpolitik durchzusetzen und das Agrarreformgesetz praktisch anzuwenden.

Die neue Indianerpolitik des Staates sieht vor, die Indianer als »wahre venezolanische Staatsbürger zu integrieren«. Die Entdeckung großer Mengen wertvoller Bodenschätze in den Indianerterritorien führt zur erneuten Beschlagnahme von Land, die vor allem in den südlichen Landesteilen mit Grenzsicherung begründet wird. Die staatliche Indianerbehörde gibt sich als Organ indianischer Selbstbestimmung aus. Das führt in der Praxis zu einer recht wahllosen Anhäufung widersprüchlichster Aktivitäten. Die Staatsbehörde wechselte mehrfach ihren Namen und die ministerielle Zugehörigkeit. Zeitweilig sind über 20 andere Regierungsstellen in Sachen »Indianerfrage« tätig. Darüber hinaus arbeiten 22 regionale Koordinationszentren für Indianerangelegenheiten. Sie konnten bisher durch die räumliche Entfernung keine einheitliche Indianerpolitik betreiben.

Neben der Förderung eines Privat- und Abenteuertourismus

plant die Regierung auch in den Indianerregionen gigantische Entwicklungsprojekte. Riesige Staudämme, die Ausbeutung der Schwerölfelder am Orinoko, die Entwicklung des Industriegebietes zwischen Ciudad Bolívar und Ciudad Guayana mit seinen ungeheuren Erzvorkommen, der Abbau des größten Bauxitlagers bei Los Pijiguaos im Amazonasterritorium und die Vergabe von Abbaukonzessionen an private Minengesellschaften im Orinokoquellgebiet lassen Schlimmstes befürchten. Seit einiger Zeit überschwemmen auch Goldsucher indianische Territorien in den Regenwald- und Savannengebieten an der Grenze zu Guyana. Insgesamt 8000 Tonnen Gold werden dort vermutet. Rund 31 000 konzessionslose Minenarbeiter suchen an etwa 400 Orten ihr Glück. 2000 bis 3000 Mineros arbeiten für die staatlichen Abbaugesellschaften. Diese Glücksritter haben den Indianern vor allem Krankheiten gebracht – Malaria, Tuberkulose, Grippe und Gelbsucht.

Die Indianerbewegung formiert sich: Die Initiatoren haben keine Missions-, sondern staatliche Schulen und Universitäten besucht. Sie fordern Mitbestimmung, veranstalten Kongresse und beraten sich mit Fachleuten. Sie mißtrauen den staatlichen Indianerorganisationen und fühlen sich von ihnen nicht vertreten. Inzwischen entsenden die Indianer ihre Repräsentanten auf internationale Kongresse wie zur UN-Arbeitsgruppe für ethnische Minderheiten (Working Group for Indigenous Populations) nach Genf. Ein Manko ist, daß die neue venezolanische Indianerbewegung ihren Ursprung nicht in den indianischen Gemeinden, sondern in den Diskussionszirkeln der jungen Indianer in den Städten hat. Erst wenn die Politiker, die Kirche und die Bevölkerung Venezuelas aufhören, die Indianer zu bevormunden und ihre aktive Beteiligung bei der Suche nach Lösungen ihrer Probleme akzeptiert, haben die venezolanischen Indianer eine Zukunft.

*Literatur:*

Jimenez, Nelly Arvelo de: Analyse der offiziellen Eingeborenenpolitik in Venezuela; in: Dostal, Walter (Hg.): Die Situation der Indios, Wuppertal 1975, S. 30–45

Mosonyi, Esteban Emilio: Die Situation der Eingeborenen in Venezuela: Perspektiven und Lösungen; in: Dostal, Walter (Hg.): Die Situation der Indios, Wuppertal 1975, S. 46–67

Seithel, Friederike/Dirk Stähler: »Yo Hablo A Caracas« – Indianerpolitik und Indianerbewegung in Venezuela, erschienen als Beitragsreihe in Pogrom Nr. 129, 133, 137, 139, Göttingen 1987/88

## Inse Geismar
# Guyana: Mehr Inder als Indianer

In Guyana, dem einzigen englischsprachigen und sozialistischen Land in Südamerika, werden die 30 000 bis 40 000 Indianer »Amerindians« genannt. Im Gegensatz zu den heute etwa 380 000 Indern, von denen die englischen Plantagenbesitzer nach der Sklavenbefreiung 1834 eine Viertelmillion ins Land schleppten, sind sie eine unbedeutende Minderheit. Sie leben zumeist weit ab von den Zivilisationsgebieten, in den weglosen Grenzregionen zu Venezuela und Brasilien. Etwa 5000 Amerindians sind in den Küstenregionen seßhaft. Die Schwarzen, Nachkommen afrikanischer Sklaven, sind mit 32 Prozent die zweite große Bevölkerungsgruppe in der ehemals englischen Kolonie, die 1966 bedingt in die Unabhängigkeit entlassen wurde. Elf Prozent sind Mulatten oder Mestizen und nur fünf Prozent Amerindians. Der Rest sind Chinesen, aber auch Portugiesen und andere Weiße.

Erst 1970 wurde das bis dahin noch immer unter der Oberhoheit der englischen Krone stehende Land zur endgültig unabhängigen Republik erklärt. Jetzt ist Guyana wegen jahrzehntelanger sozialistischer Mißwirtschaft und Korruption zahlungsunfähig. Die Lage der Bevölkerung ist hoffnungslos. 400 000 Guyaner sind bereits emigriert. Sie leben in Kanada, Großbritannien und den USA. Der südamerikanische Staat ist das einzige Dritte-Welt-Land mit abnehmender Bevölkerungszahl, die heute auf 750 000 geschätzt wird. Die soziale Unverträglichkeit der ethnischen Gruppen der rassisch und religiös getrennten Bevölkerung verhindert trotz der Verwahrlosung, verbreiteter Not und Unzufriedenheit Unruhen im Land. Die Afroguyaner fühlen sich als rechtmäßige Erben der Macht, die die Engländer ihnen überlassen hatten. Sie seien vor den Indern gekommen und hätten als Sklaven mehr gelitten als diese.

Spanische Seefahrer hatten das Land 1499 entdeckt und wegen seiner dichten Bewaldung für uninteressant gehalten. Im 16. und 17. Jahrhundert gründeten Niederländer, Franzosen und Briten Handelsniederlassungen. Sie wurden von der Urbevölkerung erheblich freundlicher aufgenommen als die Spanier. Die Indianer tauschten gegen ihre Heilpflanzen metallene Gegenstände wie Messer, Werkzeuge und Geräte zur Landbebauung. Diese europäischen Waren bezogen die Amerindians, die entlang der Küste und die Flüsse hinauf einen ausgedehnten Fernhandel betrieben, in ihr Sortiment ein. Zu den ersten ernsthaften Konflikten mit Europäern, vor allem den Holländern, kam es, als niederländische Plantagenbesitzer Indianer zur Feldarbeit versklavten. Es gab heftige Kämpfe, die 1586 mit einem Friedensvertrag mit den Holländern beendet wurden. Nach dieser Übereinkunft sollten die Holländer und Indianer, aber auch die Indianerstämme untereinander Frieden schließen. Die Indianer sollten die Sklavenjagd einstellen, bei der sie Nachbarvölker angegriffen hatten. Zu Zehntausenden wurden jetzt Sklaven aus Afrika importiert.

Im 18. Jahrhundert waren die Indianer den europäischen Pflanzern häufig behilflich, entlaufene afrikanische Sklaven wieder einzufangen. Größeren Gruppen von Sklaven gelang es jedoch, sich in unwegsame Savannen zurückzuziehen und als »Buschneger« eine eigene Kultur zu entwickeln. Nach dem Sturz Napoleons erhielt 1816 England das Gebiet des heutigen Guyana.

Der forcierte Ausbau der Plantagen in den Küstenregionen verdrängte die Amerindians immer stärker in das Landesinnere. Doch auch in diesen noch immer fast menschenleeren Regionen gab es an den fruchtbaren Flußufern reichlich Lebensraum für die Indianer. Sie leben von Gartenbau, vom Fischfang und der Jagd. Die noch ungefähr 4000 Wapisiana im Südwesten betreiben inzwischen selber Viehzucht. Sie versuchen, sich damit gegen die vordringenden Viehzuchtfarmen zu behaupten.

1799 hieß es in einer französischen Reisebeschreibung über die tropischen Tieflandindianer in Guyana: »Sie bringen beynahe ihr ganzes Leben in Müßiggang zu, denn man sieht sie fast immer in ihren Hängematten liegen, in welchen sie ganze Tage lang nichts thun, als schwatzen, sich in einem kleinen Spiegel besehen, die Haare in Ordnung bringen und sich den Bart ausreißen.« Die schwarze und die indische Bevölkerung benutzt diese Stereotypen noch immer. Amerindians seien »trunksüchtig, faul, sorglos, unzivilisiert, rücksichtlos und verschwenderisch«. Sie würden in den Tag hineinleben. Viele jüngere Indianer unter dem Einfluß der Mehrheitsbevölkerung schämen sich ihrer Herkunft. Sie weigern sich, ihre eigene Sprache zu sprechen, distanzieren sich von ihrer althergebrachten Kultur, finden aber keine eigene Identität. Oft ist die Situation der älteren Generation und der Stammesoberhäupter ebenso tragisch. Sie haben weitgehend ihre Macht über die Jugend verloren. Die Gemeinschaften, an denen das Interesse erlischt, lösen sich auf.

Es gab 1969 noch einmal einen Versuch, sich gegen die allgemeine Mißachtung der Amerindians, die dem Regierungkurs entsprach, aufzulehnen. Mit Unterstützung durch nordamerikanische Missionare und unter Führung einer aus den USA stammenden Großgrundbesitzerfamilie wurden an der Grenze zu Venezuela die Indianer gegen das in Richtung Sozialismus-Kommunismus driftende Regime mobilisiert. Die nach Autonomie strebenden Amerindians proklamierten eine unabhängige »Mikro-Republik«. Doch britische Kolonialsoldaten warfen den Aufstand noch im gleichen Jahr nieder. Ein Moratorium von 1970, unterzeichnet von Großbritannien sowie Guyana und Venezuela, sieht vor, daß die beiden südamerikanischen Länder keine Besitzansprüche in der Grenzregion anmelden durften. Doch die Streitigkeiten sind bis heute nicht beigelegt. Venezuela beansprucht einen Großteil des ehemals britischen Kolonialgebietes. Diese Region sei traditionell spanisch und gehöre daher in der Nachfolge Venezuela, wird argumentiert.

Im Dreiländereck zwischen Brasilien, Venezuela und Guyana gewinnen viele Indianer eine neue oberflächliche Identität durch den massenhaften Beitritt zu der sich als christlich bezeichnenden synkretistischen »Hallelujah-Religion«. In ihr verbinden sich indianische Riten und protestantischer Glaube. In den drei Staaten hat diese »Erweckungsbewegung« bereits 17000 Anhänger unter den Indianern aus fünf verschiedenen Gruppen. 5000 von ihnen sind Akawaio. Ihr Dorf Amokokupai in Guyana an der Grenze zu Brasilien ist der religiöse Mittelpunkt und Wallfahrtsort dieser Glaubensgemeinschaft. Es liegt im Zentrum des riesigen Gebietes des Mazaruni-Staudammes.

Obwohl allen guyanischen Amerindians 1966 mit der Verordnung Nr. 23 in den unwegsamen tropischen Regenwäldern Landrechte zugesprochen worden waren, wurden in der für das Staudammprojekt vorgesehenen Region keine Landtitel erteilt. Der Grund: Die Pläne für den Bau, den vor allem jugoslawische Ingenieure und Mineure ausgearbeitet hatten, lag bereits seit den 50er Jahren in den Schubladen. Gordon Bennett, Völkerrechtler und Berater von Survival International, sieht in dem Staudammprojekt einen Verstoß gegen international bindendes Recht. Auf der Unabhängigkeitskonferenz 1969 in London garantierte Guyana allen Amerindians Landrechte für ihre angestammten Gebiete. Dies war eine der Bedingungen, unter denen Großbritannien Guyana in die Unabhängigkeit entließ.

Auch in anderen Regionen wurde die Verordnung Nr. 23 willkürlich von der Regierung immer dann nicht angewandt, wenn dort Bodenschätze, vor allem Gold, Diamanten und Bauxit gefunden worden waren. Eine Armee von Goldsuchern drang in die Indianerregionen ein, riesige Bauxit-Abbaugebiete sind bereits durch Straßen erschlossen. Die Indianer wurden zu Lohnarbeitern oder emigrierten in die Nachbarländer.

Die im Norden und an der Küste lebenden wenigen tausend Arawak-Indianer werden von Teilen der aus Afrika und Indien stammenden Mehrheitsbevölkerung ausgebeutet. Die landwirtschaftlichen Produkte der Indianer werden zu Niedrigstpreisen und auch nur sporadisch von Händlern aus der Hauptstadt Georgetown aufgekauft. Versuche, sich selbst durch Kooperativen zu helfen, sind jedoch in Einzelfällen trotz erheblicher Anfangsschwierigkeiten gelungen. So hat die Dorfbevölkerung in Santa Rosa und in Kumaka auf dem Moruca-Fluß einen Transportservice, die Moruca Transport Coop MTC., ins Leben gerufen. Mit zwei kleinen Lastschiffen werden die Ernten, vor allem Kaffee, in die Hauptstadt transportiert und ohne Zwischenhandel vermarktet. In Folge dieser Initiative und der damit einhergehenden Verbesserung der wirtschaftlichen Lage konnte die Gesundheits- und Wohnsituation der 4000 Einwohner zählenden Gemeinden – darunter auch Nichtindianer und Mischlinge – erheblich verbessert werden. Die Kooperative mit 400 Mitgliedern trägt außerdem zu einem neuen Selbstbewußtsein bei. Die Abwanderung, so zeigt dieses Beispiel, ist durch diese eigenen Projekte erheblich reduziert worden. Finanzielle Unterstützung und sporadische Beratung erhielt die Kooperative aus Großbritannien.

Negativ wird von Fachleuten gesehen, daß durch den engen

Stadtkontakt der Verbrauch an »westlich-zivilisatorischen Konsumgütern« wie Alkohol und Zigaretten stark zugenommen hat. Statt der traditionellen Bauweise wird immer mehr Beton verwendet, für den die Lastschiffe den Zement aus der Stadt mitbringen. Ein lohnendes Geschäft für die Initiative ist neuerdings der Transport von Mannschaften, Gebrauchsgütern und Geräten in die immer stärker erschlossenen Areale der Goldsucher im nur durch Boote erreichbaren Landesinneren.

*Literatur:*
Bennett, Gordon: The Damned – The Plight of the Akawaio Indians of Guyana; Dokumentation von Survival International, London o. J.
Forte, Gordon A. und Robert Maguire: Qualifying Success: The Case of the Moruca Transport Cooperative, Ltd.; in: Grassroots Development 112 (1988) Nr. 3; S. 10–19

Inse Geismar
## Surinam: Die Revolte hat nichts verändert

»Buschkrieg in Surinam«: Die Indianer der früheren niederländischen Kolonie machten im September 1989 weltweit Schlagzeilen. »Indianer revoltieren gegen Regierung«, hieß es in der Süddeutschen Zeitung. Es war kein Krieg: Tatsächlich hatten aufständische »Tukayana« unter Führung ihres »Kommandanten Thomas« eine Fähre gekapert und ein Kleinflugzeug entführt. Den Piloten Jimmy Gummels wollten sie erst freilassen, wenn »wirklich kompetente Regierungsvertreter« wie Parlamentspräsident Jaggernath Lachmon oder Armeechef Desie Bouterse mit ihnen über eine spürbare Verbesserung ihrer Situation verhandelten. Als auch die Reisbauern im nordwestlichen Grenzdistrikt Nickerie – überwiegend Inder und Javaner – mit einem Generalstreik drohten, weil die Indianer ihre wichtigste Fährverbindung zur Hauptstadt Paramaribo unterbrochen und das Bewässerungssystem der gesamten Region blockiert hatten, lenkte die Regierung schließlich ein.

Zu der Revolte kam es, nachdem Staatspräsident Ramsewak Shankar mit dem Maronenführer Ronnie Brunswijk am 21. Juli

1989 das Friedensabkommen von Kourou geschlossen hatte. Die Indianer befürchteten, ihre Interessen würden durch diese Vereinbarung wieder einmal untergraben. Das Abkommen räume den Maronen – Nachfahren im 17. und 18. Jahrhundert entflohener Sklaven – zu viele Privilegien ein. So solle deren Guerilla nicht entwaffnet, sondern als Polizeitruppe in der Dschungelregion im Ostteil des Landes offiziell legalisiert werden. Sowieso, monieren die Indianer, seien die Maronen weit mehr am politischen und wirtschaftlichen Leben von Surinam beteiligt.

Die Bevölkerung in dem nur 163 265 Quadratkilometer großen südamerikanischen Staat lebt vor allem in der Hauptstadt und an dem schmalen Küstenstreifen. Das einst prosperierende Surinam ist ins Zwielicht geraten, nachdem bekannt wurde, daß dort auf dem Weg von Kolumbien in die USA und Europa große Mengen Rauschgift umgeschlagen werden. Von den rund 420 000 Einwohnern sind laut offizieller Statistik 31 Prozent sogenannte »Kreolen«, also Nachkommen ehemaliger afrikanischer Sklaven und teilweise europäischer Eroberer. 37 Prozent sind Inder oder »Hindustanen«, 15 Prozent Javaner, 10 Prozent Maronen oder »Buschneger« und nur noch etwa drei Prozent – rund 13 000 – Indianer. Die übrigen sind Chinesen, Europäer und Libanesen.

Die Niederländer hatten seit Ende des 16. Jahrhunderts Zehntausende westafrikanische Sklaven ins Land geholt. Die indianischen Küstenbewohner – Arawak und eigentliche Kariben – waren nicht zur Sklavenarbeit zu zwingen. Nach der Abschaffung der Sklaverei 1863 wurden die Plantagen, auf denen vor allem Bananen angebaut worden waren, bis zum Zweiten Weltkrieg mit Kontraktarbeitern aus Indien und Indonesien bestellt. Danach konzentrierte sich die Wirtschaft des Landes besonders auf die Ausbeutung der reichen Bauxitvorkommen und den Anbau von Reis für den Export. Die Indianer sind weder an den Gewinnen aus dem Bodenschatzabbau noch an dem Exportgeschäft mit Landwirtschaftsprodukten beteiligt. Man sieht auf sie herab oder ignoriert sie völlig. Und dabei drängen besonders die Indianer, die in den Städten Schulen besucht haben, auf die Teilnahme am »Fortschritt«, was immer sie dafür halten. Ihre Dörfer liegen vor allem im Westen des Landes an den Uferzonen der breiten Dschungelflüsse. Viele wandern auf der Suche nach Arbeit in die Hauptstadt ab. Sie fühlen sich, nachdem sie das Großstadtleben kennengelernt haben, in den abgelegenen Siedlungen oft nicht mehr wohl. Die traditionelle Lebensweise ist ihnen fremd geworden. Diejenigen, die eine Ausbildung erhalten haben, finden hier keine angemessene Arbeit. Doch auch in den Städten bekommen sie meist nur Hilfsarbeiterjobs. Sie werden von den Weißen und Indern wie von allen anderen Gruppen diskriminiert. Was sie auch tun, sie stehen immer auf der untersten Stufe der sozialen Leiter. Lediglich drei kleine Gruppen von nur noch jeweils mehreren hundert Trio-, Wayana- und Akurio-Indianern sind davon nicht betroffen. Sie leben fast ungestört auf relativ traditionelle Art im unzugänglichen Regenwald an der brasilianischen Grenze.

Probleme gibt es also vor allem in der Westregion, wo heute neben den Arawak auch die eigentlichen Kariben leben. Sie haben ihre ursprüngliche Subsistenzwirtschaft – Garten-Hackbau mit Mais, Bananen und Maniok sowie Fischfang und Jagd – beibehalten. Dennoch ist die indianische Kultur durch das aufgezwungene »weiße« Schulsystem, das vor allem nichtindianische Junglehrer für zwei Jahre auf die Dorfschulen schickt, zerstört worden.

Wenn diese Indianer in ihren Dörfern leben oder auch nur zu Besuch kommen, fühlen sie sich noch als Stammesmitglieder. Sie sprechen aber inzwischen selbst untereinander eine ihnen fremde interethnische Umgangssprache, das Sranan Tongo, sowie Englisch oder Niederländisch. Sobald sie die Dörfer verlassen, verleugnen viele ihre Herkunft und bezeichnen sich als »Kreolen«. Bei diesem Selbstverständnis sind selbst die Reste indianischer Kultur in Surinam wohl nicht mehr lange zu bewahren. Der Widerspruch zwischen ihren Wünschen – Teilnahme am Fortschritt oder selbstbestimmtes Leben im Urwald – ist nicht zu lösen. Begehrliches Interesse an den 1973 von amerikanischen Unternehmen begonnenen, inzwischen wieder fallengelassenen ehrgeizigen Plänen, im Urwald »Urlaubsparadiese« zu errichten, wird nur schwach verhehlt. Auch die damals vorgesehene Erschließung und Industrialisierung Westsurinams mit seinen Bauxit-, Kupfer- und Uranvorkommen wurde von vielen Indianern durchaus wohlwollend betrachtet. Sie erhofften sich Beteiligung an den Gewinnen und einen höheren Lebensstandard in ihren Dörfern, den schon die Elektrifizierung der Region bringen könnte. Viele Indianer wurden zwar als Hilfsarbeiter beim Bau der 400 Kilometer langen Eisenbahnlinie in den Dschungel beschäftigt. Doch mehr ist für sie dabei bisher nicht herausgekommen.

*Literatur:*

Jacobs, Birgit: Was wird aus den Indianern? Ein Beispiel aus Suriname; erscheint voraussichtlich in pogrom Nr. 164, Göttingen 1992

Jost, Wolfgang: Indianer in Surinam; in: pogrom Nr. 143, Göttingen 1988, S. 51–53

Jost, Wolfgang: Zwischen Krieg und Frieden; in: pogrom Nr. 151, Göttingen 1990 Nr. 151, S. 37–39

# Ulrich Delius
# Aufbruchstimmung in Französisch-Guyana

In den Schlagzeilen unserer Presse sucht man vergeblich nach Meldungen über das Schicksal der Urbevölkerung des französischen Übersee-Départements. Unser Bild Französisch-Guyanas wird vom Weltraumbahnhof Kourou, von dem bereits mehr als 30 europäische Trägerraketen in das All starteten, und vom Roman »Papillon« bestimmt. Der Ex-Gefangene Henri Charrière hatte in dem Bestseller die entsetzlichen Haftbedingungen in der ehemaligen Strafkolonie dargestellt.

Doch Französisch-Guyana hat mehr als Weltraumraketen und Sträflingsgeschichten zu bieten. Aufbruchstimmung ist unter vielen der etwa 5000 Indianer spürbar. Schon vor Jahrzehnten hatte man ihren Untergang vorausgesagt, doch im Gegenteil: Ihre Zahl erhöht sich inzwischen sogar wieder, da ihre Gesundheitsversorgung verbessert wurde. Wichtiger ist jedoch, daß immer mehr Indianer ihr Schicksal in die eigene Hand nehmen. So beginnen sie, sich zu organisieren und ihre Rechte systematisch einzufordern.

Dem verschlafenen Indianerdorf Awala Yalimapo sieht man nicht an, daß hier eine neue Ära der Urbevölkerung Guyanas begonnen hat. 300 Galibi-Indianer leben in der Siedlung, die an der Küste zwischen den Mündungen der Flüsse Mana und Maroni liegt. Sie ernähren sich von Fischfang und Landwirtschaft. Im März 1989 wählten die Dorfbewohner erstmals eine eigene lokale Verwaltung, nachdem ihre Siedlung am 1. Januar 1989 durch einen Erlaß aus der Stadt Mana ausgegliedert worden war. Bei den Wahlen siegten zum ersten Mal in der Geschichte der Kolonie

Ureinwohner, die fortan die Gemeindeverwaltung übernahmen. Nicht nur in Awala Yalimapo feierte die Urbevölkerung diesen Sieg über eingewanderte Europäer und Kreolen, die aus ihrer Geringschätzung für die Indianer keinen Hehl machen.

War ihnen früher das Schicksal der Ureinwohner gleichgültig, so ist heute zum Teil offene Feindschaft zu spüren. Das Vorurteil von »den Wilden, die wie die Könige leben«, ist weit verbreitet. Verständnislos verfolgen die nur am eigenen wirtschaftlichen Profit interessierten Europäer und Kreolen, daß große Teile des Regenwaldes für den Tourismus gesperrt sind und gewinnträchtige Projekte aus Sorge um das Schicksal der Indianer nicht genehmigt werden. So verweigerte die französische Regierung 1987 die Genehmigung für eine Rallye mit Motorrad, Boot und Hubschrauber durch den Regenwald, nachdem Umweltschutzverbände und Menschenrechtsorganisationen protestiert hatten.

Die 45 000 Kreolen, die Nachkommen europäischer Siedler und afrikanischer Sklaven sind, bilden heute die größte Bevölkerungsgruppe der knapp 115 000 Einwohner zählenden Kolonie. Mehr als 10 000 im »Mutterland« geborene Franzosen sind als Techniker im Raumfahrtzentrum angestellt oder arbeiten in der Verwaltung und im Dienstleistungsbereich. 90 Prozent der Bevölkerung leben an der Küste, zumeist im Großraum Cayenne.

An der Küste sind auch die rund 2000 Galibi ansässig, das größte indianische Volk Französisch-Guyanas. Sie haben seit langem Kontakt zu Kreolen und Europäern und wurden von katholischen Missionaren und Adventisten christianisiert, so daß sie viele ihrer Traditionen verloren haben. Während die Galibi heute überwiegend als Fischer oder Handwerker zum Teil auch in den Städten arbeiten, betreiben andere Gruppen wie die Arawak vornehmlich Landwirtschaft. Am schlimmsten ist unter den Indianern an der Küste die Lage der Palikur. Schon vor Jahrzehnten gaben sie ihre überlieferten Traditionen auf. Heute leben sie in slumähnlichen Siedlungen; Alkoholismus ist eines ihrer größten Probleme.

Erheblich weniger in die kreolische Gesellschaft integriert sind die im Landesinnern an den Flußläufen des Maroni und Oyapock lebenden Emerillon, Wayapi und Wayana. Obwohl die sechs indianischen Gruppen Französisch-Guyanas unterschiedlicher ethnischer und linguistischer Abstammung sind, betonen sie immer mehr ihre gemeinsamen Interessen und Forderungen. Aus den

Anfangsbuchstaben ihrer Gruppen bildeten sie den Namen ihres Volkes und bezeichnen sich heute oft als »Epwwag«.

Die Urbevölkerung Guyanas schaut auf eine blutige Geschichte der Kolonisierung zurück. Gegen das Eindringen der Kolonialmächte Frankreich, Holland und England hatte sie allen erdenklichen Widerstand geleistet. Fünfmal lehnte sie sich erfolgreich gegen europäische Expeditionskorps auf, bis ihr Widerstand 1657 mit einem Massaker in der Nähe der heutigen Hauptstadt Cayenne gebrochen wurde. Im 18. Jahrhundert, so schätzt man, lebten 9000 Indianer auf dem Gebiet Französisch-Guyanas. Bis 1983 verringerte sich ihre Zahl auf weniger als 3000 Menschen.

1981 beschlossen drei junge, in Frankreich ausgebildete Galibi, die französische Kolonialpolitik nicht mehr länger passiv zu erdulden, sondern sich fortan aktiv für die Interessen der Indianer einzusetzen. Félix Tiouka und Thomas Apollinaire, der 1989 bei einem Unfall verstarb, gründeten gemeinsam mit dem heutigen Bürgermeister von Awala Yalimapo, Paul Henri, den Verein der Indianer Französisch-Guyanas (Association des Amérindiens de Guyane française, AAGF). Der Verband bemüht sich um den Schutz des Lebensraumes, der Landrechte, der Kultur und um die Durchsetzung politischer und sozialer Forderungen der Ureinwohner. Obwohl der Verein von Galibi-Indianern gegründet worden war, gelang es ihm schon bald, auch die übrigen fünf indianischen Völker Guyanas in die Bürgerrechtsorganisation zu integrieren. Ein großer Erfolg der AAGF war die Indianer-Konferenz Französisch-Guyanas 1984 in Awara. Die Versammlung vereinte nicht nur erstmals alle indianischen Völker der Kolonie, sondern bot ihnen auch die Gelegenheit, sich öffentlich mit ihren Forderungen zu Wort zu melden. Vielen Europäern und Kreolen sitzt noch heute der Schreck über eine Rede des Indianerführers Tiouka in den Gliedern. Der Vorsitzende der AAGF hatte vor führenden Politikern der Kolonie und zahllosen Touristen aus Kourou die Nachkommen der Kolonialherren und der Sklaven aufgefordert, endlich schriftlich anzuerkennen, daß die Indianer als Ureinwohner ein unveräußerliches Recht am kollektiven Eigentum allen Landes besitzen.

Tiouka ist davon überzeugt, daß die indianische Gesellschaft im Umbruch ist. Die Indianer mit Federn im Haar gehörten der Vergangenheit an, heute müßten die Ureinwohner sich der politischen Gepflogenheiten der Kolonialherren bedienen, um ihr

Recht auf eine eigene Entwicklung durchzusetzen, erklärt der Indianerführer. Die Ureinwohner wollen nicht das Modell der Europäer kopieren, sondern ihre eigene Vorstellung vom Schutz der Umwelt und ihr eigenes Wirtschaftskonzept verwirklichen.

Die am Oberlauf des Maroni lebenden Wayana-Indianer haben einen anderen Weg eingeschlagen. Sie isolieren sich von der Außenwelt und hoffen darauf, daß sie möglichst lange von den schädlichen Einflüssen der Zivilisationsgesellschaft verschont bleiben. Sie haben in André Cognat einen Fürsprecher besonderer Art gefunden. Der zivilisationsmüde Mechaniker aus Lyon wanderte vor 27 Jahren nach Guyana aus, um »Indianer zu werden«. Seither bemüht er sich, die Wayana von der Außenwelt zu isolieren. Der AAGF-Vorsitzende hält nicht viel von Cognats Beschützerdrang. »Meines Wissens gibt es nirgendwo in der Welt eine Gemeinschaft, die die Isolierung von der Außenwelt überlebt hat«, meint der Indianerführer. »Leute wie André Cognat waren nötig, als wir noch nicht Französisch sprechen und schreiben konnten, aber heute erklären alle unsere jungen Leute, daß sie keine Mittelsmänner mehr brauchen, und daß sie groß genug sind, um sich selber auszudrücken.«

Europäer und Kreolen tun sich sehr schwer, die Andersartigkeit der Urbevölkerung zu akzeptieren. Zwar sieht sich Guyana als Vielvölkerstaat, doch werden andere Lebens- und Entwicklungsvorstellungen nur respektiert, solange sie sich folkloristisch für den Tourismus nutzen lassen. Kulturelle Identität ist für die Indianer jedoch untrennbar mit der Durchsetzung ihrer Landrechte verbunden. Ohne Land gibt es für sie keine indianische Kultur, kein indianisches Leben.

Die französischen Siedler und Kolonialbehörden haben die Rechte und Traditionen der Urbevölkerung niemals anerkannt. Die Landrechte der an der Küste lebenden Ureinwohner werden bereits seit Jahrhunderten ignoriert. In den 60er Jahren begann dann die politische Führung der Kolonie, ihren Einfluß auch auf das Landesinnere auszudehnen. So setzte sie durch, daß 1968 das bis dahin geltende Statut für die im Inland lebenden Ureinwohner abgeschafft wurde. Die Indianer waren bis dahin der direkten Verwaltung durch den französischen Präfekten unterstellt und konnten nach ihrem seit Generationen überlieferten Recht leben. Um die Assimilierung der Urbevölkerung zu beschleunigen, schufen die Kolonialbehörden gegen den Widerstand vieler Ethnologen im Mai 1969 vier Gemeinden im Landesinnern. Die »Entwicklung« und wirtschaftliche Nutzung des Tropenwaldes wurde eines der Hauptziele französischer Politik. Mit großem Aufwand wurde 1975 der sogenannte »Grüne Plan« entwickelt, der umfangreiche Rodungen zum Aufbau einer Papierindustrie vorsah. Auf dem kahlgeschlagenen Land sollte Viehzucht betrieben werden. 1978 gestand Paris das Scheitern des umstrittenen Programmes ein. Es sei von Anfang an eine wirtschaftliche Fehlkalkulation gewesen.

Auch die 1981 in Frankreich an die Macht gekommenen Sozialisten waren nicht bereit, den Indianern umfassende Landrechte einzuräumen. In einem am 14. April 1987 verabschiedeten Erlaß wurde der von der Subsistenzwirtschaft lebenden Urbevölkerung nur ein »kollektives Nutzungsrecht« an dem traditionell von ihr bewirtschafteten Land zugestanden. Doch die AAGF fordert weiterhin, daß ihr gemeinschaftliches Eigentum an dem Land endlich anerkannt wird.

Drastische Änderungen verlangen die Indianer auch in der Bildungspolitik. So sollen Ureinwohner in den Schulen vor allem in ihrer eigenen Sprache unterrichtet, Französisch soll nur als Zweitsprache gelehrt werden. Inzwischen gründeten die Indianer mehr als ein Dutzend Vereine, die sich um die Pflege ihrer Kultur und Traditionen bemühen. Besondere Aufmerksamkeit schenkt die AAGF aber auch der angespannten sozialen Situation. Durch die Einführung umfassender Sozialfürsorge stieg der Alkoholmißbrauch. Ethnologen forderten bereits, daß die Sozialhilfe nicht mehr an alle Indianer unabhängig von ihrer Bedürftigkeit gezahlt werden müsse, sondern nur noch besonders Notleidenden zugute kommen dürfe. Der Rest solle Indianern für die Entwicklung ihrer Gemeinschaften zur Verfügung gestellt werden.

Mit dem Erstarken der Indianerbewegung wächst auch der Widerstand der Urbevölkerung gegen Entwicklungsprojekte. Erfolgreich wehrten sich die Emerillon 1990 gegen die Errichtung eines Tourismuskomplexes an einem im Bau befindlichen Stausee im Landesinnern. Den Staudamm am Petit-Saut, der vor allem Kourou mit Elektrizität versorgen soll, konnten sie jedoch nicht verhindern. 100 Millionen Bäume fallen dem 300 Quadratkilometer großen Stausee des staatlichen französischen Elektrokonzerns EDF zum Opfer. Doch Französisch-Guyanas Indianer geben nicht auf. Immer lautstärker fordern sie heute die Anerkennung und Durchsetzung ihrer Rechte, die ihnen jahrhundertelang vorenthalten wurden.

Christine Moser
## Brasilien: Indianischer Widerstand mit wachsendem Selbstbewußtsein

Als am 22. April des Jahres 1500 der Portugiese Cabral Brasilien »entdeckte«, lebten auf dem Gebiet, das dieser Staat heute umfaßt, schätzungsweise fünf Millionen Menschen. Es waren 1400 verschiedene Völker mit eigener Kultur und eigener Sprache. Mit der Eroberung Brasiliens für die Europäer begann die Geschichte der Vernichtung dieser indianischen Kulturen; nur wenige von ihnen überlebten. Heute gibt es in Brasilien 170 verschiedene indianische Völker, insgesamt etwa 220 000 Menschen. Die Mehrzahl von ihnen – rund 60 Prozent – lebt im Gebiet Amazoniens, das bis vor wenigen Jahrzehnten noch in weiten Teilen dem Zugriff entzogen war.

Die Kolonisierung nahm ihren Anfang in der fruchtbaren Küstenregion. Noch vor dem Ende des 16. Jahrhunderts war der dichte Wald, der die Küstenzone (Litoral) ehemals bedeckte, gefallen. An seiner Stelle wurden riesige Zuckerrohrpflanzungen angelegt und die indianische Bevölkerung der Region nahezu ausgerottet. Bevor mit dem »Import« afrikanischer Sklaven begonnen wurde, verschaffte man sich neue indianische Arbeitskräfte durch regelrechte Raubzüge in das Landesinnere. In nur wenigen Jahren wurden Hunderttausende Indianer Opfer des Zuckerrohranbaus.

Die Indianer ließen ihre Unterwerfung nicht passiv über sich ergehen, ihr Widerstand durchzieht wie ein roter Faden die Geschichte Brasiliens. Bereits im 16. Jahrhundert kam es zu großen Indianeraufständen, die allerdings von der offiziellen Geschichtsschreibung kaum zur Kenntnis genommen werden. 1540 erhoben sich die Tupinambá in der Gegend von Ilhéus. Der Aufstand dauerte sechs Jahre. 1586 begann der »Krieg der Potíguara« in Rio Grande do Norte und Paraíba, der sich über dreizehn Jahre hinzog und mit der nahezu völligen Aufreibung der Tupí-Gruppen im Nordosten des Litorals endete. Nachdem die Europäer die Küstenregion in ihren Besitz gebracht hatten, erfolgte von dort aus die weitere Inbesitznahme des Landes.

Der Rio São Francisco, der die Bundesstaaten Minas Gerais, Bahía, Pernambuco, Alagoas und Sergipe durchfließt, diente dabei den Portugiesen als Einfallstor ins Landesinnere. Der fruchtbare Ufersaum des etwa 2500 Kilometer langen Flusses wurde nach der Vertreibung oder Vernichtung der Indianer für die Rinderzucht genutzt. Bei der Eroberung von Indianergebieten setzte man auch ganz gezielt die Strategie ein, Völker unterschiedlicher Kultur und Sprache gegeneinander auszuspielen. Ein Beispiel dafür sind die Aimoré, die mehr als hundert Jahre erfolgreich verhindern konnten, daß sich in ihrem Lebensraum, der Region von Espírito Santo, Viehzüchter niederließen. Erst als die Portugiesen sie in kriegerische Auseinandersetzungen mit den Tupí sprechenden Tobajara verwickeln konnten, gelang es den Europäern, den Aimoré ihren Lebensraum zu entreißen. Eine andere Methode, ein Gebiet von Indianern zu »säubern«, war der Einsatz von sogenannten »bandeirantes«, kriegerischen Horden weißer Eroberer. So hat beispielsweise der Gouverneur von Bahía die Bandeirantes zu Hilfe gerufen, um mit den Indianern »aufzuräumen«. 1699 schrieb er, daß es dort nun »keine Spur mehr von den Indianern« gäbe.

Die Indianervölker in Südbrasilien, die Kaingang, Xokleng und Botocudo, konnten sich bis zu Beginn des 19. Jahrhunderts gegen die europäischen Eindringlinge zur Wehr setzen. Ihre Situation verschärfte sich jedoch in dramatischer Weise, als der portugiesische Königshof auf der Flucht vor Napoleon im Jahre 1807 nach Brasilien übersiedelte. König João VI. kam nicht allein, sondern in Begleitung des Adels nach Brasilien, der mit neuen Ländereien für seine durch das Exil bedingten materiellen Verluste entschädigt werden wollte. 1808 erklärte João VI. den offenen Krieg gegen die Indianervölker Südbrasiliens, ein Krieg, der mit unvorstellbarer Härte geführt wurde. Wenige Jahre später begann man mit der Absicherung des Gebietes durch europäische Siedler, die in den Armutsgebieten Italiens, Deutschlands, Spaniens und Polens angeworben wurden. Diese trieben die Kaingang und die Guaraní immer tiefer in unzugängliche Bergregionen zurück und siedelten auf den fruchtbaren Böden der Indianer. Diese Verdrängung findet in einigen Regionen noch immer statt.

Heute leben in den südbrasilianischen Bundesstaaten Paraná, Santa Catarina und Rio Grande do Sul noch etwa 15 000 Indianer, die Mehrzahl von ihnen Kaingang. In der nationalen Gesellschaft kommt ihnen eine Randstellung zu. Sie dienen lediglich als Arbeitskraftreserve oder dürfen bestimmte Waren produzieren. Ihre natürlichen Lebensgrundlagen wurden rücksichtslos zerstört, so daß es ihnen nicht mehr möglich ist, ihrer traditionellen Wirtschaftsweise, die Grundlage für ihre Autarkie war, nachzugehen. Noch in den 70er Jahren unterhielt die staatliche Indianerschutzbehörde FUNAI Sägewerke in den Stationen, die noch Restwälder besaßen oder schloß mit regionalen Holzhändlern Verträge über deren Abholzung ab. Heute existiert praktisch in ganz Südbrasilien kein Indianerreservat mit primärer oder sekundärer Bewaldung mehr.

Besonders stark sind die Indianer durch die Weltmarktorientierung der Landwirtschaft Südbrasiliens betroffen. Soja-Monokulturen sind dafür verantwortlich, daß die Indianer sich nicht mehr vom traditionellen Fischfang ernähren können. Die Sojapflanzungen werden mit Insektiziden eingenebelt, die vom Regen ausgeschwemmt werden, in die Flüsse gelangen und die Fische vergiften.

Von den indianischen Kulturen Brasiliens konnten sich lediglich viele Tieflandindianer Amazoniens noch bis in dieses Jahrhundert hinein ihre wirtschaftliche Unabhängigkeit und kulturelle Eigenständigkeit bewahren. Über Jahrtausende haben sie durch ihre behutsame Wirtschaftsweise den Weiterbestand der tropischen Wälder Amazoniens und die Sauberkeit des größten Süßwasser-Reservoirs der Erde gesichert. Ihre Form, den Regenwald zu bewirtschaften, ist ein Beispiel dafür, wie der Mensch auf der Grundlage der natürlichen Vielfalt unter Berücksichtigung von Pflanzen, Tieren und der gesamten Umwelt in einem empfindlichen System für Kontinuität und Gleichgewicht sorgt. Dieses komplizierte System der Landnutzung, das den Erhalt und sogar die Bereicherung der natürlichen Vielfalt des Regenwaldes Amazoniens sicherstellt, zerfällt bei vielen Völkern, seit auch das Amazonasgebiet immer mehr in das Zentrum ökonomischer Begierde geraten ist. Vor allem der unersättliche Hunger der Industriestaaten nach den dort lagernden gewaltigen Bodenschätzen hat dazu beigetragen, die Erschließung Amazoniens voranzutreiben, den Indianern ihre Landrechte zu nehmen und damit Amazonien der Zerstörung preiszugeben.

Beispielhaft dafür ist das Schicksal des Indianervolkes der Waimirí-Atroarí nördlich von Manaus, das innerhalb von 25 Jahren nahezu ausgerottet wurde. In den 60er Jahren wurde das Gebiet der Waimirí-Atroarí durch den Straßenbau durchschnitten. Gewalttätige Auseinandersetzungen, besonders aber die durch Bauarbeiter und nachziehende Siedler eingeschleppten Krankheiten, führten zum Tod von etwa 90 Prozent der Angehörigen der Waimirí-Atroarí. Als Anfang der 80er Jahre riesige Zinnstein- und andere Bodenschatzvorkommen in ihrem Gebiet entdeckt wurden, trennte man weite Teile des Lebensraumes der Indianer einfach ab und verkaufte sie an die Paranapanema, eines der größten Bergbauunternehmen Brasiliens. Der Bau des Balbina-Stausees schließlich bedroht die letzten Waimirí-Atroarí. Er versorgt die Freihandelszone von Manaus mit billigem Strom, damit Firmen wie Bosch, Philips, Sharp, Honda, AEG-Telefunken, Nikon und Canon dort steuerbegünstigt und mit billigen Arbeitskräften Stereoanlagen, Motorräder, Videorecorder, Uhren etc. herstellen können. Teilweise über Weltbankkredite finanziert und im Rahmen eines französisch-brasilianischen Abkommens mit Hilfe französischer Firmen ausgeführt, entstand nördlich der Urwaldmetropole ein Stausee von der Größe des Saarlandes. Er produziert nicht nur den teuersten Strom der Welt, sondern ist auch ein ökologisches und soziales Desaster. Seine Ufer sind Brutstätten für Malaria, Bilharziose und andere Krankheiten. Ein Teil des Lebensraumes der Waimirí-Atroarí versank in den Fluten des Sees. Zwei Dörfer wurden zwangsumgesiedelt. Entlang der Betriebsstraßen zum Stausee konnten weitere Siedler eindringen und den Untergang dieses indianischen Volkes besiegeln. Schon ist dessen Wirtschaftssystem weitgehend zusammengebrochen.

Die Bildung einer indianischen Widerstandsbewegung in Brasilien ist außerordentlich schwierig. Nicht nur die riesigen Entfernungen innerhalb Brasiliens erschweren diesen Prozeß, sondern vor allem auch die Tatsache, daß es sich um unterschiedliche Völker mit eigener Sprache und Kultur handelt, die auf ihre

Unterdrückung in ganz unterschiedlicher Weise reagieren: Zum Teil geben sie ihre indianische Identität vollkommen auf und gehen in der nationalen Gesellschaft Brasiliens unter. Im Falle der Guaraní-Kaiova, die in ihrem zu kleinen Reservat im Mato Grosso do Sul nicht mehr nach ihren kulturellen Traditionen leben können, hat dies offenbar einen Selbstzerstörungsprozeß ausgelöst. Die Selbstmordrate ist dramatisch gestiegen. Andere Völker dagegen finden nach einer Phase der kulturellen Desorientierung wieder zu den traditionellen Werten ihrer Kultur zurück. So fühlen sich etwa die Xerente in Goiás, bei denen in den 60er und 70er Jahren eine bewußte Annäherung an ihre eigenen Werte stattgefunden hat, wieder als rechtmäßige »Herren des Landes«.

Bei mehreren Völkern findet sich heute ein neues, trotz aller Unterschiede gemeinsames Selbstbewußtsein, wie die starke Mobilisierung der Indianer für ihre Rechte in der verfassungsgebenden Versammlung gezeigt hat. Ein anderes Beispiel sind die Kaiapó in der Xingú-Region im Bundesstaat Pará. Mit ihrem eindrucksvollen Treffen in Altamira im Februar 1989, bei dem sie vor einer internationalen Öffentlichkeit gegen den drohenden Bau von Großstaudämmen in ihrem Lebensraum protestierten, konnten sie den Bau von fünf Staudämmen auf ihrem Gebiet vorerst stoppen. Hierin wie auch in der wachsenden Zahl indianischer Organisationen zeigen sich neue Formen indianischen Widerstandes.

Unter mehreren nationalen Organisationen ist besonders die COIAB (Koordination Indianischer Völker des brasilianischen Amazonasgebietes) herauszuheben, in der sich mittlerweile auch indianische Völker außerhalb der Region organisiert haben. Ihre Gründung wurde im April 1988 auf einem Treffen in Manaus beschlossen. Die COIAB ist heute Informations- und Kontaktstelle für mittlerweile 36 regionale indianische Zusammenschlüsse. Darunter befinden sich Organisationen wie beispielsweise die Vereinigung der Völker des Rio Negro, in der sich 18 Völker zusammengeschlossen haben oder die CIR, die acht indianische Völker aus dem Bundesstaat Roraima repräsentiert. Etwa 80 indianische Völker haben sich in der COIAB organisiert, die damit Sprachrohr für 120 000 Indianer ist.

*Literatur:*
Coelho dos Santos, Silvio: Die Indianer im Süden Brasiliens: Zukunftsperspektiven.

In: Indianer und Lateinamerika. Dokumente der zweiten Tagung von Barbados, Wuppertal 1982.
Müller-Plantenberg, Clarita (Hg.): Indianergebiete und Großprojekte in Brasilien (Katalog zur gleichnamigen Ausstellung), Kassel 1988.
Schulz, Günther: Die indianischen Völker Brasiliens: Hindernisse auf dem Weg zur Erschließung Amazoniens? In: Ber. Naturf. Ges. Freiburg i. Br.; S. 193–223, Freiburg 1990.

Rüdiger Nehberg
# »Ihr müßt die Goldsucher entfernen«
## Gespräch mit Davi Yanomami

Davi schaute still vor sich hin. Seine Frau und die Kinder schaukelten derweil in der Hängematte, sie verstanden kein Portugiesisch. Davi dafür um so besser. Er ist einer der wenigen Yanomami, die die Landessprache beherrschen und sich ausdrücken können. Und er hat den Mut, das auch zu tun.

»Seit ich diesen Preis* erhalten habe, muß ich sehr aufpassen. Weder ich noch meine Familie gehen allein vor die Tür. Wir können nicht einmal ein Taxi benutzen. Sie würden uns aus der Stadt fahren und töten. Seit ich diesen Preis bekommen habe, mit dem der Weiße Mann sein Gewissen beruhigen will, habe ich alle donos und deren pistoleiros auf meiner Fährte. Ich kann nicht mal der FUNAI trauen, obwohl ich Mitarbeiter in der FUNAI bin. Ich würde nie in ihrem ›Haus der Indios‹ schlafen.«

»Hat die FUNAI dich schon mal schlecht behandelt?«

»Die FUNAI verachtet mich. Sie verachtet alle Indianer. Sie ist vom Gold gekauft und hält nur zu den garimpeiros. Als ich diesen Preis erhielt, hat sie alles versucht, daß er mir nicht überreicht werden konnte.«

Erst als Claudia, Carlo, Severo Gomes und die CCPY nicht lockerließen, wurde er ihm Ende Januar 1989 gegeben.

»Und weil an diesem Tag ganz Brasilien von Davi Yanomami und den Yanomami und den Goldsuchern erfuhr, hat sich auch die FUNAI flugs positiv dargestellt.«

»Wie hat sie das denn zustande gebracht?«

»Sie hat demonstrativ dreißig Goldsucher aus meinem Gebiet entfernt. Damit das groß herauskam, hat sie das fotografiert und gefilmt. Und alle Welt lobte die FUNAI.«

»Wie viele Goldsucher gibt es denn schätzungsweise in deinem Gebiet?«

»Sehr viele. Vor allem bei meinen Brüdern im Norden. Dreißig Goldsucher sind gar nichts. Hier in Boa Vista hörte ich, daß jetzt fünfundsechzigtausend Goldsucher in meinem Land sind. Was bedeuten da dreißig Goldsucher? Vor allen Dingen wurde eins nicht in den Meldungen erwähnt: am anderen Tag waren die dreißig Goldsucher wieder an ihrem Arbeitsplatz und lachten uns aus.«

»Was machst du mit dem Preis? Ist dir seine Bedeutung klar?«

»Ja. Ich habe ihn symbolisch erhalten für die Yanomami. Weil das Volk der Yanomami in Harmonie mit der Natur lebt, weil der Weiße Mann eigentlich traurig ist, daß er solch ein harmonisches Leben nicht führen kann. Ich werde den Preis nicht an die Wand hängen und mich ausruhen. Er spornt mich an weiterzumachen. Ich weiß, daß es Weiße gibt, die wirklich auf Seiten der Indianer stehen. Aber es sind viel zu wenige.«

Davi ist der Führungsschicht ein Dorn im Auge. Immer wieder gab es Versuche, ihn zu bestechen oder zumindest zu betören.

»Die Gold-Bosse José Catiabo und Altino Machado boten mir Land, Haus, Möbel, Garderobe und Waffen. Sogar ein Auto. Dafür sollte ich aus dem Wald kommen und meine Leute im Stich lassen. Aber die Stadt gefällt mir nicht. Sie ist ungesund. Schlimmer kann man Natur nicht schänden als mit einer Stadt. Und am schlimmsten mit einer favela (Slum). Im Wald habe ich alles, was ein Indianer zum Leben braucht. Ich brauche kein Auto.«

»Hast Du schon mal mit Jucá gesprochen?«

»Mit Jucá spreche ich nicht mehr. Auch nicht mit dem Staatspräsidenten José Sarney. Sie lügen, wenn sie nur den Mund öffnen. Als Jucá noch Präsident der FUNAI war, habe ich mit ihm gesprochen. Aber es ist sinnlos. Er verachtet die Indianer, er haßt sie sogar, weil sie seinen Verdienst gefährden.«

Wir wollen wissen, was es auf sich hat mit der immer wieder gehörten Behauptung der Goldmafia, die Indianer freuten sich über die Goldsucher und arbeiteten mit ihnen Hand in Hand. Davi war empört. »Das stimmt nur bedingt. Sie werden zunächst mit Geschenken geblendet. Das finden manche Indianer gut. Aber sie verstehen nicht, was das zu bedeuten hat. Der Indianer versteht nichts. Der Indianer weiß nichts. Und der Goldsucher redet schöne Dinge, verspricht Kleidung, verspricht Messer, verspricht Gewehre, Feuerwaffen, Munition – der Häuptling des Dorfes glaubt ihm, läßt ihn arbeiten. Wenn er sich dann festgesetzt hat, ist es zu spät. Deshalb bin ich gegen die Goldsucher in Indianer-Gebieten. Die Goldsucher bringen Krankheiten, die wir nie hatten und die uns ausrotten. Viele Leute, auch viele Verwandte von mir sind an solchen Krankheiten gestorben. Und wenn die Indianer sich gegen die Goldsucher wehren, werden sie getötet. Wie in Paa-piu. Da haben sie vier Yanomami getötet. Und noch einen kleinen Jungen, der drei Jahre alt war. Einem anderen ist in den Arm geschossen worden.«

Was uns an Davi auffiel, war sein Intellekt. Er plapperte nicht etwa Texte wieder, die andere ihm vorgebetet hatten. Davi dachte selbst. Wegen seiner guten Sprachkenntnisse wurde er auf ›Regierungsanordnung‹ selbst ein FUNAI-Funktionär und konnte sehr wohl beurteilen, was er sagte.

»Was müßten wir, Rüdiger und ich und die Gutwilligen unter uns Weißen tun, um euch zu helfen?«

»Ihr müßtet die Goldsucher entfernen. Ihr müßtet alle eure Freunde aktivieren, das zu erreichen. Ihr müßtet auch das neue Gesetz zurücknehmen, das Sarney und Jucá sich ausgedacht haben.«

»Welches Gesetz meinst du, Davi?«

»Ich meine das Gesetz, mit dem sie mein Land zerstückeln wollen. Uns gehört ein großes, zusammenhängendes Land. Vom Pico da Neblina bis fast nach Boa Vista. Jetzt haben sie uns in diesem Gebiet nur noch neunzehn kleine Gebiete reserviert. Neunzehn kleine Inseln. Der übrige Wald gehört nun den Goldsuchern, den Holzfällern, den Siedlern. Die töten alle Tiere und bringen, wie gesagt, die Krankheiten. Was uns jetzt bleibt, sind neunzehn Hühnerställe, neunzehn Gefängnisse, in denen wir verhungern, weil wir keinen Wald mehr haben mit Tieren und Pflanzen zum Leben.«

Auszug aus dem Buch: »Die letzte Jagd – Die programmierte Ausrottung der Yanomami-Indianer und die Vernichtung des Regenwaldes.« (Ernst-Kabel-Verlag, Hamburg 1989, S. 199 ff.)

* Davi Yanomami erhielt im April 1988 den Umweltpreis der Vereinten Nationen, »Global 500«.

# Manfred Schäfer
## Die Ashéninga im peruanischen Tiefland

Noch Mitte der 80er Jahre gab es für die Mehrheit der über fünfzig indianischen Völker des peruanischen Tieflandes gute Gründe, optimistisch zu sein. Die peruanische Regierung hatte nach und nach die Landrechte der indianischen Gemeinden anerkennen müssen. Jahrelang hatte die Regierung, um die drängenden Probleme im Andenhochland nicht lösen zu müssen, die Menschen dort ermuntert, als Siedler in das angeblich unerschlossene Urwaldgebiet zu gehen. Doch nur wenige fanden dort ein für die Landwirtschaft geeignetes Stück Land und ein Auskommen für die Zukunft.

Im Tiefland entstanden in den Jahren des Kampfes gegen die meist illegalen Versuche der Landnahme zahlreiche indianische Organisationen. Diese klagten nach den ersten Erfolgen auch die Respektierung der kulturellen und religiösen Werte ihrer Völker ein und verlangten eine Wirtschaftsentwicklung, die den Regenwald als Lebensraum erhält. Nach Jahrhunderten der Vernichtung, Ausbeutung, Unterdrückung und Diskriminierung sind die indianischen Völker des peruanischen Tieflandes nicht – wie viele erwartet, befürchtet oder manche gar gehofft hatten – ausgelöscht, sondern auch vor internationalen Gremien wie der UNO präsenter denn je. Sie fordern, wie 1991 auf dem XV. Kongreß von AIDESEP (Asociación Interétnica de Desarollo de la Selva Peruana), weitgehende Autonomie.

Doch während sich die eingeborenen Bevölkerungsgruppen 1992 in einigen Gebieten des peruanischen Tieflandes selbstsicher geben können, leiden sie andernorts in besonderem Maße unter dem Bürgerkrieg, der im Andenhochland aus den unmenschlichen Lebensbedingungen entstanden ist. Mittlerweile haben die blutigen Auseinandersetzungen dort Tausenden von Menschen das Leben gekostet und unvorstellbares Leid verursacht. Seit einigen Jahren sind auch Asháninka und Ashéninga (früher auch als »Campa« bezeichnet) in den Krieg miteinbezogen. Sie bewohnen das »zentrale Urwaldgebiet« von Peru, ein seit Jahrzehnten bevorzugtes Kolonisationsgebiet. Als ich mich in den vergangenen Jahren bei den Ashéninga des Gran Pajonal aufhielt, konnte ich mir nicht vorstellen, daß es für viele dieser Menschen nach

Jahrzehnten der Auseinandersetzung mit den Eindringlingen noch schlimmer kommen könnte.

Im September 1989 nahmen beim zweiten Kongreß der Ashéninga des Gran Pajonal in Materiato nach jahrelangem Bemühen weitere fünf Lokalchefs Besitzurkunden des Agrarministeriums für ihr Gemeindeland in Empfang. Doch allen Teilnehmern war klar, daß es künftig auch mit Besitzurkunde nicht einfach sein würde, das Landrecht durchzusetzen. Zu schlimme Erfahrungen hatten die Ashéninga in der Vergangenheit mit den Siedlern, ihren Autoritäten in Obenteni und den staatlichen Behörden in Santipo machen müssen. Wenige Wochen vor dem Kongreß hatte ein Ashéninga in Santipo erfolglos versucht, die Vergewaltigung seiner minderjährigen Tochter durch einen Siedler anzuzeigen. Der sexuelle Mißbrauch einer Frau, die an den Folgen starb, blieb ebenfalls unbestraft. Daß es diesem Siedler durch Bestechung der Landvermesser gelingen konnte, zwei Ashéninga-Familien aus ihrem Haus und von ihren Feldern zu vertreiben und sich Teile des Gemeindelandes von Manarini in seinen Privatbesitz einzuverleiben, das erstaunte keinen Ashéninga. Fast jeder kennt aus seiner eigenen Familie ähnliche Geschichten.

Die »criminales«, die Ende des 19. Jahrhunderts die Ashéninga terrorisierten und von denen die Alten oft erzählen, haben in der Geschichte der Ashéninga einen festen Platz. Sie waren Menschenjäger, die meist im Morgengrauen die verstreut liegenden Gehöfte der Ashéninga überfielen, die Männer töteten und Frauen und Kinder entführten. Am Rio Ucayali verkauften sie sie an Kautschukhändler, die sie für sich arbeiten ließen oder weiterverkauften.

Fitzcarraldo war einer der Aufkäufer. Der auch als Kautschukbaron bezeichnete geschäftstüchtige Massenmörder wußte geschickt Spannungen und Feindbilder der indianischen Völker auszunutzen. Mit »Geschenken«, meist Flinten, Munition, Äxten, Macheten und Baumwollstoff, verpflichtete er sich auch einflußreiche Chefs der Ashéninga. Diese führten ihre Leute zu Strafexpeditionen zu Nachbarvölkern, die sich gegen die Versklavung für die Kautschukgewinnung wehrten. Die Ashéninga aus dem Gran Pajonal waren weithin gefürchtet.

Doch zugleich litten auch die Ashéninga unter Überfällen ihrer eigenen Leute, denn um sich erfolgreich verteidigen zu können, mußten sich alle Lokalchefs Gewehre beschaffen. Und die bekamen sie nur von den Kautschukhändlern, wenn auch sie andere überfielen. Man tut den Ashéninga kein Unrecht, wenn man feststellt, daß sie auch schon vor der Ankunft der Europäer geübte Kämpfer waren. Doch während die Kriegshandlungen früher nur einzelne Opfer gefordert hatten, nehmen sie nun die Ausmaße eines Genozids an. Und nun waren vor allem Frauen und Kinder die Opfer des allgegenwärtigen Terrors der Criminales, der noch bis in die 40er Jahre die Ashéninga des Gran Pajonal in Atem hielt.

Die Menschenjagden der criminales zu beenden, war denn auch das humanistische Ziel, das die Franziskaner vorgaben, als sie von 1937 an im Auftrag der peruanischen Regierung die wirtschaftliche Erschließung des Gran Pajonal vorbereiteten. Mit Hilfe von zwölf Mausergewehren »zur Verteidigung« und einzelnen Lokalchefs, die daraufhin die Missionare unterstützten, konnte die Mission bis 1950 das Gran Pajonal unter Kontrolle bringen. Den Criminales war das Handwerk gelegt und Kinder und Frauen, die der Hexerei verdächtigt und vormals oft grausam umgebracht worden waren, hatten im katholischen Missionsinternat fortan Überlebenschancen, aber meist nur als Hausangestellte wohlhabender Familien in Lima eine Zukunft.

1950 konnte der Pfarrer vermelden, daß in Obenteni fünfzehn Siedlerfamilien, die überwiegend aus dem Andenhochland gekommen waren, mit Unterstützung der Mission erfolgreich Viehzucht und Landwirtschaft betrieben. Bald darauf begann ein kapitalkräftiges Unternehmen aus Lima mit der weiträumigen Viehzucht im Pajonal. Die Ashéninga erledigten auch hier die dazu notwendigen Arbeiten, denn so konnten sie sich die begehrten Metallwerkzeuge, feinen Baumwollstoffe sowie die leichten und praktischen Aluminiumtöpfe erarbeiten. Doch die fremden Eindringlinge brachten auch Grippe- und Masernepidemien, die ganze Landstriche entvölkerten. Die extensive Viehhaltung zwang zahlreiche Ashéninga, ihren angestammten Wohnort zu verlassen. Die soziale Ordnung wurde zerrüttet, weil die reichen Viehzüchter auch die wirtschaftliche Stellung der entmachteten Lokalchefs untergruben.

Als 1965 linke Guerilleros auf ihrer Flucht vor der Armee ins Gran Pajonal kamen, sahen einige Ashéninga dies als letzte Chance, die Siedler zu vertreiben. Doch das peruanische Militär brachte, unterstützt von Einzelkämpfern der US-Armee, in kurzer Zeit Guerilleros und aufständische Ashéninga um und kontrollierte somit die Lage endgültig.

Für die Ashéninga begannen Jahre unvorstellbaren Leids und für einige Siedler das große Geschäft. Mit Vorauszahlungen und Versprechungen drängten sie ganze Familien in Arbeitsverträge. Es war durchaus üblich, daß Männer mit einer gebrauchten Flinte als Vorauszahlung für ein Jahr zu Rodungsarbeiten verpflichtet wurden und am Ende die Flinte wieder hergeben mußten, weil der Siedler vorgab, daß der Ashéninga die Arbeit nicht richtig erledigt hatte. Nicht wenige Siedler konnten so mit ständig zirkulierenden Flinten und Versprechen ein Vermögen machen, denn sie hatten die Macht, sich durchzusetzen. Sie wählten immer einen aus ihrer Mitte zur höchsten Autorität im Gran Pajonal, zum Gobernador von Obenteni. Er war vor allem für Streitigkeiten zwischen den Siedlern und Ashéninga zuständig. Eine andere staatliche Autorität gab es in der Region nicht, und die übergeordneten Behörden in Satipo waren weit weg, bestechlich und duldeten die Zustände.

Sonntags nach dem Kirchgang wurden die aus Arbeitsverträgen resultierenden Probleme verhandelt. Das heißt, Ashéninga wurden oft willkürlich eingesperrt und mit dem Ochsenziemer geschlagen und so gezwungen, die ausbeuterischen Verträge zu erfüllen. Eine Flucht war kaum möglich. Die Autoritäten hatten meist ehemalige Missionsschüler als ihre Helfer für »Recht und Ordnung« verpflichtet. Sie verfolgten jeden Flüchtling bis ins Hinterland.

Man kann sicherlich nicht alle Siedler über einen Kamm scheren, denn es waren nur einige wenige, die ihre Machtstellung so rücksichtslos ausnutzten und es auf einige hundert Rinder brachten. Doch die große Mehrheit (inklusive Pfarrer) schwieg, war doch jeder auf die Ashéninga als billige Arbeitskräfte angewiesen.

Die unmenschliche Behandlung und permanente Demütigung durch die Siedler hatte tiefgreifende interne Folgen für die Ashéninga-Gesellschaft. Die Hexereianschuldigungen nahmen wieder sprunghaft zu, und nicht selten wurden bevorzugt verdächtigte Kinder oder Frauen in Wutanfällen umgebracht oder, wie zu Zeiten der criminales, an Siedler verkauft. Einige geschäftstüchtige Ashéninga verdächtigten auch Kinder und Frauen lediglich der Hexerei, um sie zu Siedlern schaffen zu können. Diese »retteten« sie gerne, belohnten die Überbringer mit »Geschenken« und ließen die angeblichen Hexen jahrelang unbezahlt für sich arbeiten. Noch 1989, als der Kongreß in Materiato abgehalten wurde, hatte die Mehrheit der Siedler »Dienstpersonal« aus solchen oder ähnlich obskuren Bezugsquellen. Es führt hier zu weit, um all die Variationen aufzulisten, die sich die »Zivilisierten« ausdachten, um ihren Vorteil aus der Not der Ashéninga zu ziehen. Erwähnt sei nur, daß 1980 im Gran Pajonal die Vertreter einer deutschen Filmgesellschaft auftauchten und – wie sich doch die Geschichte ähnelt – insbesondere mit Flinten als Vorauszahlung etwa 250 Ashéninga als Statisten zum Film »Fitzcarraldo« verpflichteten.

Trotz allen Leids haben die Ashéninga eine eigenständige Kultur und ihre Lebensfreude bewahrt. Als Zeichen für ihren Lebenswillen und ihre Absicht, sich gegen die Willkür der Siedler zu wehren, muß gewertet werden, daß sie es Evangelisten in den 80er Jahren erlaubten, zahlreiche Schulen im Gran Pajonal zu gründen. Das war der Anfang des unabhängig organisierten Kampfes, dessen Erfolg, die Besitzurkunden, im September 1989 ausgiebig mit Maniokbier gefeiert wurde.

Doch es wurde eine denkwürdige Nacht, denn gegen Mitternacht kam die Nachricht, daß ein Kommando des »Leuchtenden Pfades« Obenteni überfallen, zahlreiche Häuser ausgeplündert und die Siedler auf dem Dorfplatz zusammengetrieben hatte. Untergrundkämpfer, die Mehrheit waren junge arme Siedler aus dem Hochland, verkündeten eine neue Ordnung, die keine Betrügereien und Ausbeutung mehr dulden würde. Sie sagten, daß die reichen Siedler, die 300 und mehr Tiere auf ihren Weiden hatten, künftig Land und Tiere an arme Bauern verteilen müßten. Das Land sei für alle da, und es müsse parzelliert werden. Als sie dann noch Dokumente und Ausrüstungsgegenstände der Organisation der Ashéninga des Pajonal verbrannten, war allen klar, daß die »neue Ordnung« ihre neuen Besitzurkunden nicht respektieren würden.

Was sich seither im Pajonal ereignet hat, ist unklar, denn die gesamte Region ist Kriegsgebiet und wird zum Großteil von Anhängern des Leuchtenden Pfades beherrscht. Die in der Presse publizierten Vorfälle bei den benachbarten Asháninka geben Grund zur Sorge. Im Gebiet des Río Ene, einer Hochburg des Leuchtenden Pfades, schätzt man, daß etwa 1000 Asháninka die Guerilla unterstützen (müssen). Es kommt immer wieder zu

Kämpfen, bei denen sich Asháninka gegenüberstehen und gegenseitig umbringen, denn auch das Militär benutzt die Kenner des Regenwaldes für ihre Zwecke. Es gibt mehrere Berichte von Massakern, bei denen nicht klar ist, ob Soldaten oder Guerilleros die Täter sind, denn beide Seiten versuchen mit Angst und Terror die Asháninka von der Zusammenarbeit mit dem »Feind« abzuhalten. Einige hundert Asháninka haben bisher in diesem Krieg ihr Leben verloren. Zahlreiche Familien sind seither aus dem Gebiet des Río Ene geflohen. Einige, so ist in Tageszeitungen in Lima zu lesen, haben das »Glück«, bei einem Siedler in der Region von Satipo für Nahrung und eine einigermaßen sichere Bleibe arbeiten zu dürfen. Andere haben sich in Militärcamps geflüchtet. Dort sind sie sich selbst überlassen und vom Hungertod bedroht, denn sie können die Camps nicht verlassen, um ihre Felder zu bestellen.

Im Gebiet des Río Pichis gab es jedoch 1991 eine Entwicklung, die viele Asháninka ermuntert hat. Nach der Ermordung von Alejandro Calderón und einem anderen Asháninka-Führer am 15. Dezember 1990 durch ein MRTA-Kommando, eine mit dem Leuchtenden Pfad konkurrierende Guerilla-Organisation, gelang es überwiegend mit Pfeil und Bogen bewaffneten Asháninka in wenigen Wochen, ihr Gebiet von den Terrorkommandos zu »säubern«. Diesem Beispiel folgend haben die Mehrheit der Asháninka die Verteidigung ihrer Dörfer nun selbst in die Hand genommen und vom Militär unabhängige Verbände aufgestellt.

Volkmar Blum
# Peruanisches Hochland: Von Indianern zu Kleinbauern

Im peruanischen Hochland leben etwa fünf Millionen Kleinbauern. Der größte Teil von ihnen, nahezu vier Millionen, sind Quechua: Sie sprechen bis heute ihre indianische Muttersprache, ein Teil von ihnen ist noch immer des Spanischen unkundig. Im Süden, um den Titicacasee und an der bolivianischen Grenze, lebt eine recht starke aymara-sprachige Bevölkerungsgruppe. Lediglich im Norden und im »Hinterland« von Lima können die andinen Kleinbauern nach sprachlichen Kriterien nicht mehr als »indianisch« bezeichnet werden. Die Quechua stellen somit im andinen Hochland keine Minderheit dar, sondern bilden die Mehrheit.

In den andinen Städten, an der Küste und insbesondere in dem riesigen, pluriethnischen Konglomerat der Metropole Lima, in der ein Drittel der 22 Millionen Peruaner lebt, sind zwar Präsenz und Einfluß der Quechua wesentlich geringer als im Hochland, trotzdem hätten sie zahlenmäßig beste Voraussetzungen, eine starke indianische Opposition zu bilden. Dies tun sie jedoch nicht, weil sie sich selbst nicht als Indianer verstehen. Im Unterschied zum bolivianischen und ekuadorianischen Hochland – und auch im Unterschied zum peruanischen Tiefland – organisieren sich die peruanischen Quechua nicht als indianische Gruppen. Für sie ist »indio« noch immer das Schimpfwort, mit dem die Mestizen und Weißen sie jahrhundertelang degradierten und beleidigten.

Die andinen Kleinbauern, gleichgültig ob spanisch-, quechua- oder aymarasprachig, verstehen sich in erster Linie als Bauern und haben sich in einer großen nationalen Föderation organisiert. Ihr Hauptproblem ist das Land. Eine Kleinbauernfamilie besitzt im nationalen Durchschnitt nur 1,5 Hektar Land, das entspricht in etwa der Größe von zwei Fußballfeldern. Das Ackerland in den Hochanden ist meist von schlechter Qualität, und bewässerte, hochproduktive Flächen sind rar. Das Pro-Kopf-Einkommen liegt, nichtmonetäres Einkommen eingerechnet, bei 100 US-Dollar im Jahr.

Trotzdem greift hier das gängige Klischee der von weißen Großgrundbesitzern unterdrückten Indianer nicht. Peru hatte ab

1969 eine der weitgehendsten Agrarreformen Lateinamerikas, vergleichbar nur mit Kuba und Nicaragua. Die Großgrundbesitzer sind entmachtet, in die Städte gezogen oder zurückgedrängt auf im internationalen Vergleich kleine Güter von 30 bis 50 Hektar, was der Durchschnittsgröße bundesdeutscher Bauernhöfe entspricht. Dies erschwert natürlich den Landkonflikt, denn durch Berufung auf indianische Rechte wäre kaum ein Acker zu gewinnen: Es ist fast kein Land mehr zu verteilen. Die Bauern wandern in die Städte oder ins tropische Amazonastiefland ab.

Auch wenn sich die andinen Bauern Perus nicht als »Indianer« verstehen, so wäre es doch vorschnell zu vermuten, sie wären akkulturiert, ihrer ethnischen Identität beraubt, entwurzelt, also Opfer eines Ethnozids. Obwohl die Spanier ihnen ihren »heidnischen« Glauben kräftig austreiben wollten, die alten inkaischen Hierarchien nach dem gescheiterten Aufstand von Tupac Amaru und seiner Frau Michaela Bastides 1782 beseitigt wurden und in den heutigen Dorfschulen fast nur Spanisch unterrichtet wird, haben die Quechua ein sehr starkes kulturelles Selbstverständnis. Sie selbst bezeichnen sich in ihrer Sprache als »hallpallank'aqruna«, als »Menschen, die die Erde bestellen«. Ihr katholischer Glaube ist von unzähligen indianischen Elementen durchdrungen. Selbst den alten Glauben an den Sonnengott haben sie nicht aufgegeben: In ihrer Vorstellung ist eben »Vater unser, der du bist im Himmel« ihr Gottvater Sonne.

Die ethnischen Grenzen in der andinen Bevölkerung Perus sind sehr schwer zu bestimmen – ein weiterer Grund dafür, daß keine indianischen Organisationen an die Öffentlichkeit treten. Die heutige Dorfjugend kann nicht nur perfekt Spanisch, hat eine mittlere oder gar höhere Schulausbildung und kleidet sich modisch, sofern sie Geld hat. Sie kann und will auch nicht mehr in den Erfahrungshorizont ihrer Großeltern zurück. Zur mestizisch-weißen Mittel- und Oberschicht der Städte findet sie allerdings auch keinen Zugang, dort werden sie als »cholos«, als akkulturierte »indios« diskriminiert. Es ist kein Wunder, daß ein Teil dieser Jugendlichen zu der terroristischen Guerillaorganisation »sendero luminoso« geht, die von den peruanischen Anden aus die Weltrevolution durchführen will. Die allermeisten jedoch versuchen, durch Fleiß und Sparsamkeit sich allmählich eine Existenz in der Stadt oder auf dem Land aufzubauen.

Auch wenn es in dieser Situation unwahrscheinlich erscheint, daß ähnlich wie in Bolivien oder Ekuador demnächst indianische Organisationen im Hochland oder in den Küstenstädten auftauchen, so hat die Geschichte doch gelehrt, daß ethnische Bewegungen sich sehr schnell bilden können, wenn sie Aussicht auf Erfolg haben. In Peru ist die wirtschaftliche und soziale Situation derart verheerend, daß dies vielleicht bald wieder vorstellbar wird.

*Literatur:*
v. Oertzen, E.: Peru, München 1988
Varese, Stefano: Die amazonischen Ethnien und die Zukunft der Region, Kassel 1987
Schäfer, Manfred: »Weil wir in Wirklichkeit vergessen sind«, München 1982

Sondra Wentzel
# Bolivien: Probleme und Perspektiven der Hoch- und Tieflandindianer

»Wir sind die kulturelle Wurzel Boliviens. Wir haben dem Kolonialismus widerstanden, wir haben die Republik überlebt, wir sind trotz der Agrarreform von 1953 nicht untergegangen. Wir wollen als andine Kultur, als Guaraní-Kultur, als Mojeños und Chaqueños weiterbestehen.« (Aus einer Resolution des IV. Kongresses der CSUTCB 1989, zitiert nach Informe Rural 46, Februar 1991:2.)

Bolivien, dreimal so groß wie das wiedervereinigte Deutschland, ist das südamerikanische Land mit dem höchsten Anteil an indigener Bevölkerung unter seinen etwa 6,5 Millionen Einwohnern. Nach der Volkszählung von 1976 sprechen 64 Prozent der Bevölkerung eine von über 30 indianischen Sprachen als Muttersprache. Die bevölkerungsstarken Quechua und Aymara leben im Hochland, das etwa ein Drittel der Landesfläche ausmacht. In den Regenwäldern und Feuchtsavannen des nördlichen und östlichen Tieflandes und den Dornbuschsavannen (Chaco) im Süden sind viele kleinere indigene Völker mit wenigen Dutzend bis zu mehreren Zehntausend Angehörigen beheimatet. Sie gehören zu

235

über zehn verschiedenen Sprachfamilien, machen aber insgesamt nur etwa drei Prozent der bolivianischen Bevölkerung aus.

Das Hochland des heutigen Bolivien war seit dem ersten Jahrhundert n. Chr. Zentrum der Tiahuanaco-Kultur. Seit Anfang des 13. Jahrhunderts entstanden dort verschiedene Aymara-Fürstentümer, die auf Ayllus (Dorfgemeinschaften) aufbauten. Sie sind bis heute die grundlegende Organisationsform der Andenvölker. Ab Mitte des 15. Jahrhunderts wurden diese Fürstentümer, die Handelsbeziehungen zu den Völkern der Küste und des Tieflandes unterhielten, zum Teil gewaltsam in das expandierende Inka-Reich eingegliedert. Während ihrer fast dreihundert Jahre (1532–1825) dauernden Kolonialherrschaft beuteten die Spanier die Arbeitskraft der indigenen Völker und die Naturreichtümer des Landes auf immer neue Weise aus. Fronarbeit in Bergwerken – berüchtigt der Silberberg von Potosí – und auf den Hazienden betraf vor allem die Quechua und Aymara, und viele Dorfgemeinschaften verloren ihre Autonomie und ihr Land. Aber auch viele der Tieflandvölker wurden im 18. Jahrhundert von Jesuiten- und Franziskaner-Missionaren in sogenannten Reduktionen zusammengesiedelt und hatten Tribut zu zahlen. Widerstandsbewegungen wurden blutig niedergeschlagen.

Durch die bolivianische Unabhängigkeit 1825 ergaben sich keine Verbesserungen für die indigene Bevölkerung. Die Tribute waren während des ganzen 19. Jahrhunderts die wichtigste Einnahmequelle des Staates, indianische Bergleute litten in den Zinnminen des Landes. Die Hazienden und in ihrem Gefolge die Leibeigenschaft breiteten sich auf Kosten der freien Dorfgemeinschaften weiter aus. 1899 rief nach einem fast das ganze Hochland erfassenden Aufstand Pablo Zárate Willka bei Oruro eine Quechua-Aymara-Regierung aus, die aber bald ein blutiges Ende fand. Im Tiefland wurden im Gefolge des Kautschuk-Booms (ab 1860) ganze Dörfer ausgerottet und Tausende indigener Arbeitskräfte zwangsrekrutiert. Die Mojeños im Departamento Beni entzogen sich dieser Versklavung ab 1887 durch eine messianische Bewegung. Fast 40 Jahre lang verteidigten sie ihr Rückzugsgebiet gegen bolivianische Truppen. Der verlorene Chaco-Krieg gegen Paraguay (1932–1936), an dem viele Hoch- und Tieflandindianer teilnahmen, machte die Widersprüche innerhalb der bolivianischen Gesellschaft deutlich, die letztlich zur Revolution von 1952 führten.

Die Revolution wurde zunächst vor allem von der Mittelschicht und den Bergleuten getragen; die indigene Landbevölkerung des Hochlandes trat durch massive Hazienda-Besetzungen für ihre Rechte ein. Ergebnisse waren die Abschaffung der Leibeigenschaft, die formale Gleichberechtigung aller Staatsbürger (die Bezeichnung »indio« wurde dabei offiziell durch »campesino« – Bauer, Landarbeiter – ersetzt) und eine Agrarreform (1953), die aber wenig zur Verbesserung der wirtschaftlichen Situation der Kleinbauern beitrug. Im Hochland entstanden durch Erbteilung bald Minifundien, deren Bewirtschaftung durch mangelnde technische und finanzielle Unterstützung und ungünstige Vermarktungsbedingungen oft kaum das Lebensnotwendige erbringt. Im Tiefland, vor allem im Departamento Santa Cruz, wurden neben Straßenbau, Öl- und Holzindustrie das Agrobusiness (Zucker, Baumwolle) und die Ansiedlung von verarmten Hochlandbauern gefördert.

Während der Zeit der fast ununterbrochenen Militärdiktaturen (1964–1982) war offener Widerstand nur begrenzt möglich, dennoch wurden 1979 die nationale Bauerngewerkschaft Confederación Sindical Unica de Trabajadores Campesinos de Bolivia (CSUTCB) und 1982 die Tieflandindianerföderation Confederación Indígena del Oriente Boliviano (CIDOB) gegründet. In der Regierungszeit der Mitte-Links-Koalition der Unidad Democrática y Popular (UDP) (1982–1985) wurden die Folgen der jahrelangen Mißwirtschaft in galoppierender Inflation spürbar. Aufgrund der Wirtschaftskrise mußten die Wahlen vorgezogen werden. Die folgende Rechts-Regierung des Movimiento Nacionalista Revolucionario (MNR) (1985–1989) unter demselben Präsidenten, der 1952 die Revolution angeführt hatte, unterwarf sich dem Diktat des Internationalen Währungsfonds. Sie brachte damit zwar die Inflation weitgehend unter Kontrolle, die hohen sozialen Kosten der neoliberalen Wirtschaftspolitik hatte und hat aber vor allem die indigene Bevölkerungsmehrheit zu tragen. Die jetzige Regierung unter Präsident Jaime Paz Zamora vom Movimiento de la Izquierda Revolucionaria (MIR) gibt sich ökologisch und sozial progressiver, verfolgt aber im Prinzip dieselbe Wirtschaftspolitik.

Die Probleme der indigenen Bevölkerung sind im Hoch- und Tiefland sehr unterschiedlich. In einigen relativ unzugänglichen Hochlandregionen konnten die indianischen Gemeinschaften ihre kulturelle und wirtschaftliche Autonomie weitgehend bewahren. Der Großteil der indigenen Landbevölkerung ist jedoch in die Marktwirtschaft integriert und den andinen Traditionen unterschiedlich stark verhaftet. Viele Bauern oder Bergleute sind in die Randviertel der Städte abgewandert. Sie überleben durch Straßenverkauf oder Gelegenheitsarbeiten im Dienstleistungsbereich.

Im Tiefland sind die schon früh christianisierten größeren indianischen Völker wie die Chiquitanos oder Mojeños seit langem als seßhafte Kleinbauern in die Marktwirtschaft integriert. Viele der kleineren, bis vor kurzem noch relativ isoliert lebenden und mobilen Völker von Jägern und Sammlern sowie Brandrodungsfeldbauern (z. B. die Araona, Ayoréode, Chácobo und Yuquí) wurden erst seit Mitte dieses Jahrhunderts vor allem von protestantischen Missionaren angesiedelt oder unter Kontrolle gebracht. Vor wenigen Jahren ging der Fall der wohl letzten »freien« Gruppe von Yuquí durch die Presse, die – von Straßenbau, Holzfällern und Siedlern in die Enge getrieben – trotz des Protestes von CIDOB und Menschenrechtsorganisationen von New Tribes Mission (NTM) in eine Missionsstation umgesiedelt wurde.

Die spanisch-kreolisch geprägte und westlich orientierte Mittel- und Oberschicht Boliviens sieht größtenteils in den Indios noch immer ein Entwicklungshindernis für das Land. Um der Verachtung und Benachteiligung zu entgehen, ändern manche der so Bezeichneten ihre »typisch indianischen« Nachnamen und verleugnen auch sonst ihre Identität. Gemeinsam ist den indigenen Völkern auch ihre prekäre wirtschaftliche Situation und die Schwierigkeit, politisch Einfluß zu nehmen.

Nach der bolivianischen Verfassung sind alle Bürger vor dem Gesetz gleich und die kollektiven Landrechte der indianischen Dorfgemeinschaften garantiert. Dies hat die Kleinbauern aber nicht vor Übergriffen geschützt. Darüber hinaus hat der Staat – selbst wenn das Land durch Landtitel gesichert ist – Verfügungsgewalt über den darauf wachsenden Wald und die darunter liegenden Bodenschätze.

Die Tieflandvölker werden im Agrarreformgesetz als »wilde und primitive Waldgruppen« bezeichnet und unter die Vormundschaft des Staates gestellt. Ihre »Inkorporation in das nationale Leben« ist protestantischen und katholischen Missionen übertragen worden. Die für die Ureinwohner zuständige Behörde, das Instituto Indigenista Boliviano (IIB), war bis vor kurzem kaum aktiv. Trotz der Agrarreform müssen die indigenen Völker in fast allen Regionen Boliviens um ihr Land mit seinen natürlichen Ressourcen kämpfen.

Im Hochland haben seit Anfang der 80er Jahre mehrere Dürre- und Frostkatastrophen zu einer verstärkten Abwanderung vor allem aus relativ traditionellen Quechua-Gebieten im Norden Potosís in die Städte und ins Tiefland geführt. Hinzu kommen wachsende Probleme mit Umweltschäden und Wasserverknappung durch die exportorientierte Ausbeutung mineralischer Rohstoffe in bislang relativ unerschlossenen Gegenden. Dort können sich die Bewohner nur schwer zur Wehr setzen.

Im Tiefland ist in den letzten Jahren immer mehr erschlossen worden. Zwar ist die staatlich organisierte Umsiedlung von Hochlandbauern in diese Region zurückgegangen, aber aus Mangel an Alternativen ziehen immer mehr auch ohne Unterstützung ins Tiefland. Viele von ihnen bauen dort vor allem Coca an, die durch die illegale Verarbeitung zu Kokain zur einzigen attraktiven Marktfrucht geworden ist. Dieser Prozeß drängt Tieflandvölker wie die Yuracaré immer weiter zurück. Auf Druck der USA werden zudem die Coca-Anbaugebiete immer stärker militarisiert. Die Kokain-Produktion – und im Norden des Landes die Goldwäscherei – verseuchen die Flüsse.

Nachdem Holzfirmen im Departamento Santa Cruz fast alle Edelhölzer geschlagen, damit das Wild vertrieben und den Wald und Boden weitgehend zerstört haben, dringen sie seit einigen Jahren verstärkt in das Departamento Beni und den Norden des Departamentos La Paz vor. Dort sind ihnen ohne Rücksicht auf die indigene Bevölkerung weitere große Konzessionen erteilt worden. Nationalparks, die es in vielen Landesteilen auf dem Papier gibt, bieten trotz des Naturschutzgesetzes von 1975 bislang weder der Natur noch der ansässigen Bevölkerung wirksamen Schutz.

Die Selbstversorgung der Indianer ist durch diese Entwicklungen gefährdet. Für die Tieflandvölker ist die Reduzierung ihres Lebensraumes vor allem deshalb problematisch, weil ihre umweltschonenden traditionellen Lebensweisen wie Brandrodungsfeldbau, Jagd, Sammeln und Fischfang große Gebiete erfordern. Die Hoch- und Tieflandbauern, die stärker in die Marktwirtschaft integriert sind, erzielen für ihre Produkte einen zu niedrigen Erlös. Ihre Organisationen, allen voran die CSUTCB, fordern deshalb die Enteignung der »neuen« Großgrundbesitzer, die Abschaffung der Landsteuer und Einfuhrbeschränkungen, da die freigegebenen Agrarimporte die bäuerlichen Absatzmärkte zerstören. Außerdem sollen zehn Prozent statt bislang oft weniger als zwei Prozent des Staatshaushalts für die Unterstützung der Kleinbauern durch angemessene Beratungs-, Kredit- und Vermarktungssysteme bereitgestellt werden.

Auch im Hinblick auf Gesundheitsversorgung und Bildungswesen sind die indigenen Völker gegenüber der städtischen Mittel- und Oberschicht benachteiligt. Bislang fehlen politischer Wille und geeignete Konzepte, um der jeweiligen Kultur und den lokalen Bedürfnissen angemessene medizinische Versorgung und Schulsysteme zu entwickeln. Die Indianerorganisationen fordern seit langem die Integration ihrer traditionellen Heiler in die Basisgesundheitsversorgung sowie zweisprachigen und interkulturellen Unterricht. Die neoliberale Wirtschaftspolitik sieht jedoch gerade im Sozialsektor Sparmaßnahmen vor.

Dienstleistungen dieser Art werden deshalb oft von bolivianischen oder internationalen Nichtregierungsorganisationen angeboten. Während viele von ihnen damit auch politische Arbeit zur Verbesserung der Situation der indigenen Völker verbinden, gibt es vor allem unter den kirchlichen Organisationen weiterhin einige, die ausgesprochen paternalistisch sind. Der Extremfall ist die Arbeit der protestantischen Missionare unter den Tieflandvölkern: Auf den Missionsstationen finden diese zwar physische Sicherheit, erhalten aber von den auf ihre religiösen Ziele fixierten Missionaren kaum angemessene Hilfestellung, um sich wirtschaftlich und sozial behaupten zu können. Das Resultat ist eine starke Abhängigkeit von der Mission.

Die Interessen der indigenen Bevölkerungsmehrheit werden von den meisten politischen Parteien bis heute nicht vertreten. Auch die Bauerngewerkschaften waren lange von der Regierung manipuliert. Erst seit Mitte der 70er Jahre wurden im Hochland, vor allem unter den Aymara, sogenannte Indio-Parteien wie MITKA gegründet, die allerdings nie eine breite Wählerschaft hinter sich vereinigen konnten. Parallel dazu entstand eine unabhängige Bauerngewerkschaftsbewegung, deren Mitglieder sich ihrer indianischen Herkunft immer bewußter wurden. Die 1979 gegründete CSUTCB ist zur Zeit trotz aller internen Probleme die aktivste Interessenvertretung der indigenen Hochlandbevölkerung. Sie setzt sich, zum Teil durch Straßenblockaden, Hungerstreiks und andere Druckmittel, nicht nur für wirtschaftliche Verbesserung, sondern auch für politische Forderungen wie die nach dörflicher Selbstverwaltung und Mitbestimmung im Staat und für kulturelle Rechte ein. Seit dem CSUTCB-Kongreß von 1987 können sich auch nicht gewerkschaftlich organisierte andine Dorfgemeinschaften und Tieflandvölker beteiligen.

Im Tiefland, wo die Bauerngewerkschaften bislang vor allem die Interessen der Siedler vertreten, entstand aus Treffen verschiedener indigener Völker im Departamento Santa Cruz 1982 deren Organisation CIDOB, die 1984 die Amazonas-weite Koordination COICA (Coordinadora de las Organizaciones Indígenas de la Cuenca Amazónica) mitbegründete. Zentrale Forderungen sind: Anerkennung der indigenen Territorien (ein Konzept, das Kontrolle über Land, Wald und Bodenschätze beinhaltet) und Organisationen sowie wirtschaftliche und soziale Verbesserungen. CIDOB pflegt Kontakte mit der CSUTCB, bewahrt aber seine Unabhängigkeit. CIDOB hat in Santa Cruz und auf nationaler Ebene einiges dazu beigetragen, daß die Tieflandvölker nicht mehr als passive »Opfer des Fortschritts« angesehen werden. So ist die Organisation zum Beispiel an einem großen Entwicklungs- und Naturschutzprojekt der Weltbank im Departamento Santa Cruz beteiligt.

Im Departamento Beni wurde 1987 eine Unterorganisation von CIDOB gegründet, die sich sehr aktiv gegen den fortschreitenden Holzeinschlag und Landraub wehrt. 1990 erregten die Indianer internationales Aufsehen, als sie einen 650 Kilometer langen »Marsch für Territorium und Würde« von Trinidad nach La Paz organisierten. Die Regierung unterzeichnete daraufhin Dekrete, die eine Sicherung der indigenen Territorien in den drei umstrittenen Gebieten und die Erarbeitung eines Gesetzes über die Rechte der indigenen Völker beinhalteten. 1991 wurde dem Parlament der Gesetzentwurf (Ley de Pueblos Indígenas del Oriente, Chaco y la Amazónica) vorgelegt. Dieser wird aber sowohl von den Organisationen der Tieflandvölker als auch von der CSUTCB abgelehnt. Die Tieflandindianer, die einen Alternativentwurf erarbeitet haben, bemängeln vor allem, daß ihr Recht auf Selbstbestimmung darin nicht verankert ist. Die Kritik der

CSUTCB richtet sich darüber hinaus gegen die getrennte Behandlung von Hoch- und Tieflandvölkern.

Die jetzige Regierung steht der ethnischen Vielfalt des Landes ambivalent gegenüber. Bolivien sieht sich einerseits als »revolutionärer« Vorreiter in Lateinamerika. Die Probleme der Indianer würden ernst genommen, gerade im Zusammenhang mit der »ökologischen Frage«. Andererseits ist das Mißtrauen gegenüber indigenen Emanzipationsbewegungen nur zu deutlich.

Zum Schutz des Tropenwaldes erklärte Bolivien 1990 eine »ökologische Pause« und schloß mit den USA ein Abkommen, den »Debt-for-Nature-Swap«. Dem südamerikanischen Staat werden Schulden erlassen, im Gegenzug wird der Naturschutz gefördert. Das Instituto Indígenista Boliviano (IIB) wurde im gleichen Jahr reaktiviert. Es erarbeitete einen »Nationalen Plan für indigene Verteidigung und Entwicklung«. Darin wird Bolivien als ein Land ethnischer, regionaler und sprachlicher Vielfalt neu definiert. Die territorialen Rechte der indigenen Völker sollen respektiert, ihre traditionellen Führungsstrukturen anerkannt und ihre Beteiligung an der Planung und Durchführung von Entwicklungsprojekten sichergestellt werden. Allerdings ist die vorgesehene Aufnahme indigener Vertreter in den Aufsichtsrat des IIB noch nicht verwirklicht.

Für das Kolumbusjahr 1992 planen alle indigenen Organisationen Protestveranstaltungen gegen die offiziellen Feierlichkeiten – sie haben den 12. Oktober zum »Tag der Trauer« erklärt. Darüber hinaus gibt es zukunftsweisende eigene Projekte wie die Alphabetisierungskampagne der Asamblea del Pueblo Guaraní (Organisation der Ava-Guaraní in Ostbolivien). Die große Herausforderung für die Regierung wird jedoch die von der CSUTCB einberufene Versammlung aller indigenen Völker (Asamblea de Naciones y Pueblos) sein, ein Gremium, das politische Strategien zur Durchsetzung der Rechte der indigenen Völker entwickeln soll.

*Literatur:*

Kohler, Liu: Unterdrückt, aber nicht besiegt. Die bolivianische Bauernbewegung von den Anfängen bis 1981; Informationsstelle Lateinamerika, Bonn 1981.

König, Eva: Gegen die weißen Götter. Der stetige Widerstand der bolivianischen Tieflandvölker gegen Fremdherrschaft; ILA-Info 148, Sept. 1991.

Krempin, Michael: Bauernbewegung in Bolivien. Die Entwicklung der sozioökonomischen Lage sowie der politischen Organisationsformen der ländlichen Bevölkerung unter besonderer Berücksichtigung der Bauernbewegung seit 1969, Frankfurt 1986.

Pampuch, Thomas/Echalar Augustinma: Bolivien, München 1987.

Schicker, Joseph/Lindner, Luzi: »Niemand spricht von unserem Lächeln«. Sieben Jahre bei den Indios im Urwald Boliviens, Inning 1985.

Die Zweimonats-Zeitschrift BOLIVIA enthält regelmäßig auch Artikel über die Situation der indigenen Völker Boliviens, Bezugsadresse: SAGO-Informationszentrum Bolivien e. V., Cottbusser Damm 101, 1000 Berlin 61.

Inse Geismar
# In Paraguay ist Mord an Indianern kein Verbrechen

Auf den Farmen der Weißen im paraguayischen Chaco heißen die Indianer ganz schlicht »Schweine«. Es ist erst wenige Jahre her, da war es ein Sport, Angehörige des Volkes Aché im Osten des Landes zu töten. 80 Prozent der vier Millionen Paraguayer meinen, Indianer seien keine Menschen. 60 Prozent halten die Ermordung eines Indianers für kein Verbrechen. Doch Genozid ist nicht nur sportliche Betätigung oder brutale Dummheit: Noch 1972 wurden Rekruten, die sich besonders bei den vom Verteidigungsministerium organisierten Jagden auf Ayoreo-Indianer beteiligten, zur Belohnung vorzeitig aus dem Militärdienst entlassen. Paraguay ist ein Exempel für die Vernichtung der südamerikanischen Ureinwohner. Diesem Genozid haben in den vergangenen Jahrzehnten auch Deutsche, von denen mindestens 70 000 in Paraguay leben, tatenlos zugesehen oder dabei mitgemacht. Wirtschaftsverbrecher, auch Altnazis gehörten vor allem unter der 34jährigen, 1989 beendeten Herrschaft des deutschstämmigen Diktators Alfredo Strössner zu den treibenden Kräften im Land.

In Paraguay leben seit mindestens 10 000 Jahren Indianer. Die Reste von 17 Völkern, die sechs Sprachfamilien angehören, sind noch heute auszumachen. Das größte Volk sind mit rund 30 000 Angehörigen die seßhaften Guaraní und ihre zahlreichen Untergruppen. Etwa 11 000 Eenthlit, zu denen auch die Lengua und

243

Angaite zählen, werden der Mascoi-Sprachfamilie zugeordnet. Sie sind heute größtenteils Landarbeiter. Auch die Toba sind seßhaft. Sie gehören zur Guaicuru-Sprachfamilie. Von den Ayoreo und Chamacoco – kriegerischen Waldindianern – leben nur noch wenige tausend. Während ein Teil von ihnen missioniert ist, haben sich andere als Wildbeuter in die Wald- und Buschgebiete zurückgezogen. Beide gehören der Zamuco-Sprachfamilie an und werden als angeblich sehr aggressiv beschrieben, weil sie sich bewaffnet dem missionarischen Sendungsbewußtsein widersetzen. Eine Matako-Sprache wird im Chaco von den Choroti, den Mak'á und dem 6000-Seelen-Volk der Nivaklé gesprochen. Die nur noch rund 400 Mak'á leben nahe der Hauptstadt Asunción beim zoologisch-botanischen Garten. Sie lassen sich gegen Geld zusammen mit Touristen fotographieren. Die Mädchen ziehen ihre T-Shirts aus und posieren zusammen mit ihren Müttern und den Männern in lächerlicher Kriegsbemalung. Im unteren Teil des südamerikanischen Staates leben in den Wäldern nur noch versprengte Reste von wenigen Hundert indianischen Sammlern und Jägern, die Aché. Sie sprechen eine Tupi-Sprache.

Bei der Ankunft von Kolumbus gab es im Chaco 280 000 Indianer. Nach der letzten offiziellen Statistik von 1981 sind es 38 703. Doch diese Zahl wird von der Asociación de Parcialidades Indígenas (API) verworfen. Sie sei so niedrig gehalten, um das Indianerproblem herunterzuspielen. Tatsächlich gäbe es unter den vier Millionen Menschen in Paraguay noch 70 000–100 000 Indianer. Guaraní, allerdings in europäisierter Form, ist neben Spanisch als Amtssprache anerkannt.

1536 waren die ersten spanischen Konquistadoren bei der Suche nach Gold über den Río de la Plata in das heutige Paraguay eingedrungen. Dort trafen sie auf die gegen die Inka ziehenden Guaraní. Diese hatten bereits im Chaco andere seßhafte Indianerstämme unterworfen. Nach entschiedenem Widerstand der Indianer zogen sich die Spanier zurück. Die systematische Eroberung des Chaco begann sechs Jahre später. Jahrzehntelang gelang es den europäischen Eroberern jedoch nicht, sich die Indianer gefügig zu machen. In den ersten Jahren des 17. Jahrhunderts kam es zu regelrechten Reiterkriegen zwischen den Spaniern und den Indianern, die inzwischen das Pferd übernommen hatten. 1609 riefen die militärisch unterlegenen Spanier die Jesuiten zu Hilfe, um die Indianer durch Missionierung zu befrieden.

1767 wurden die Jesuiten von den Spaniern wieder vertrieben. In anderen Teilen Paraguays war es jedoch nach der Unterwerfung der Indianer zu einer beispiellosen Vermischung der weißen Kolonisatoren mit der einheimischen Bevölkerung gekommen. Männer heirateten Indianerinnen, Beziehungen zwischen weißen Frauen und Indianern galten allerdings als unziemlich. Jetzt ist der südamerikanische Staat das Land mit der größten Mischlingsbevölkerung. 95 Prozent der Einwohner haben weiße und indianische Vorfahren, von denen die meisten Guaraní als Muttersprache sprechen. Erst im 19. Jahrhundert waren die Indianer des Chaco in blutigen Kriegen den Weißen unterlegen.

Kirchliche Orden – wie anfangs vor allem die Jesuiten, heute Mennoniten und die New Tribes Mission (NTM) – wetteifern um die Seelen der Urbevölkerung. NTM begeht dabei ungehindert Ethnozid. »Um die Seelen zu retten, können ruhig einige sterben«, heißt es 1989 in dem »Document No. 64« der International Work Group for Indigenous Affairs (IWGIA, Kopenhagen), in dem die Praktiken von NTM angeprangert werden. NTM benutzte noch bis Ende der 70er Jahre unter Druck missionierte, »zahme« Indianer dazu, Jagd auf Nichtgetaufte zu machen. Manchmal sollen von Flugzeugen aus Indianerdörfer der Ayoreo im dichten Wald aufgespürt worden sein. Die »abgerichteten«, »christianisierten« und bewaffneten Indianer fingen ihre »wilden« Brüder, Schwestern und Kinder, um sie zu den Missionaren zu schleppen. Viele wurden bei der Menschenjagd getötet. In den Missionsstationen wurden die »Schweineleute« eingeschlossen. Sie wurden irre vor Angst, oft verweigerten sie Nahrung. Zahlreiche von ihnen starben, bevor sie »Christen« wurden. Heute werden »zivilisiertere« Methoden angewendet, um die Indianer anzupassen. Sie müssen gegen Geld arbeiten und werden gezwungen, sich westlich zu kleiden sowie ihre traditionellen Verhaltensweisen aufzugeben. Kinder werden ihren Eltern genommen, um sie im Namen Christi schneller gefügig zu machen und ihnen »Manieren« beizubringen. Dazu gehört der regelmäßige Kirchgang. Bis vor kurzer Zeit wurden Kinder noch als Leibeigene für fünf Dollar verkauft. Die indianischen Gemeinschaften zerbrechen mit diesen Eingriffen vollständig. Viele Frauen prostituieren sich, während die Männer zu billigen Tagelöhnern werden.

Im zentralen Chaco haben sich auf rund einer Million Hektar

Land, ehemals Buschwald, 12 000 Mennoniten, vor allem Deutsche, in den drei Kolonien Fernheim, Menno und Neuland festgesetzt. Das Deutsche Allgemeine Sonntagsblatt schrieb am 24. Mai 1991 über einen der Siedler, den Rußlanddeutschen Isaak Stern: »Was der Bauer und Handwerker aus der Sowjetunion fand, das haben die Ureinwohner des Landes, die Lenua, Nivaklé, Toba-Maskoy und Choroti-Indianer verloren: die Heimat.« Auch die 14 000 Indianer in dieser Region wurden inzwischen zu landlosen Arbeitern und Einzelbauern wider Willen. Sie verstehen die Verteilung des Landes nicht. Land ist wie die Luft Besitz aller. Sie mußten ihre traditionelle Lebensweise und Kultur aufgeben, wonach die Ernte nach gemeinsamer Arbeit allen gehört. Jetzt stehen den indianischen Bauern nach dem Statut der indianischen Gemeinschaften, dem Gesetz 904 von 1981, pro Kernfamilie in der fruchtbaren Ostregion 20 Hektar und 100 Hektar im kargen Chaco zu. Die deutschen Mennoniten befürworten diese Zersplitterung des Indianerbesitzes, versuchen gleichzeitig den Ureinwohnern klarzumachen, daß jede Familie für sich zu sorgen habe. Die paraguayische Regierung hat den Mennoniten bedenkenlos Land verkauft: »Mit Indianern als Zugabe«. Diese wurden zu Tagelöhnern in ihrer seit Jahrtausenden genutzten Region.

Besonders Diktator Strössner nahm keine Rücksicht auf die Urbevölkerung. Ohne Skrupel wurde Indianerland an ausländische Landkäufer, Investoren, Immobilienhändler und Holzhandelsfirmen verkauft. Er lockte die Interessenten mit Steuerfreiheit, vergab günstige Kredite oder bot steuerflüchtigen Kriminellen sowie Investoren die paraguayische Staatsbürgerschaft. Die Gesellschaft für bedrohte Völker (GfbV) konnte im Juli 1982 den Verkauf von Grundbesitz von 60 Mbya-Guaraní-Familien an eine Immobilienfirma aus Mainz mit dem Namen »Treubesitz Südamerika« nachweisen. Allein in der Zeit von 1978 bis 1981 wurden über 16 000 Familien und Kleinbauern zum Teil vom Militär von ihrem Land vertrieben oder zwangsumgesiedelt, bevor es verkauft wurde. Die Situation ist bis heute unverändert: Das Kapital aus dem Ausland drängt weiter ins Land. Den Grundbesitz Paraguays teilen sich neben Deutschen Argentinier, Japaner, Koreaner, Brasilianer und weiße Südafrikaner. Ohne Rücksicht auf die ökologischen Folgen werden die Wälder gerodet. Wertvolles Tropenholz wird über Brasilien ins Ausland, vor allem nach Japan verkauft.

Nicht nur von privaten Firmen und der Kirche, auch von staatlicher Seite werden die Indianer vertrieben. Der Bau des fünftgrößten Wasserkraftwerks in Lateinamerika, der 1750 Quadratkilometer große Yacyreta-Stausee an der Grenze zu Argentinien, wird 40 000 Guaraní-Indianer und paraguayische Campesinos landlos machen. Die deutschen Firmen Siemens, Lahmeyer aus Frankfurt und die US-Tochterfirma des Turbinenbauers Voith aus Heidenheim sind an dem Kraftwerksbau beteiligt, der schon jetzt als »Monument der Korruption« und »Investitionsruine« bezeichnet wird. Das Kraftwerk soll 1997 fertig sein. Es wird, egal ob es je läuft oder nicht, das teuerste der Welt. Die Weltbank unterstützt das weiträumige ländliche Entwicklungsprojekt Caazapa im Süden. Nun drängen noch mehr Siedler und multinationale Firmen in das Gebiet, das traditionell den Mbya-Guaraní gehört. 1990 waren dort die Indianer so weit zurückgedrängt, daß sie sich nicht mehr von ihrem Land ernähren konnten.

Vier Alternativen zum Überleben der paraguayischen Indianer sind möglich: Die Kapitulation mit dem völligen Verlust der Identität, der Rückzug in unwirtliche Gebiete, die für Weiße vorerst uninteressant sind, oder eine den Weißen angepaßte Subkultur zu entwickeln – mit allen Strategien, nicht aufzufallen. Die vierte Möglichkeit wäre, eine Solidarisierung aller Indianer gegen die Regierung zu erreichen. Zur Verbesserung der Situation der Indianer müßten sich ihre Führer gemeinsam an die Weltöffentlichkeit wenden.

Hilfe haben sie dabei kaum zu erwarten. Wenige Einzelpersonen wie der paraguayische Anwalt Juan Carlos Ramírez Montalbetti, setzen sich hartnäckig für die Einhaltung der indianischen Minimalgesetzgebung ein. Er geht scharf mit den protestantischen Mennoniten ins Gericht und prangert deren eigensinnige Christianisierungspraktiken an. Er fordert Indianerland – wenigstens die nach dem Gesetz festgelegten 20 bis 100 Hektar pro Familie – zurück. Mehrere Organisationen arbeiten für die Indianer: Darunter die Gesellschaft Asociación de Parcialidades Indígenas (API), das Forum of Private Indigenous Entities, die Bischofskonferenz von Paraguay oder die kleine Gruppe Servicios Profesionales Socio-Antropológicos y Jurídicos. Alle verlangen vor Gericht für die Indianer das traditionelle Land zurück oder kaufen, zumeist zu weit übertteuerten Preisen und in Konkurrenz zu den Grundstücksspekulanten, Gelände vom Staat. Die Indianer selbst können sich in Paraguay kaum verteidigen: General Angel Juan Souto Fernandez, der Präsident der für sie zuständigen Behörde, das Paraguayan Indigenous Institute (INDI), ist gleichzeitig der Verteidigungsminister des Landes.

*Literatur:*
Clastres, Pierre: Chronik der Guayaki – Die sich selbst Aché nennen, nomadische Jäger in Paraguay, München 1984
Chase-Sardi, Miguel: Indigenous People in Paraguay – A Brief Report; in: IWGIA Yearbook 1988, S. 221–233
Völkermord in Paraguay – Deutsche Landkäufe vernichten die Existenz der Indianer. Dokumentation des Aktionszentrum Arme Welt und der Gesellschaft für bedrohte Völker, Tübingen o. J.

Werner H. T. Fuhrmann
## Argentinisches Indianer-Experiment an Wirtschaftskrise gescheitert

Es gilt in Argentinien jetzt als »schick«, ein Indianerfreund zu sein. Sie erhielten das ökologische Gleichgewicht, werden die Ureinwohner gelobt. Doch das Werben der Parteien ist durchsichtig, nachdem sich die Stimmen der Indianer bei den vergangenen Wahlen in einigen der 23 Provinzen immer wieder als »Zünglein an der Waage« erwiesen haben. Trotzdem war der Ansatz der argentinischen Regierung Volkeswunsch, als sie 1985 ein Gesetz über die Eingeborenenpolitik und die Unterstützung von Indianergemeinden verabschiedet hat, das endlich die Ureinwohner des Landes und ihre Gemeinden als Rechtsperson anerkennt. Das Recht auf Land, eine zweisprachige und bikulturelle Erziehung, ausreichende medizinische Versorgung, Förderung des Wohnungsbaus und eines Nationalen Institutes für Indianerangelegenheiten (INAI) sind erstmals in 25 Artikeln festgeschrieben. Geändert hat sich bisher wenig. Die Indianer in Argentinien stellen noch immer vor allem die ländliche Unterklasse. Zehntausende leben unter dem Existenzminimum. Die Regierung tut kaum noch etwas, um ihre Situation zu verbessern.

32,6 Millionen Einwohner hat das 1516 von den Spaniern entdeckte Land. 342 500 Indianer bezeichnen sich selbst als Angehörige der 17 indianischen Volksgruppen. Tatsächlich sind es wohl eine halbe Million. Viele bekennen sich nicht mehr dazu. Andere haben sich der Zählung entzogen.

Die Massakern und Zivilisationskrankheiten entkommenen Ureinwohner leben seit Beginn dieses Jahrhunderts zumeist zusammengepfercht in reservatsähnlichen Regionen, an denen nationale oder multinationale Firmen kein Interesse haben. Es sind die unfruchtbarsten Böden und unwirtlichsten Gegenden. 1950 wagten sie es erstmals, sich gegen den Raub des Indianerlandes und die Ausbeutung durch Großgrundbesitzer zu organisieren. Präsident Juan Domingo Perón (1946–1955) ging nicht auf die Forderung nach Rückgabe der traditionellen Indianerregionen ein. Die Indianer sollten in den Gebieten bleiben, in die sie in den vergangenen Jahrhunderten verdrängt worden waren. Doch er startete zahlreiche Hilfsaktionen, ließ landwirtschaftliche Geräte, Saatgut und Werkzeuge verteilen und Kredite vergeben. Viele Indianer haben ihm damals geschrieben oder sind zu ihm nach Buenos Aires gefahren, um Bitten direkt an ihn zu richten. Perón gründete bereits zu Beginn seiner Amtszeit ein Ministerium zum Schutz der Ureinwohner. Doch gleichzeitig vereinnahmte er sie als »Nackte«, denen geholfen werden müsse. Sie wurden bevormundet. Nach dem Sturz von Perón schaffte die neue Militärregierung das Ministerium wieder ab.

Ein dann erst 1970 wieder aufgenommener Organisationsversuch mit Vertretern aus 34 Reservaten brach auseinander, weil sich nach einiger Zeit »faschistische Gruppen« und »paramilitärische Banden« eingeschlichen haben sollen. Daraufhin gründete sich eine neue Vereinigung, die unter zunehmender Verfolgung durch die staatlichen Behörden litt. 1975 schlossen sich die Indianerführer, die nicht verhaftet worden waren, zur »Indianervereinigung der Republik Argentinien« (AIRA) zusammen.

Beispiel dafür, daß das 1985 von der Regierung verabschiedete Gesetz nicht greift, ist die Provinz Chaco. Dort wurde 1987 für die 27 000 Toba, Mataco und Mocovi die »historische Wiedergutmachung« ebenfalls beschlossen. Das Provinzgesetz Nr. 3258 bestimmt die Rückgabe des Landes an seine »wahren Besitzer«, die Erhaltung und Aufwertung der indianischen Kultur, die zweisprachige und gleichwertig argentinisch-indianische Erziehung und die Mitbestimmung im sozialen und politischen Leben in der Region. Doch tatsächlich ist das Land zumeist noch in staatlichem oder privatem Besitz. Die Umschreibung wird ständig verzögert. In den Schulbüchern der Argentinier sind die Indianer noch immer primitive Wilde.

Theoretisch könnten die Absichten des zweitgrößten südamerikanischen Staates heute Beispiel sein für alle Länder des Kontinents. Doch der einst achtreichste Staat der Erde ist bankrott. Das Land, das vor gar nicht so langer Zeit einen dreimal höheren Lebensstandard hatte als Japan, rangiert jetzt an 87. Stelle. Das Durchschnittseinkommen von 30 Dollar monatlich war im Sommer 1990 kurz nach den Wahlen mit dem vieler schwarzafrikanischer Länder vergleichbar. Über die Armut der meisten Indianer sagen diese Zahlen ohnehin nichts aus. Die Konsequenzen für die Regierung des neuen Staatsoberhauptes und Peronisten Carlos Menem waren – wie er es nannte – »Operationen ohne Betäubung«. 41 000 Staatsangestellte wurden entlassen. 80 000 sollen bis 1993 folgen. Die mühsam aufgebauten Indianerorganisationen sind in vielen Regionen bereits ohne staatliches Personal. Und damit bröckeln die erkämpften Rechte. »Wir sind wieder beim Stand von 1950«, kritisierte ein Indianerführer. Damals sei es dem Staat nur darum gegangen, die Indianer in die ökonomische Struktur des Landes zu integrieren und jede eigenständige Entwicklung und Rückbesinnung auf die eigene Kultur zu unterbinden. Als die Provinzen Chaco, Formosa, Río Negro, Ne'quen, Salta und Misiones die Erfüllung der Indianerforderungen gesetzlich zusicherten, waren hoffnungsvoll indianische Behörden gegründet worden. Die einzige Forderung des Staates, der Leiter der provinziellen Indianerbehörde habe in jedem Fall ein Weißer zu sein, wurde hingenommen. Einmal war sie sogar durch die Bestellung eines indianischen Behördenleiters unterbrochen worden. Diese behördlichen Anlaufstellen und politischen Institutionen gab es allerdings nur in Regionen mit hohem Anteil an indianischer Bevölkerung.

Durch die relativ frühe Selbstorganisation ist es den argentinischen Indianern gelungen, nicht nur in Vielfalt zu überleben, sondern im Vergleich zu zahlreichen anderen Ländern ihre Identität vor ethnozidartigen Tendenzen zu schützen. Die meisten Sprachen und Dialekte, Kleidungsgewohnheiten, Feste und Riten und die Vor- und Familiennamen blieben erhalten. Doch durch ihre in der Vereinigung der Indianer Argentiniens AIRA formulierten Ziele – die Integration in die argentinische Gesellschaft bei sozialer Gleichstellung und die gegenseitige kulturelle Bereicherung der beiden Gesellschaften – wurde die Fortsetzung des Kulturverlustes vorprogrammiert. Indianisch-europäische Mischkulturen entstehen: Daneben ein bißchen dekoratives Handwerk, touristisch vorzeigbare Bräuche, auch das Wissen über immer wieder bestaunte indianische Heilmethoden und ihre Kenntnis über Heilkräuter werden als »verwertbar« sogar von der nichtindianischen Bevölkerung geschützt. Von den Medizinmännern und traditionellen Heilern wird nicht mehr gesprochen. Die auf ein kosmisches Weltbild ausgerichtete Religion wird sogar als barbarisch abgewertet.

Tatsächliche Probleme wie Unterbezahlung und mangelnde soziale Absicherung werden nicht ernstgenommen. Durch die schulische Erziehung wird sich das Selbstbewußtsein der Mehrheit der Indianer nicht ändern, solange die Lehrer zumeist keine Indianer sind. Diese dürfen nur als Hilfslehrer unterrichten. Wie die Kirchen unterweisen die Lehrer als »weiße Chefs« nach den Wertmaßstäben der europäischen Zivilisation. Von den Kindern wie später von den Erwachsenen wird erwartet, daß sie sich mit der argentinischen Nation identifizieren. Dabei wird ihnen ständig die Minderwertigkeit ihrer eigenen Kultur suggeriert. Eine Selbstbestimmung über Schulinhalte wird von den Unterrichtsplanern abgelehnt.

Zu den zahlenmäßig größten Völkern gehören die Collas mit 98 000 Angehörigen, die in den Nordprovinzen Jujuy und Salta leben, gefolgt von den Diaguito-Calchaquí (61 000) sowie den Toba (48 800). Unmittelbar vor dem Aussterben steht das Volk der Lule-Vilelas, von denen im Herbst 1990 nur noch zwei Menschen lebten. Auf das äußerste bedroht sind die Lapite-Indianer, von denen es noch 180 gibt. In Argentinien fast ganz verschwunden sind auch die letzten Tehuelches und Selk'Nam.

Im windigen, naßkalten und stürmischen Feuerland leben Reste der Völker der Qaswasgar-, Tehuelche- und Yaghan-Indianer. Das Land bietet nur karge Voraussetzungen für Menschen, denn der Anbau von Nahrungsmitteln ist in der Kälteregion kaum möglich. Wild ist rar, Rohstoffe sind nur wenige vorhanden und selbst die Fischbestände vor den Küsten sind klein. Die wenigen hundert Indianer leben von Kunsthandwerk, das sie an

Touristen verkaufen oder versuchen, Arbeit auf chilenischen Fischkuttern zu finden. Dabei soll es durchaus üblich sein, sie mit Alkohol zu entlohnen.

Ethnologen der Sorbonne/Paris riefen 1985 eine Vollversammlung der Qaswasgar ein und verabschiedeten ein Entwicklungsprogramm, welches Hilfsmaßnahmen wie die Anschaffung eines Fischkutters vorsah. Tehuelche entschlossen sich, als Einnahmequelle die Produktion von traditionellen Umhängen aus Guanaco-Wolle wieder aufzunehmen. Auch die Yaghan haben kürzlich eine Werkstatt aufgebaut, in der sie ihre kunsthandwerklichen Arbeiten unter Anleitung der Älteren nach historischen Mustern in größeren Stückzahlen produzieren können. Ohne Hilfe von außen, darüber sind sich alle Fachleute einig, kann keine dieser Restgruppen noch langfristig überleben.

Jens Schneider
# Chiles Indianer auf dem Weg zur Anerkennung?

»Es gibt keine Indianer. Wir sind alle Chilenen!« Dieser Ausruf des Diktators Augusto Pinochet war symptomatisch für die staatliche Politik der Militärs und ihrer neoliberalen Wirtschaftsfachleute von 1973 bis 1990. Unter seinem Regime wurden Tausende Indianer brutal ermordet. Jede Opposition wurde im Keim erstickt. Auch hat das von Pinochet 1979 verabschiedete Indianergesetz Nr. 2568 seinen Zweck weitgehend erfüllt: Über 90 Prozent des gemeinschaftlich bewirtschafteten Landes der Mapuche-Indianer wurde in Privatparzellen aufgeteilt – ein Schritt zur Verringerung indianischen Bodens, denn damit wird er beispielsweise pfändbar oder käuflich. Die wirtschaftliche Situation der meisten Mapuchefamilien hat sich in den letzten zehn Jahren dramatisch verschlechtert: Zwei Drittel aller indianischen Jugendlichen müssen den elterlichen Hof verlassen, weil die wenigen ausgelaugten Böden sie nicht mehr ernähren können. Ähnlich dramatische Auswirkungen hatte der Verkauf der Nutzungsrechte des wenigen Wassers auf dem Gebiet der Aymara, die in der Wüste leben. Auch die Algen- und Muschelbänke der Williche wurden verkauft, Einschlaggenehmigungen für die Araukarienwälder der Pewenche vergeben und große Teile der Osterinsel für die Umgestaltung zu touristischen Zwecken verstaatlicht. So ist es kein Wunder, daß die Ureinwohner Chiles große Hoffnungen auf den Demokratisierungsprozeß setzten, den das Land seit Oktober 1988 erlebt.

Der neuen Regierung sind durch die alte Verfassung in vielen Bereichen die Hände gebunden. So mußte sie lange mit einem noch unter Pinochet verabschiedeten Haushalt wirtschaften, und da ihr im Senat durch die vom Diktator ernannten Senatoren die erforderliche Mehrheit fehlt, kann sie selbst einfache Gesetze nur mit Unterstützung der Ultrarechten verabschieden – von dringend notwendigen Verfassungsänderungen ganz zu schweigen. Ob der politische Wille für weitgehende Veränderungen überhaupt vorhanden ist, wird von vielen bezweifelt – zumal die neoliberale Wirtschaftspolitik ausdrücklich nicht angetastet werden soll. Das gilt auch für die Versprechungen an die ethnischen Minderheiten. Bei einer Gesamtbevölkerung von rund 13 Millionen gibt es in Chile noch etwa 800 000 Mapuche, Pewenche und Williche, rund 20 000 Aymara, 3000 Rapuni und kaum mehr 60 Qaswasqar.

Für wesentliche Bereiche des Regierungsprogramms zur Förderung der indigenen Völker fehlen die Mittel. Die Gründung der »Organisation für indigene Entwicklung« verzögert sich immer weiter. Die Bereitschaft der Großgrundbesitzer, brachliegendes Land zu verkaufen, ist angesichts der Umstellung der chilenischen Wirtschaft auf Agrarexporte sehr gering.

Einzig die Erarbeitung eines neuen Indianergesetzes ist vorangekommen. Wie vor der Wahl versprochen, hat die Regierung die Landaufteilungsdekrete Nr. 2568, 2750 (Mapuche) und 2885 (Osterinsel) außer Kraft gesetzt. Ebenso hat sie eine »Sonderkommission für Indigene Völker«, die Comisión Especial de Pueblos Indígenas (CEPI), gegründet und mit der Erarbeitung eines Gesetzentwurfes beauftragt.

In der CEPI, die unter der Leitung des bekannten Soziologen José Bengoa steht, sitzen zur Hälfte Vertreter der Mapuche, Williche, Pewenche, Rapanui, Aymara und erstmals auch der

Qawasqar-Indianer. Noch vor der Amtsübernahme des neuen Präsidenten Patricio Aylwin am 11. März 1990 hatten sich Sprecher fast aller indigenen Völker zusammengesetzt und einen »Vorschlag und Forderung der indigenen Völker Chiles für die demokratische Periode 1990–1994« erarbeitet. Darin werden die wesentlichen Grundzüge einer demokratischen Minderheitenpolitik vorgezeichnet. In der neuen Verfassung soll anerkannt werden, daß Chile ein pluriethnischer Staat ist, in dem gemeinsam mit der chilenischen Nation ethnisch und kulturell verschiedene Völker zusammenleben, die ein Recht auf autonome Gebiete haben. Es soll ein Gesetz erarbeitet werden, das die Kriterien der Zugehörigkeit zu einer bestimmten Volksgruppe definiert und die Schaffung eines Fonds zur indigenen Entwicklung, bikulturellen Erziehung, politischen Partizipation sowie die Erweiterung der indianischen Ländereien vorsieht. Zur Regulierung und Absicherung der Landrechte sowie zur Förderung der indigenen Wirtschaft und Kultur soll die »Nationale Körperschaft für indigene Entwicklung« (CONADI) ins Leben gerufen werden. Die Indianer sollen ab sofort von Steuer- und Tributzahlungen für ihre Böden und Ressourcen befreit werden. Daneben werden noch einmal die wichtigsten spezifischen Forderungen der Aymara, Mapuche, Williche, Qawasqar und Rapanui genannt.

Dieser Katalog stellte die wesentliche Grundlage für einen ersten Gesetzentwurf dar, den die CEPI im September 1990 vorlegte. Der 42 Seiten starke Entwurf (Borrador de la Nueva Ley Indígena) ist ein Novum in der chilenischen Geschichte. So ist beispielsweise zum ersten Mal überhaupt von »indigener Territorialität« die Rede. Darüber hinaus basiert er nicht nur in wesentlichen Teilen auf dem von den ethnischen Minderheiten selbst formulierten Grundsatzpapier, er geht auch mit der bisherigen Politik des chilenischen Staates hart ins Gericht: »Die sogenannten indigenen Gesetze, die der chilenische Staat in seiner Geschichte verabschiedet hat, hatten in der Regel das Ziel, die autochthonen Bevölkerungen zu ›integrieren‹, oder besser gesagt: zu ›assimilieren‹. Man ging irrtümlich davon aus, daß die angenommene kulturelle, erzieherische, sprachliche und rassische Homogenität einen positiven Wert für die gesamte Gesellschaft darstelle. Die Gesetze waren eher Instrumente der Assimilation und des Verlustes indigener Identität als der Entwicklung und des Fortschritts«, heißt es in der Einleitung. In neun

Kapiteln greift der Gesetzentwurf wesentliche indianische Forderungen auf.

Das Ende der Diktatur vor Augen, näherten sich viele der vorher zerstrittenen Mapucheorganisationen einander wieder an. Gleichzeitig kristallisierten sich zwei grundsätzliche Positionen heraus, die sich heute relativ unversöhnlich gegenüber zu stehen scheinen. Während einige die Beteiligung am Plebiszit und den Präsidentschaftswahlen aufgrund der Rahmenbedingungen – beispielsweise werde die alte Verfassung beibehalten – grundsätzlich ablehnten, sahen andere durchaus Möglichkeiten für wenigstens graduelle Veränderungen.

Ähnlich verläuft jetzt die Diskussion für oder gegen den neuen Gesetzentwurf. Auf der einen Seite heben die in der CEPI oder in ihrem Umfeld beteiligten Organisationen (z. B. Ad-Mapu, Nehuen Mapu, CNPI) hervor, daß der Entwurf realistisch und gleichzeitig fortschrittlicher ist als alles, was in Chile jemals Gesetz war. Auf der anderen Seite lehnt vor allem die traditionalistische »Aukin Wallmapu Ngulam«, die aus der Kritik an der Beteiligung am Wahlprozeß hervorgegangen ist, das Gesetz in vielen grundsätzlichen Aspekten ab. Besonders das Kapitel »Anerkennung und Schutz der indigenen Böden und Territorien« und die Vorstellung, daß von den bestehenden Landtiteln und -rechten ausgegangen werden soll, wird scharf kritisiert. Der Ankauf von Land durch den Staat würde den historischen Anspruch der Mapuche auf das Land ihrer Vorfahren untergraben und zu Spaltungen und Streitigkeiten führen. Außerdem sei es absurd, »wenn eine Erweiterung des Bodens auf diesen Rahmen konzentriert wird, denn diese Titel sind das Ergebnis der Invasion durch den chilenischen Staat; sie sind der Beginn der legalisierten Vertreibung (. . .). Mit diesen Titeln wurde die militärische Besetzung und Unterdrückung der Mapuche legalisiert.« (Aukin – Voz Mapuche No. 2, Temuco, November 1990, S. 3).

Die Spanier hatten den Mapuche 1641 vertraglich das Gebiet zwischen dem Bio Bio-Fluß und Valdivia zugestanden, das bis in die zweite Hälfte des 19. Jahrhunderts erfolgreich verteidigt werden konnte. Seitdem ist das Land durch verschiedene Landaufteilungsdekrete immer weniger geworden. Einzig Anfang der 70er Jahre hatte die Regierung unter Allende ihnen immerhin 70 000 Hektar Land als Kollektivbesitz zurückgegeben, den sie aber während der Militärdiktatur wieder aufgeben mußten.

Im Gegensatz zum Grundsatzpapier der ethnischen Minderheiten kommt das Wort Autonomie in dem Gesetzentwurf nicht vor, obwohl dies seit Jahren zu den Hauptforderungen aller Mapuche-organisationen gehört hat. Bei allen Schwächen des Gesetzentwurfes ist es zweifelhaft, ob er selbst in seiner weniger konsequenten Version in absehbarer Zeit Gesetz werden kann. Mitte Mai 1991 wurde der überarbeitete Gesetzentwurf dem Präsidenten übergeben, aber erst auf Druck der Mapuche Mitte Oktober an den Kongreß weitergeleitet. Die indigenen Organisationen haben auf weitere Änderungen keinen Einfluß mehr. Nicht zu Unrecht werden daher auch in gemäßigten Organisationen inzwischen Zweifel laut, ob das Gesetz schließlich noch halten wird, was es einmal versprochen hat.

Wie eng der Handlungsspielraum selbst in konkreten Einzelfällen ist, verdeutlicht das Beispiel der Quinquén-Region. Schon seit Jahrzehnten streiten sich die Pewenche-Bewohner des Quinquén-Tales mit benachbarten Großgrundbesitzern und Holzfirmen um die Besitzverhältnisse. Vor langer Zeit hatte ein Siedler das Tal auf seinen Namen nach chilenischem (= weißem) Recht ins Grundbuch eintragen lassen. Später wurde sein Besitztitel verpfändet, schließlich ging er an die Holzfirma Sociedad Galletué – ohne daß die Pewenche von alldem erfahren hätten. Die Subsistenzgrundlage der Pewenche ist der Araukarienbaum, der nur sehr langsam wächst und deshalb für kommerzielle Holzwirtschaft nicht geeignet ist. Nachdem unter Pinochet der Einschlag der wegen ihres harten, fast weißen Holzes begehrten Araukarien ermöglicht wurde, begann die Sociedad Galletué, in großem Stil Araukarien in Quinquén zu fällen. Dies führte natürlich zum Konflikt mit den ansässigen Pewenche. Inzwischen steht die Araukarie dank einer breit angelegten Kampagne wieder unter Naturschutz, aber die Holzfirma beharrt auf ihren Besitzansprüchen und klagte gegen die Indianer auf Räumung des Tales. Das Gericht bestätigte die Klage. Die Anwälte der Umweltorganisation CODEFF konnten glücklicherweise kurz vor dem Räumungstermin die Regierung überreden, aktiv zu werden und mit der Galletué zu verhandeln. Damit steckt die Regierung in der Klemme. Eine Umsiedlung der Pewenche-Gemeinschaft würde alle Verständigungsansätze mit den indigenen Völkern zunichte machen. Die Regierung könnte den Besitz verstaatlichen, aber das widerspricht völlig der eigenen politischen und wirtschaftlichen Linie und wäre nicht nur in konservativen Kreisen ein Skandal. Also bleibt ihr nur noch der Kauf des Landes. Das weiß auch die Holzfirma, und so hat sie, obwohl der Besitz jetzt nicht mehr viel Wert für sie hat, den Kaufpreis auf fünf Millionen Dollar angesetzt – für die Regierung nicht akzeptierbar.

Inzwischen wurde bekannt, daß die Regierung bereits fünf Millionen Dollar an die Soc. Galletué gezahlt hat – allerdings nur als Entschädigung für die verhinderte Abholzung der Araukarien. Besitzansprüche wurden nicht abgelöst. Mitte 1991 wurde erneut gerichtlich die Räumung des Tales angeordnet. Die Pewenche konnten nur deshalb bleiben, weil das Tal vollkommen zugeschneit war. Aufgrund zahlreicher Proteste hat die Regierung im Oktober erneut die Aussetzung der Räumung verfügt. Sie plant inzwischen, das Gebiet zum Nationalpark zu erklären und den Pewenche Nutzungsrechte zu gewähren. Diese lehnen dies jedoch ab, da sie damit nur geduldete Gäste auf ihrem Land wären. Sie fordern nach wie vor Besitztitel.

Inzwischen sind einige Mapuchegemeinschaften und die Organisation Aukin Wallmapu Ngulam selbst tätig geworden, um Landrechtsansprüche durchzusetzen. Drei Tage vor dem Jahrestag der Ankunft von Kolumbus in Amerika wurden am 9. Oktober 1991 mehrere Großländereien von benachbarten Mapuchegemeinschaften besetzt. Kurze Zeit später räumte die Polizei gewaltsam und verhaftete zahlreiche Mapuche. Am Jahrestag selbst, dem 12. Oktober, fand in Temuco eine große Mapuche-Demonstration statt, die von der Polizei mit Wasserwerfern und Tränengas aufgelöst wurde. Parallel dazu fanden Aktionen auch in Santiago und Concepción statt, so daß die konservative Tageszeitung El Mercurio am 20. 10. 1991 schon von »Mapuche-Rebellion« sprach. Aukin-Sprecher Aukafe Huilcamán setzte der Regierung eine Frist von sechs Monaten, innerhalb derer sie ernsthafte Schritte zur Lösung des Landproblems unternehmen soll. Andernfalls würde es 1992 zu zahlreichen weiteren Landbesetzungen kommen.

*Literatur:*

Schindler, Helmut: Bauern- und Reiterkriege. Die Mapuche-Indianer im Süden Amerikas; München 1990

Schneider, Jens: »Marici Weu!« Ethnische Autonomie und Demokratie in Chile, in: Reusch, Vera/Antje Wiener (Hg.): Geschlecht – Klasse – Ethnie. Alte Konflikte und neue soziale Bewegungen in Lateinamerika; Saarbrücken 1991

# 6. Anhang

# Weiterführende Literatur:

Biegert, Claus: Der Erde eine Stimme geben, Reinbek 1987

Biegert, Claus und Wittenborn, Rainer: Der große Fluß ertrinkt im Wasser – James Bay: Reise in einen sterbenden Teil der Erde, Reinbek 1983

Biegert, Claus: Seit 200 Jahren ohne Verfassung/USA: Indianer im Widerstand, Reinbek 1976/1981

Biegert, Claus: Indianerschulen – Als Indianer überleben – von Indianern lernen. Survival Schools, Reinbek 1979

Böll, Annemarie: Ist Gott Amerikaner? Köln 1980

Burger, Julian: Die Wächter der Erde. Vom Leben sterbender Völker, Reinbek 1991

Buschenreiter, Alexander: Unser Ende ist Euer Untergang – die Botschaft der Hopi und anderer US-Indianer an die Welt, Düsseldorf und Wien 1983

Courlander, Harold und Dömpke, Stephan: Hopi – Stimmen eines Volkes, Köln 1976

Das Leben einer Stadtindianerin aus Kanada, München 1977

Deloria, Vine jr.: Nur Stämme werden überleben – Indianische Vorschläge für eine Radikalkur des wildgewordenen Westens, München 1976

Gesellschaft für bedrohte Völker (Hg.): Akwesasne Notes – wo das Rebhuhn balzt – Indianische Texte aus dem Widerstand, München 1982

GfbV/Arbeitskreis ILV: Die frohe Botschaft unserer Zivilisation/Evangelikale Mission in Lateinamerika – Dokumentation über Einfluß protestantisch-fundamentalistischer Mission am Beispiel des Summer Institute of Linguistics, Göttingen 1979

GfbV, Arbeitsgruppe Indianer: Der Völkermord geht weiter – Indianer vor dem IV. Russell-Tribunal, Reinbek 1982

Gieb, H./Hermanns, B./Strohscheidt-Funken, E. (Hg.) – in Zusammenarbeit mit ai, GfbV, FIAN Brasilien Nachr., Imbas, infoe, Philippinenbüro: Wer ihr Land nimmt, zerstört ihr Leben – Menschenrechtsverletzungen an Ureinwohnern, Hamburg 1991

Helbig, Jörg/Iten, Oswald/Schildknecht, Jacques (Hg.): Yanomami, Indianer Brasiliens im Kampf ums Überleben, Innsbruck 1989

Hensel, Gert: »Strahlende« Opfer – Amerikas Uranindustrie, Indianer und weltweiter Überlebenskampf, Gießen 1987

Kressing, Frank: Der Cree-Report – Kanadische Indianer im Kampf gegen die Energiewirtschaft, Wyk auf Föhr 1986

Lindig, Wolfgang und Münzel, Mark: Die Indianer – Kulturen und Geschichte der Indianer Nord-, Mittel- und Südamerikas – München 1976

Ludwig, Klemens: Bedrohte Völker – Lexikon nationaler und religiöser Minderheiten, München 1985

Maderspacher/Stüben (Hg.): Bodenschätze contra Menschenrechte, Hamburg 1984

Münzel, Mark: Die Aché in Ost-Paraguay – Gejagte Jäger, Frankfurt a. Main 1983

Münzel, Mark: Die indianische Verweigerung. Lateinamerikas Ureinwohner zwischen Ausrottung und Selbstbestimmung, Reinbek 1978

Native Americans – zur sozial- und literaturgeschichtlichen Vermittlung eines Stereotyps, Hildesheim/Zürich/New York 1985

Nehberg, Rüdiger: Die letzte Jagd – Die programmierte Ausrottung der Yanomami-Indianer und die Vernichtung des Regenwaldes, Hamburg 1989

Raach, Karl-Heinz: Bilder der Arktis, Hannover 1991

Schmidt, R. Mathias: Wenn wir gehen, geht die Welt – Indianer in den USA. Interviews und Dokumentation, Lampertheim 1980

Suttles/Wayne (Hg.): Handbook of North American Indians, 1990

The Council on Interracial Books for Children (Hg. – aktualisiert von Claus Biegert): Die Wunden der Freiheit – Der Kampf der Indianer gegen die weiße Eroberung und Unterdrückung, Reinbek 1980

Wolf, Ursula: Mein Name ist ICH LEBE – Indianische Frauen in Nordamerika, München 1980

Zülch, Tilman: Von denen keiner spricht – Unterdrückte Minderheiten von der Friedenspolitik vergessen, Reinbek 1975

**Sonderausgaben der Zeitschrift POGROM (Göttingen):**

Am Beispiel der Aché-Indianer: »Entwicklungsprobleme« in Paraguay: Heft Nr. 18/ 1973

Der alltägliche Kolonialismus/Lateinamerikas Tieflandindianer Teil 1/Report Nr. 14; Heft Nr. 28/1974

USA/Der gewaltfreie Kampf der Landarbeiter; Heft Nr. 31/1975

Paraguay – eine Nation/zwei Kulturen – Militärdiktatur gegen Befreiung; Heft Nr. 42/43/1976

Riester, Jürgen und GfbV: Ostboliviens versklavte Indianervölker/Den Marxismus indianisieren?; Heft Nr. 46/1976

Chiles Mapuche – Armee gegen Indianer; Heft Nr. 47/1977

Argentinien – ein rein weißes Land?; Heft Nr. 48/1977

Paraguays Indianervölker – Die Aché und andere Opfer; Heft Nr. 49/1977

Indianer sprechen/Indianische Forderungen, Programme, Erklärungen, Proteste und Berichte aus Nord-, Süd- und Mittelamerika; Heft Nr. 50/51/1977

Der Anschlag auf Kanadas Norden – Dene-Indianer und Umweltschützer gegen Raubbau und Zerstörung in den Nordwestterritorien; Heft Nr. 52/1977

UNIDAD INDIGENA – Zeitung der indianischen Völker Kolumbiens; Heft Nr. 53/ 1977

Indianer in Europa – Zur panindianischen Delegation in der Bundesrepublik; Heft Nr. 54–56/1978

Indianer – 1980 in Süd- und Mittelamerika – Berichte aus Mexiko, Guatemala, Nicaragua, Kolumbien, Ecuador, Peru, Chile, Brasilien; Heft Nr. 74/75/1980

Letzter Angriff auf unser Land – Nordamerikas Indianer, Situationsberichte und Dokumente aus Kanada und den USA; Heft Nr. 89/90/1982

Nicaraguas Indianervölker – Sandinistische Revolution gegen indianische Selbstbestimmung; Heft Nr. 95/1982

Gerdts, Johanna: Indianer Brasiliens – Opfer des Fortschritts; Heft Nr. 96/1983

Amazonasindianer: Von der Verweigerung zum Widerstand (Berichte aus Venezuela, Brasilien, Ecuador, Kolumbien, Peru, Bolivien); Heft Nr. 99/1983

Indianer in Mittelamerika: Selbstorganisation und Widerstand, Landraub und Massaker/Schwerpunkt Guatemala; Heft Nr. 104/106/1983

Mexiko; Heft Nr. 112/1985

Völker der Arktis – Samen in Skandinavien und der UdSSR – Völker Sibiriens – Inuit in Alaska, Kanada und Grönland; Heft Nr. 119/1985

Der lange Weg zur Selbstbestimmung – Nordamerikas Ureinwohner 1988: Zur Situation der Hopi, Havasupai, Navajo, Lakota, Pueblo, Cree, Lubicon, Nishga, Haida u. a., Heft Nr. 140/1988

# Adressenliste:
# Gesellschaft für bedrohte Völker (GfbV)

Bundesbüro:
Düstere Straße 20a,
3400 Göttingen
Tel.: 0551/4 99 06-0

Sektionen:

*GfbV Luxemburg*
Frau Tun Welter,
12 Rue N.S. Pierret,
L 2335 Luxembourg
*GfbV Österreich*
Mariahilferstr. 105,
A 1060 Wien
*GfbV Schweiz*
Sennweg 1
CH 3012 Bern
*GfbV Südtirol*
c/o Dritte Welt Zentrum
Postfach 233
I 39100 Bozen

Regionalbüros:

*Berlin:*
c/o Assyrische Union
Leberstraße 47
1000 Berlin 62
*Leipzig:*
c/o Kulturnetz Ost
Karl-Liebknecht-Straße 8–12
O 7010 Leipzig

Regionalgruppen:

*Aachen:*
Günther Lücker
Meischenfeld 35
5100 Aachen
*Bielefeld:*
Alfred Buss,
Harzweg 22
4800 Bielefeld 17

*Bochum:*
Christian Skak
Menzelstr. 10
4630 Bochum
*Bonn:*
Lotte Schütze
Baumschulenallee 44
5300 Bonn 1
*Braunschweig:*
Annette Gille
Broitzemer Str. 238
3300 Braunschweig
*Bremen:*
Antje Linder
Kreuzstraße 33/35
2800 Bremen
*Detmold:*
Erich Griebe
Fromhausener Str. 59
4934 Horn-Bad Meinberg
*Düsseldorf:*
Klaus Deuchert
Tannenstraße 49
4000 Düsseldorf 30
*Eisenach:*
Jens Lampe
Schlossberg 4a
O-5900 Eisenach
*Frankfurt:*
Tamara Constable
Rathausstr. 7
6238 Hofheim-Wallau
*Göttingen:*
Birgit Arnold
Maschmühlenweg 107
3400 Göttingen
*Halle:*
Jane Borman
Volkmannstr. 11
O-4020 Halle
*Hannover:*
Mouny Barlsen
Egestorfstr. 8
3000 Hannover 91

*Heidelberg:*
Stephan Teuber
Turnerstr. 124
6900 Heidelberg
*Karlsruhe:*
Burkhard Gauly
Wiesbadener Str. 36
7500 Karlsruhe 21
*Kassel:*
Anja Keding
Ihringshäuser Str. 50
3500 Kassel
*Ludwigsburg:*
Elke Göckeritz
Blumenstr. 13
7121 Ingersheim
*Magdeburg:*
Renate Sattler
Jerichower Str. 52
O-3050 Magdeburg
*Marburg:*
Meike Schuler-Kaas
Sonnbach 3
3555 Fronhausen-Erbenhausen
*München:*
Rolf Meckes
E.-V.-Sterberg-Weg 31
8000 München 45
*Münster:*
Kajo Schukulla
Hoyastr. 6

4400 Münster
*Nordhausen:*
Dirk Rzepus
Sangershäuser Str. 1a
O-5500 Nordhausen
*Nürnberg/Fürth:*
Hannelore Russ
Saarburger Str. 15
8510 Fürth
*Oldenburg:*
Kai Mönnich
Hermannstädter Str. 42
2900 Oldenburg
*Osnabrück:*
A. Winter-Stettin
Artilleriestr. 49
4500 Osnabrück
*Tübingen:*
Sybille Erbs
Rappenberghalde 35
7400 Tübingen
*Ulm:*
Edith Schwarz
Dillinger Str. 5
7906 Blaustein

*Big Mountain Aktionsgruppe:*
Klenzestr. 5
8000 München 5
Tel. 089/2 91 30 27

# Über die Autoren:

**Yvonne Bangert:**
Studium der Ethnologie, Politik und Publizistik in Göttingen, seit 1980 hauptamtlich als Redakteurin und Übersetzerin der Zeitschrift und Buchreihe Pogrom tätig.

**Claus Biegert:**
Beiratsmitglied der GfbV, arbeitet als Rundfunkjournalist, Schriftsteller, Übersetzer und Fotograf; ist Autor mehrerer Bücher über Indianer. 1987 gründete er die Initiative »World Uranium Hearing«.

**Volkmar Blum:**
Wissenschaftlicher Mitarbeiter für Soziologie am Lateinamerikainstitut der FU Berlin, lebte sechs Jahre in den Andenländern.

**Eva Maria Bockor:**
Dipl.-Forstwirtin, seit Oktober 1991 beim Klimabündnis in Kassel beschäftigt; lebte sechseinhalb Jahre in Peru und zwei Jahre in Guatemala.

**Claudia Bußmann:**
Studium der Ethnologie, Geschichte und Politischen Wissenschaften in Hamburg; seit 1986 Forschungsaufenthalte in Nordamerika, Organisation von

deutsch-indianischen Jugendaustausch-programmen, Betreuung von Studienfahrten »Ökologie und Ethnische Minderheiten« von Nevada bis British Columbia.

Ulrich Delius:
Seit 1986 Referent der GfbV und Leiter der Abteilung Indigene Völker, Autor zahlreicher Buch- und Zeitschriftenveröffentlichungen; ständiger Mitarbeiter der Zeitschrift pogrom.

Renate Domnick:
Dipl.-Bibliothekarin; längere Aufenthalte in den USA bei den Seminolen, Navajo, Hopi, Western Shoshone und Lakota; Themenschwerpunkte: Uranabbau in den Reservaten; ehrenamtliche Koordinatorin der GfbV.

Werner H. T. Fuhrmann:
Seit 1964 Nachrichtenredakteur bei der Deutschen Presseagentur in Göttingen, Beiratsmitglied der GfbV, zahlreiche Publikationen zu Menschenrechtsfragen.

Inse Geismar:
Ethnologin, seit 1987 hauptamtlich als Koordinatorin und Aktionsreferentin der GfbV tätig; verschiedene Publikationen u. a. zu den Themen Zypern, Sorben und Kurden.

Michael Has:
Physiker, Vorstandsmitglied der GfbV und des »World Uranium Hearing«; längere Studienaufenthalte bei nordamerikanischen Indianern und auf den Philippinen. Veröffentlichungen zu den Themenbereichen Tourismus, Entwicklungshilfe, Verfolgung und Bedrohung von indigenen Völkern und Minderheiten.

Dr. Oswald Ithen:
Freier Journalist in der Schweiz, Autor zahlreicher Reportagen über die Situation der Indianer Nord- und Südamerikas und des Buches »Keine Gnade für die letzten Indianer« (Zürich und Frankfurt 1992). Weitere Publikationen zum Thema Sudan; Mitarbeit in der GfbV-Schweiz.

Martina Jarnuszak:
Studium der Ethnologie, Geschichte und Anthropologie, Mitglied im Institut für Ökologie und Aktionsethnologie (INFOE), arbeitet im Institut für Ethnologie an der Universität Hamburg.

Elisabeth Kumi:
Dipl. Journalistin, Themenschwerpunkt Lateinamerika, 1985/86 Studienaufenthalt in Mexiko, seit 1990 Referentin für indigene Völker bei der GfbV, Veröffentlichungen in der Zeitschrift pogrom.

Dr. Ingrid Kummels:
Ethnologin und Filmemacherin, hat in Mexiko, Kuba und Peru gelebt und gearbeitet, ist zur Zeit als Wissenschaftliche Mitarbeiterin am Lateinamerikainstitut in Berlin beschäftigt.

Christine Moser:
Geographin, seit Jahren in der Brasiliensolidarität aktiv.

Prof. Dr. Mark Münzel:
Ethnologe an der Universität Marburg, Arbeitsschwerpunkt Südamerika, besonders Brasilien und Paraguay; jahrelange Forschungsaufenthalte bei Indianern Südamerikas, zahlreiche Veröffentlichungen zu diesem Thema, u. a. gemeinsam mit Wolfgang Lindig: Die Indianer, Kulturen und Geschichte der Indianer Nord-, Mittel- und Südamerikas, München 1976.

Rüdiger Nehberg:
Survivalexperte, Autor verschiedener Bücher zu Überlebenstechniken und -Expeditionen, seit 1980 aktiv als Men-

schenrechtler vor allem für das Indianervolk der Yanomami, Bücher und Initiator von Filmen über den Völkermord an den Yanomami; Beiratsmitglied der GfbV, Engagement für Minderheitenprobleme.

Uwe Peters:
Diplom-Politologe, seit 1984 bei der GfbV ehrenamtlicher Koordinator für Navajo.

Karl-Heinz Raach:
Studium der Ethnologie und Soziologie in Freiburg und Montreal; arbeitet heute als freier Journalist und Fotograf; mehrere längere Aufenthalte in der kanadischen Arktis und Grönland; zahlreiche Veröffentlichungen in deutschen und kanadischen Zeitungen und Zeitschriften, Autor des Buches »Bilder der Arktis«, Hannover 1991

Theodor Rathgeber:
Politologe, zweijähriger Forschungsaufenthalt in Kolumbien, beschäftigt sich mit Fragen der Autonomie in Lateinamerika. Seit 1990 bei der GfbV beschäftigt als Referent zur Kampagne 1992.

Lioba Rossbach:
Ethnologin, 1984–87 Mitarbeit in einem Forschungsprojekt zur Atlantikküste Nicaraguas, 1987–88 Feldforschung bei der afroamerikanischen Bevölkerung der kolumbischen Provinz Choco, zur Zeit Doktorandin an der Universität Mainz.

Dr. Manfred Schäfer:
Freischaffender Ethnologe und Filmemacher.

Monika Seiller:
Lehramtstudium (Englisch, Sozial-

kunde); Mitgründerin der Big Mountain Aktionsgruppe e. V.

Corinna Veit:
Arbeitet als freie Grafikerin, Journalistin und Yogalehrerin, engagiert sich seit 1980 für indianische Landrechte in Nordamerika.

Sondra Wentzel:
Ethnologin und langjähriges Mitglied der GfbV; Forschungsaufenthalte in Bolivien, Peru, Brasilien, Venezuela und Indonesien; Aufbaustudium in Tropischer Landwirtschaft und ländlicher Entwicklung, zur Zeit Mitarbeit an einem deutschen Projekt in Indonesien.

Günter Wippel:
Diplom-Volkswirt, aktives GfbV-Mitglied, beschäftigt sich seit 1980 schwerpunktmäßig mit Indianern Nordamerikas, Mitautor des Buches »Das Uran und die Hüter der Erde«, Mitarbeiter in der Aktion »Uranabbau contra Umwelt und Menschenrechte«.

Gundula Zeitz:
Studium der Politischen Wissenschaften, Publizistik und Anglistik, seit September 1991 hauptamtliche Pressereferentin der GfbV.

Dionys Zink:
Studium der Geographie und Germanistik in München, im Vorstand der Big Mountain Aktionsgruppe, Mitarbeit an der Zeitschrift »Coyote«.

Tilman Zülch:
Gründer und Bundesvorsitzender der GfbV; Buchveröffentlichungen zu Biafra, Verfolgte Minderheiten, Sinti und Roma, Stalin und Hitler, Kurden.

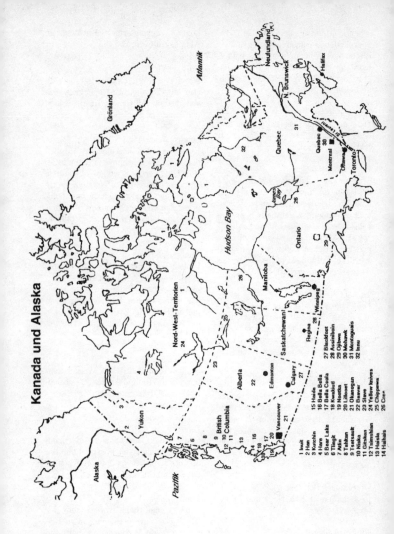

Kanada und Alaska

1 Inuit
2 Han
3 Kutchin
4 Hare
5 Bear Lake
6 Tlingit
7 Atlin
8 Tahltan
9 Tsetsaut
10 Niska
11 Gitoksan
12 Tsimshian
13 Haisla
14 Haihais
15 Haida
16 Bella Bella
17 Bella Coola
18 Kwakiutl
19 Nootka
20 Lillooet
21 Okanogan
22 Beaver
23 Slave
24 Yellow knives
25 Chipewyan
26 Cree
27 Blackfoot
28 Assiniboin
29 Ojibwa
30 Mohawk
31 Montagnais
32 Innu

»Unsere Zukunft ist eure Zukunft« (Sammlung Luchterhand 1044)

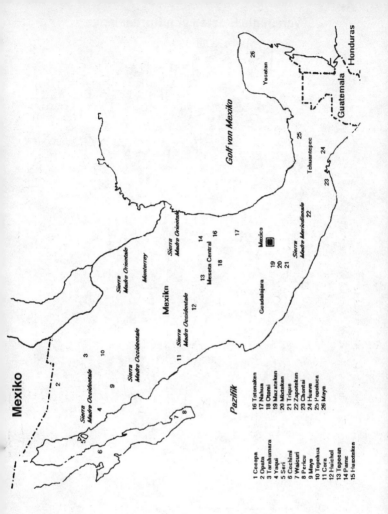

»Unsere Zukunft ist eure Zukunft« (Sammlung Luchterhand 1044)

# Vereinigte Staaten von Nordamerika

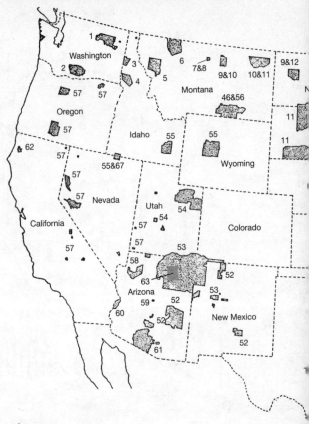

GRÖSSERE RESERVATE

0    161    322    483    644  KM

| | | |
|---|---|---|
| 1. Colville und Spokane | 10. Assiniboin | 22. Shinnecock |
| 2. Yakima | 11. Sioux | 23. Poosepatuck |
| 3. Coeur d'Alene | 12. Mandan | 24. Cherokee |
| 4. Nez Perce | 13. Oneida | 25. Catawba |
| 5. Salish und Kootenai | 14. Menominee | 26. Seminolen |
| 6. Blackfeet | 15. Tuscarora | 27. Creek |
| 7. Chippewa | 16. Seneca | 28. Choctaw |
| 8. Cree | 17. Mohawk | 29. Houma |
| 9. Gros Ventre | 18. Passamoquoddy | 30. Chitimacha |
| | 19. Penobscot | 31. Coushatta |
| | 20. Gayhead | 32. Modoc |
| | 21. Narragansett | 33. Miami |

Maine

18
19

Ve.

N.H.

17

Minnesota

7        7

7

7

7

Wisconsin        13

19

Michigan

13

15

New York

16

Iowa        39

Illinois        Indiana        Ohio

Pennsylvenia

Mass.

Conn.

21  20

22

23

N.Y.

W.Virginia

Virginia

Missouri

Kentucky

45

16, 32-38

24

27        42

39

26

Arkansas

Tennessee        24

N.Carolina

25

S.Carolina

Georgia

Mississsppi

28

Alabama

Louisiana        27

31        31

30        29

Florida

26

34.Ottawa
35.Quapaw
36.Peoria
38.Wyandotte
39.Sac & Fox
40.Potawatomi
41.Shawnee
42.Pawnee
43.Kickapoo
44.Iowa
45.Osage
46.Cheyenne

47.Arapaho
48.Delaware
49.Wichita
50.Kiowa
51.Comanche
52.Apache
53.Navajo
54.Ute
55.Shoshone
56.Crow
57.Paiute
58.Hualapai

59.Chemehuevi
60.Mojave
61.Papago
62.Hoopa &
Yurok
63.Hopi

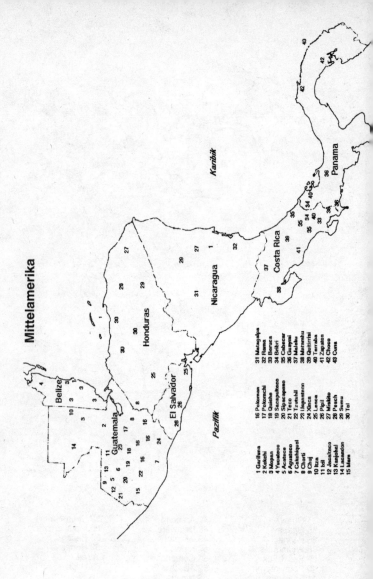

»Unsere Zukunft ist eure Zukunft« (Sammlung Luchterhand 1044)

# Südamerika

»Unsere Zukunft ist eure Zukunft« (Sammlung Luchterhand 1044)